CW00401612

DROLE DE JEU

Né en 1907 à Acy-en-Multien, dans l'Oise, Roger Vailland fait ses études à Reims puis à Paris, où il termine une licence de philosophie à l'Ecole normale supérieure. Condisciple de René Daumal et de Roger-Gilbert Lecomte, il fonde avec eux le « Grand Jeu » et se rapproche des surréalistes quand un de ses articles provoque une rupture définitive avec Breton et ses amis. Reporter en Abyssinie et en Albanie, il entre dans la Résistance dès le début de la guerre puis devient correspondant de guerre auprès des armées alliées. Ses années de clandestinité forment la matière de Drôle de jeu, *qui lui vaut le Prix Interallié en 1945. Militant communiste et admirateur des philosophes libertins, Vailland commence alors une brillante carrière de romancier et d'essayiste. Parmi ses œuvres principales, il faut citer* Bon pied bon œil, 325 000 francs, *qui lui assure une large audience populaire,* La Loi *(Prix Goncourt en 1959). En 1956, après l'invasion de la Hongrie par l'U.R.S.S., Roger Vailland quitte le parti communiste. Il meurt en mars 1965 à Meillonnas, dans l'Ain.*

Dans la France occupée, quelques hommes jouent un peu malgré eux le jeu dangereux de la résistance armée et de l'aventure amoureuse. Le libertin Marat, le romantique Rodrigue, le naïf Frédéric vivent l'activité terroriste comme un métier tyrannique où le risque tient presque lieu de loisir. Autour de Mathilde, jadis aimée par Marat, et dont les charmes déclinants éveillent encore la séduction, les rencontres se nouent, chargées de passion et d'inquiétude. Mathilde est-elle sur le point de trahir et de livrer Marat à la Gestapo?
Aux antipodes du roman « résistancialiste », le récit de Vailland offre, avec un mélange de lucidité cynique, de notations psychologiques désinvoltes et de réflexions politiques, un tableau pittoresque de la vie nocturne à Paris, lorsque collaborateurs et patriotes tentaient d'oublier, dans les mêmes bars, ce que leur réservait la fin du jour. Sous le sérieux du combat engagé contre le nazisme, nul mieux que Vailland n'a montré la part de désillusion assumée avec autant de désespoir que d'enthousiasme.

Paru dans Le Livre de Poche :

325 000 FRANCS.

ROGER VAILLAND

Drôle de Jeu

ROMAN

BUCHET-CHASTEL

AVERTISSEMENT

Drôle de Jeu *est un roman, — au sens où l'on dit romanesque — une fiction, une création de l'imagination.*

Ce n'est pas un roman historique. *Si j'avais voulu faire un tableau de la Résistance, il serait inexact et incomplet puisque je ne mets en scène ni les maquisards ni les saboteurs des usines (entre autres exemples), qui furent parmi les plus purs et les plus désintéressés héros de la Résistance. Mais* Drôle de Jeu *n'est pas un roman* sur *la Résistance. Il ne peut donc fournir matière à aucune espèce de polémique, — autre que purement littéraire — et tout argument d'ordre historique ou politique qu'on y puiserait serait, par définition, sans valeur.*

Si enfin le nom ou le pseudonyme d'un de mes « héros » se trouvait appartenir à un personnage existant réellement, ce serait pure coïncidence, indépendante de ma volonté et sans aucune signification.

R. V.

PREMIÈRE JOURNÉE

(qui se situe à la fin du mois de mars 1944)

> « Vous construisez les voies, je les fais sauter, nous nous complétons, nous devons nous entendre. »

I

Dix heures du matin, rue Lepic. La concierge est sur le pas de la porte.

« Bonjour, monsieur Marat, fait-elle joyeusement... Bonnes nouvelles, n'est-ce pas? Les Russes avancent... M. Rodrigue est chez lui, il doit vous attendre... »

Marat a toujours envie de rire quand il entend dire : « Monsieur Marat », « Monsieur Rodrigue », car, bien entendu, Marat, Rodrigue sont des pseudonymes, des noms de guerre. Il a choisi Marat pour taquiner le « patron », Caracalla, qui, bien qu'admirateur de l'Armée Rouge, est loin d'être un révolutionnaire; on raconte même qu'avant la guerre, il était inscrit à *L'Action Française*.

La concierge est dans la conspiration, mi-bénévole, mi-mercenaire, c'est Chloé qui s'est portée garante de ses sentiments gaullistes. Marat lui donne mille francs par mois pour qu'elle laisse à sa disposition l'appartement d'un locataire resté en zone sud depuis l'armistice, un juif probablement. Il y loge Rodrigue qui est « réfractaire » et les agents de liaison qui, passant par Paris, ne veulent pas descendre à l'hôtel, pour n'avoir pas à remplir de fiche de police. Il donne aussi des cigarettes au concierge et mille francs de temps en temps parce qu'il a fallu payer le loyer, « pour que le gérant ne proteste pas », ou faire des travaux, « le plombier est si cher à présent ».

Dans la chambre de Rodrigue, un grand garçon, tout nu, est en train de se frotter énergiquement les dents.

« C'est Frédéric, présente Rodrigue. Il est arrivé ce matin de Toulouse où il a échappé de justesse à la Gestapo. Nous avons travaillé ensemble aux E.C. (Etudiants Communistes); tu peux parler devant lui... »

Bien bâti, mais un peu gras. Pourquoi resté-je toujours sur mes gardes en présence des hommes gras? Les grands montagnards maigres m'inspirent au contraire immédiatement confiance; ce doit être héréditaire : je suis petit-fils de montagnard. Rodrigue aussi. Attention, j'ai une fâcheuse tendance au « racisme ».

« Quand il a entendu les flics, continue Rodrigue, il a sauté par la fenêtre de la cour.

— Je sortais du bain, dit Frédéric; je n'ai pas eu le temps de m'habiller complètement : juste pantalon, veston et manteau, ni chaussettes, ni chemise. Dans le train, j'ai fait tout le temps attention de garder le col du manteau fermé.

— Ses parents sont arrêtés, continue Rodrigue.

— Quels papiers as-tu? demande Marat.

— Une fausse carte d'identité et c'est tout », répond Frédéric, qui continue à se frotter les dents.

Il va se mettre les gencives en sang; psychose de l'hygiène, je me demande quel est son vice.

« Procure-lui un état civil de Rocroi, dit Marat, carte enregistrée, acte de naissance, certificat de travail...

— Dac, fait Rodrigue.

— Quel âge vas-tu lui donner?

— Vingt-sept, vingt-huit ans. Il les fait bien?

— Je ne sais pas, un homme à poil n'a pas d'âge...

— Et les vêtements?

— Demande à Chloé. Elle sera chez elle à l'heure du déjeuner. Ne téléphone pas, on lui téléphone déjà trop. Je crois qu'elle a des chemises en ce moment...

— Dac.

— Merci, dit Frédéric.

— Rien. Le service de Chloé a été créé exprès pour habiller les illégaux. Ce n'est que par extension que nous sommes quelques-uns à en profiter. Caracalla ne veut pas que ses gars perdent leur temps à chercher des combines de marché noir. Au fait, tu ne sais pas, Caracalla c'est un des chefs de la Délégation gaulliste...

— Une huile!

— Dissident de juin 40, école spéciale en Angleterre, envoyé en France avec trente de sa promotion; les vingt-neuf autres ont été pris ou tués... Il n'a que vingt-trois ans.

— Tu travailles avec lui?

— Pas directement, mais c'est un ami personnel et il nous permet d'utiliser son intendance...

— A Toulouse, les permanents du Parti ne touchent que deux mille francs par mois... et pas d'intendance...

— Ici, c'est la même chose.

— Les courriers de Caracalla, intervient

Rodrigue, touchent 8 000 francs par mois...

— Naturellement, dit Frédéric. Les gaullistes sont pourris.

— Non, dit Rodrigue, les deux techniques sont différentes. Le Parti ne veut pas donner des habitudes de luxe à ses militants : ça se défend. Caracalla ne veut pas que la question d'argent se pose pour ses gars : ça se défend aussi.

— C'est deux mentalités », dit sèchement Frédéric.

Un intellectuel, pense Marat. Les intellectuels qui entrent au Parti ont tendance à être puritains; ils font vœu de pauvreté quand ce n'est pas de chasteté. Ascèse personnelle. Je n'aime pas qu'on entre dans le communisme comme dans les ordres.

Il emmène Rodrigue dans le couloir pour lui fixer la tâche du jour : même devant le plus sûr des camarades on ne parle pas du travail en cours, s'il n'y a pas directement part. C'est la règle. Quand ils ont fini :

« Il faut s'occuper de Frédéric, dit Rodrigue. Il est coupé de tout... Il ne retrouvera pas de poste dans le Parti avant plusieurs mois : tu sais comme la Commission des Cadres est longue à « vérifier » le militant qui a eu des histoires avec les flics. Ne pouvons-nous pas le prendre avec nous?

— Tu l'aimes bien?

— Nous avons travaillé ensemble pendant un an. C'étaient mes débuts : collages d'affiches, distributions de tracts. Frédé était formidable : dix-huit heures de travail par jour, toujours volontaire pour les coups durs. Il est pourtant pétochard comme pas un; mais il se domine. Je ne l'ai jamais vu prendre un jour de congé...

— Ça confirme ce que je pensais...

— Quoi?

— Rien... Nous n'avons besoin de personne en ce moment. Je vais tâcher de le refiler à Caracalla. Il cherche des courriers.

— Frédé peut faire mieux qu'un courrier. Il a été responsable politique à Toulouse.

— Je verrai cela avec Caracalla. Je dîne avec lui ce soir.

— Tu le débauches...

— Et comment! J'ai promis de l'emmener dans un *clandestin*...

— C'est contraire à la règle : on ne doit pas sortir avec les camarades de boulot...

— Ta gueule! »

Ils rient tous deux.

« Et la petite du premier? demande Marat.

— C'est fait.

— Alors?

— Hum!...

— Et encore?

— Pas mal balancée. Des talents inattendus. Mais maternelle à en chialer : ça m'a tout de suite donné envie de foutre le camp... »

Ils retournent dans la chambre. Frédéric s'est habillé; il a mis une chemise de Rodrigue mais le col est trop étroit et il n'a pas fermé le dernier bouton. Lunettes, cheveux plaqués.

« Pourquoi la Gestapo te recherche-t-elle? demande Marat.

— C'est tout un roman...

— Raconte...

— Raconte, demande Frédéric à Rodrigue; tu connais l'histoire.

— Il était amoureux d'une jeune fille, commence Rodrigue.

— Quoi?

— Oui, une étudiante qu'il avait rencontrée à la Fac...

— Je vois.

— Ils voulaient se marier; les parents ne voulaient pas.

— Les parents de qui?

— D'elle.

— Qu'est-ce qu'ils font dans la vie?

— Le père d'Annie est receveur de l'Enregistrement, dit Frédéric qui s'est assis sur le lit.

— Une cigarette... offre Marat.

— Je ne fume pas.

— Il ne boit pas non plus, dit Rodrigue, pas même de vin.

— Je vois... Continue...

— Frédé l'a fait entrer au Parti. Les parents l'ont appris. Le père a convoqué Frédé. Une scène de tonnerre. « Si vous continuez « à voir Annie je vous dénoncerai. » Là-dessus Annie refuse de le voir. Pendant que le père est au bureau, Frédé va chez elle, engueule la mère et emmène la fille. Il l'installe à l'hôtel...

— Lui avec?

— Non; il n'a jamais couché avec...

— Pourquoi? demande Marat à Frédé.

— C'est comme ça...

— Je vois.

— Le surlendemain, enchaîne Rodrigue, la Gestapo arrive chez Frédé : c'est sûrement le père d'Annie qui a donné Frédé...

— Il faut le tuer, dit Marat.

— C'est à quoi j'ai d'abord pensé, répond Frédé. Mais j'ai eu peur que les copains ne m'engueulent : il ne faut pas qu'un acte de justice politique puisse passer pour un crime passionnel.

— Sans doute, mais moi je tuerais quand même. Il est vrai que je ne suis pas du Parti. Enfin, pas encore...

— Ah! je croyais..., fait Frédé en haussant les sourcils.

— Non. Rodrigue t'expliquera. Pas maintenant parce qu'il a du travail... A demain matin, même heure, je te dirai ce qu'on peut faire pour toi... »

Rodrigue accompagne Marat jusqu'à la porte.

« Il est marrant, ton copain, dit Marat.

— Tu sais, dit Rodrigue, il est puceau.

— Quel âge a-t-il?

— Vingt et un, comme moi. »

Marat, lui, a trente-six ans. Il fait partie d'une organisation militaire gaulliste. Rodrigue, qu'il avait connu enfant, s'étant trouvé « coupé » des E.C. à la suite d'une série d'arrestations, il l'a pris en charge et en a fait peu à peu son « lieutenant ».

II

DIX heures cinquante, dans le métro, ligne Porte de la Chapelle-Porte de Versailles. Marat est assis.

L'Armée Rouge a pénétré en Bessarabie. La radio racontait tout à l'heure que les paysans vont en procession au-devant des soldats russes. Paméla vivait dans un village de Bessarabie, à la fin de l'autre guerre; elle avait alors dix ans; depuis des semaines on ne savait plus rien de ce qui se passait dans le monde. Un après-midi un camion traversa le village; des drapeaux...

NOTRE-DAME DE LORETTE

... rouges sur le capot et à chaque extrémité du pare-brise; des soldats, beaucoup de sol-

*dats, vingt, trente peut-être, debout sur la plate-forme, toutes sortes d'uniformes, tachés de boue, de graisse, troués, rapiécés, des casques, des calots, des bérets, des casquettes à visière; des Allemands et des Russes, sans plus de fusils ni de baïonnettes, ni de revolvers, ni de grenades, le bras par-dessus l'épaule du voisin, riant, lançant des mots aux femmes, criant « nous rentrons ». « Ce fut la première fois, racontait Paméla, que j'entendis l'*Internationale. » *Le lendemain, il passa deux camions semblables à celui-ci. Le surlendemain, il en défila toute la journée. Russes et Allemands, fraternellement enlacés, chantant ensemble l'*Internationale. *Je demandais souvent à Paméla de me raconter la fin de la guerre en Bessarabie; c'était en 30 que nous étions amants, nous avions le même âge, nous attendions la prochaine guerre, comme tous les jeunes gens de notre génération, nous étions certains qu'elle se terminerait par la Révolution, c'était notre grand espoir, la perspective glorieuse qui donnait un caractère provisoire à tout ce que nous entreprenions entre-temps, à l'amour même. « Ça compte pour du beurre », disent les enfants quand la vraie partie n'est pas encore commencée, quand on joue à l'essai. Tout ce que nous faisions entre* les deux guerres « comptait pour du beurre ». Comme tout comptait et compte encore « pour du beurre » pour tant de jeunes intellectuels anglais et américains.

Cependant nous étions plus révoltés que révolutionnaires. Enfants de bourgeois, fréquentant les écrivains et les artistes, trouvant sans trop de difficultés l'argent nécessaire pour les soûleries dans les boîtes de Montparnasse et les voyages d'amour dans les Maures ou en Corse, ignorant encore l'humiliation de vendre son temps contre un salaire, de faire un travail qu'on n'aime pas dans l'unique but de « passer à la caisse », — (ce n'est que plus tard que j'ai été contraint de dire « bonjour, patron », j'en ai rougi la première fois), — pas assez engrenés dans un métier pour nous sentir obligés de prendre part à la lutte, nous laissions l'U.R.S.S. et le Parti faire tout le boulot, nous étions même plutôt trotskistes, nous parlions de la « révolution permanente », nous étions des « intellectuels en chômage », plus sensibles au pathétique de l'insurrection qu'à la révolution. La révolution : la dignité reconquise dans le combat lucide, la dignité des camarades de travail, des camarades d'humiliation. Rodrigue ne connaît pas ces débats; il est sorti du lycée pour prendre part à la bataille :

c'est la guerre, l'occupation, l'ennemi, fascistes français...

Trinité

... et Allemands, et là, il faut prendre parti tout de suite, les « âmes bien nées » n'hésitent pas sur le choix, ensuite la camaraderie de combat, la pensée des camarades en prison, tués ou torturés, cimentent la décision, lui communiquent cette fermeté que les meilleurs de ma génération n'ont conquise qu'après avoir pendant des années, longuement, patiemment, loyalement surmonté une à une toutes leurs contradictions. Le garçon qui fut après moi l'amant de Paméla était le fils d'un grand bourgeois, il habitait un hôtel particulier près de Saint-Augustin et il parlait d'hypothèques et de prêts sur titres parce qu'il venait d'hériter de sa grand-mère; il était en train de découvrir le marxisme et nous l'enviions parce qu'il avait assez d'argent pour acheter d'un seul coup toute la grande édition du Capital *et encore les œuvres complètes de Hegel, de Feuerbach, de Lénine et les ouvrages qui paraissaient alors sur le capitalisme américain et la crise de 28. Par la suite, il se lia avec Souvarine, maintenant il écrit dans des revues collaborationnistes, c'est le fascisme*

qui l'exalte, Zarathoustra, il a compris Nietzsche tout de travers, « intellectuel en chômage », homme à la dérive : avec un peu de peur dans les tripes, ça fait les pires des salauds. Il était grand, très beau, la voix douce, le cou « olympien », fragile du cœur et des poumons, sincère, naïf, mou, émouvant, ce fut sans doute sa faiblesse qu'aima Paméla. Aurais-je pu devenir celui-là? Qu'est-ce qui fait qu'un homme devient communiste ou fasciste? — pas depuis le jour où j'ai dû dire « bonjour, patron », pas depuis le jour où les porteurs du journal où j'étais rédacteur se sont mis en grève et où il fallut empêcher les « jaunes » de mettre leur voiture personnelle à la disposition du service de vente; être communiste ou fasciste, ce n'est pas seulement différer d'opinion sur Marx, c'est deux attitudes en face de la vie, deux manières d'être; le port de tête, le regard, jusqu'à la manière de nouer la cravate sont différents; moi, je devine un communiste dans la rue, à sa démarche; heureusement que la police n'est pas aussi perspicace; les patrons, eux, ne s'y trompent pas. Ce qui me gêne dans le camarade de Rodrigue ce matin dans sa chambre, Frédéric, je crois, c'est je ne sais quoi de séminariste : Rodrigue est bolchevik jusqu'au bout des ongles, Frédéric a la gueule d'un qui veut *faire le salut de son âme. Rodrigue est un calme ouvrier qui a entrepris de « changer la face du monde », les premiers d'entre ceux de ma génération qui entrèrent au Parti, c'était vers 1928, voulaient faire le salut de leur âme; les procès de Moscou se transformèrent pour eux en cas de conscience, quinze volume à l'appui, ils finirent pour la plupart par se faire exclure, « tant d'histoires pour quelques généraux fusillés » — s'étonne Rodrigue. Combien survivent des garçons qui ont fait leurs études avec moi? Roger vient de mourir du tétanos; faute d'assez d'argent pour acheter de l'héroïne au prix qu'elle coûte maintenant, il se faisait des piqûres de laudanum, tous les intoxiqués finissent, depuis la guerre, par mourir du tétanos; à quinze ans Roger prophétisait que dès qu'il le pourrait il se suiciderait lentement en prenant des drogues, il est resté jusqu'à la fin tel qu'il était au sortir du lycée, la révolte...*

SAINT-LAZARE

... de l'adolescent, Tobie contre l'Ange, la drogue momifie. La drogue, le trotskysme, le suicide, l'alcool, le racisme, la plupart des amis de mes vingt ans sont morts ou mourants, les

moins tourmentés ont accosté dans les studios de cinéma, producteurs, metteurs en scène, scénaristes, dialoguistes, maquilleurs, il y en a un qui fait des caricatures dans les hebdomadaires apolitiques, des plaisanteries sur les restrictions avec une pointe d'humour surréaliste. « Je suis anarchiste, je suis pacifiste, tout me dégoûte », répond-il, quand on lui demande de prendre parti. Nous avions tous en commun de ne pouvoir prendre au sérieux les valeurs bourgeoises; nous étions l'extrême pointe de l'une des contradictions que le régime développe en lui. Nous tenions pour également dérisoires M. Herriot et la Joconde, Citroën et l'Académie, Boucicaut et Foch; l'idée « de faire une carrière » nous faisait bien rigoler, une carrière d'artiste encore davantage que les autres : « J'ai assis la beauté sur mes genoux. Et je l'ai injuriée », c'était l'ultime hommage que nous lui rendions. L'humour macabre, l'humour surréaliste. Ce que nous admirions, c'était R. D. appuyant contre sa tempe un revolver à barillet dont il savait que l'un des huit cylindres, mais lequel? était chargé : pour la vie, la mort, à un contre sept, à sept contre un, sans pathétique, en rigolant, juste pour signifier que rien n'avait d'importance. Quand René Crevel se suicida, il ne laissa aucun message sinon, épinglée au veston du cadavre, une mince feuille de papier où il avait écrit René Crevel : comment faire comprendre à Rodrigue qu'à cette époque nous sentions de la manière la plus formelle que c'était exactement l'adieu qui convenait, le geste parfaitement « comme il faut », qu'encore une fois René Crevel nous avait donné une leçon de goût (mais nous n'aurions pas employé le mot « goût » qui appartenait au vocabulaire prohibé); une aussi parfaite « seyance » aussi immédiatement saisie par un groupe donné, à un moment donné, est éminemment significative : toute l'histoire de l'époque peut s'en déduire. Nous aurions pu facilement glisser à la pègre, c'est arrivé à Patrice, il est en prison pour vol de draps dans les hôtels; déclassés de la bourgeoisie, pas encore rattachés au prolétariat, nous entrions assez bien dans la définition du Lumpenproletariat. Le cas de Patrice est cependant exceptionnel. Vers 1935, R. T..., notre aîné de dix ans, qui commençait à faire carrière dans la production cinématographique, me dit : « Votre génération est bien décevante, vous croupissez, pas même un bandit parmi vous, pas même un Stavisky. » C'est que Stavisky croyait à la carrière, il ne cessa de rêver le rétablissement qui ferait de lui un grand bourgeois. Nous, la pègre nous dégoû-

tait comme l'envers de la bourgeoisie, l'honneur des maquereaux nous paraissait aussi dérisoire que celui des généraux; leur culte de la virilité, t'es un homme, t'es pas un homme, nous rappelait le Monteras-tu la côte, la Casquette du Père Bugeaud et les couilles au ventre du Maréchal-Pétain-le-Glorieux-Défenseur-de-Verdun; les maquereaux-couilles-au-cul ont, depuis, largement justifié notre mépris : ils sont entrés en masse dans la Gestapo, précisément au moment où Pétain formait le gouvernement de Vichy; quand le parasité est en danger, le parasite le défend, il défend son bifteck...

MADELEINE

... Madeleine, disais-je à Paméla, je te nomme Madeleine, sainte Marie Madeleine, laisse couler tes cheveux sur moi, vois je suis maigre comme le Christ de la Pieta d'Avignon, elle était toute menue avec d'immenses yeux apeurés, il y a des hommes qui deviennent fous de ces petites juives de Bessarabie, un jour j'ai appris qu'elle était docteur ès sciences; elle avait publié une thèse sur un point très particulier de la minéralogie des végétaux, elle s'en cachait, ça faisait tellement carrière. *Les « chiens de garde »*

étaient si bien arrivés, après huit ans de lycée et les années de Faculté, à nous convaincre de l'identité de la raison et de la pensée bourgeoise que nous avions aussi jeté la raison par-dessus bord et avec elle les sciences exactes : c'était à peine si certaines formes de la biologie et en particulier les études morphologiques trouvaient grâce à nos yeux, à cause de leurs rapports avec les aspects les plus gratuits de la poésie; c'est ainsi que, de la botanique, j'étudiais, lorsque je me trouvais à la campagne, les parties les plus formelles : l'identification des plantes, la nomenclature. Du mépris des sciences rationnelles, on glisse facilement au rejet de la notion de Progrès, à la persuasion que tout effort humain pour « changer la face du monde » est vain, puis tout doucement au retour à l'artisanat et à l'exaltation des vieilles vertus raciales : ce fut par ces voies que certains d'entre nous aboutirent au racisme; la révolte, si elle ne s'intègre pas dans une conscience de classe, mène aussi bien au fascisme qu'au communisme. Mais nous nous croyions tellement supérieurs à ces problèmes, nous étions des « intellectuels en chômage ». Il y a, bien sûr, science bourgeoise et science prolétarienne, tant pis pour ceux qui rient; en biologie, le conservateur a tendance à être fixiste, le

« Front Populaire » évolutionniste, les radicaux demeurant dans la pure tradition darwinienne, les socialistes réformistes séduits par le lamarkisme et le dialecticien communiste fatalement attiré par les théoriciens des mutations brusques. Il eût fallu parler de ces choses avec Paméla, mais Paméla, de même que, dans une ville étrangère, elle mettait son point d'honneur à ne pas entrer dans un musée, craignait d'effaroucher l'amour en parlant de ses travaux avec son amant. La première fois que j'allai chez elle, elle portait une grande robe un peu...

Concorde

... solennelle, vert émeraude, avec une collerette rigide, dorée, qui maintenait droit le cou, assise, le pied très joliment chaussé fixant au sol, comme un clou, le pan de la robe longue; je tournais autour d'elle comme autour d'une statue, c'était sûrement ce qu'elle avait médité, immuable, intouchable, l'homme comme un bourdon. Elle dit « excusez-moi », elle s'enferma dans la salle de bains, elle revint, toute nue, elle se laissa aller sur le lit, « viens », fit-elle, c'était tout à fait dans la manière de l'Europe Centrale entre

1920 *et* 1930. *J'ai mal fait l'amour à Paméla, je l'ai souvent ratée, quelquefois elle paraissait jouir, c'était sans doute pour me faire plaisir, elle aurait aimé être fouettée, elle me l'a raconté plus tard mais en ce temps-là, elle n'osait pas me le demander et je ne savais pas le deviner, nous étions trop jeunes...*

Marat évoque des détails de sa liaison avec Paméla; des ballons s'envolent; il franchit le Rhône d'un seul bond, il tire des coups de revolver... Soudain il prend conscience qu'il est ému. Il lève la tête, une jeune femme est assise en face de lui. Leurs genoux se touchent.

... C'est sans doute pourquoi ma rêverie a pris cette tournure. Depuis combien de temps les ballons s'envolent-ils? C'est drôle, je fais du genou à cette femme, mais je n'ai pas encore « vu » qu'elle était assise en face de moi...

Chambre des Députés

Marat regarde la femme : c'est une blonde d'une trentaine d'années, elle a les yeux battus, elle a été aimée cette nuit. Manteau de drap, avec de la fourrure au col et aux poignets, du beau lapin, une petite bourgeoise. Leurs yeux se rencontrent, le regard de la femme s'embue, elle répond à la pression du genou. Marat est de plus en plus ému. « *Ça se voit certainement...* »

SOLFÉRINO

... c'est merveilleux : rien n'est plus excitant que le regard d'une inconnue qui se trouble...

... Ne pas lui parler tout de suite, prolonger ce moment, pousser doucement le genou sous le manteau jusqu'à sentir au travers du pantalon la peau nue de la cuisse, au-dessus du bas. S'il faisait nuit, la suivre quand elle descendrait et, dans la rue, dans le black-out, l'embrasser la bouche ouverte, lui prendre le sein...

Le métro stoppe. Marat regarde vivement l'heure à son poignet. Il est déjà en retard. Il se lève brusquement. Il regarde la femme en haussant les sourcils d'un air navré, fait une moue gentille, mi-sourire, hausse les épaules et saute sur le quai, juste comme la portière se referme.

... Jamais, avant la guerre, je n'aurais abandonné une inconnue qui m'eût excité à ce point, fût-ce pour un rendez-vous avec un ministre. Et tout cela pour envoyer à Londres des renseignements qui ne serviront sans doute jamais à rien...

III

Onze heures dix, sous-secrétariat d'Etat aux Communications.

« Bonjour, monsieur Marat », fait l'huissier.

Il est aussi dans la conspiration. Tout le monde est dans la conspiration. C'est le secret de Polichinelle.

Marat frappe et entre sans attendre la réponse. M. Sidoine, haut fonctionnaire de la S.N.C.F., est seul dans son bureau. Il désigne du geste un fauteuil.

« Alors, l'embranchement de Tergnier? demande Marat.

— C'est confirmé : 420 trains pour la semaine, l'effectif de quatre divisions. T.C.O. : 80-120, un jour dans l'autre. Priorité absolue. Tous trains de marchandises et omnibus suspendus.

— Direction?

— L'Est.

— Russie ou Roumanie. Une seconde, je prends note... »

Marat déplie sa blague à tabac, d'un bloc de papier à cigarettes détache une feuille, prend un crayon effilé.

« Centres de départs? Région ouest, vous dites? »

M. Sidoine énumère des gares de triage.

Marat note.

On frappe.

Marat replie la mince feuille dans sa main.

La porte s'ouvre. Un homme entre. En veston et tête nue; c'est quelqu'un de la maison.

« Ça va, dit M. Sidoine : c'est un ami.

— Evidemment.

— Je vous présente M. Buret, du service des constructions, un patriote... M. Marat est un de ces messieurs qui font sauter les trains...

— Comme je suis heureux de vous connaître!... »

M. Buret s'empresse. Il est voûté, myope et souriant. Il a de l'assurance, il doit sortir d'une grande école.

« Vous construisez les voies, dit Marat, je les fais sauter, nous nous complétons, nous devons nous entendre... »

Sourires.

« Que puis-je faire pour vous?

— Je ne sais pas... Service des constructions? »

Marat se tourne interrogativement vers M. Sidoine.

« On verra ça », répond M. Sidoine qui tient à honneur de conserver l'initiative des opérations.

Marat n'insiste pas; depuis qu'il conspire il a appris à ménager les susceptibilités; il reviendra sur la question dans quelques jours.

On parle des opérations en Russie, de la date probable du débarquement des Anglais, des sabotages de locomotives. M. Buret s'en va. Marat prend de nouveau des notes sous la dictée de M. Sidoine. Quand il a terminé :

« Merci, dit-il, c'est très important. Ce sera transmis à Londres par radio, dès ce soir. Vous êtes notre meilleur informateur. Vous aurez bien mérité votre Médaille de la Résistance. Comment va votre fille?

— Elle a bien du souci, comme toujours à cause de la santé de sa mère. Au fait, je n'ai pas oublié votre promesse.

— J'y pense. Je vais à Lyon la semaine prochaine. »

Marat a promis un mari pour la fille de

M. Sidoine. Car M. Sidoine, petit Celte aux pommettes saillantes et aux yeux malicieux, sorti du rang, parvenu à force de travail et d'habileté à un poste de haut fonctionnaire qui lui a été durement disputé par les anciens élèves des Grandes Ecoles, ayant finalement obtenu de sa carrière tout ce qu'il a pu en rêver lors de ses obscurs débuts, maintenant sur le point de prendre sa retraite, n'a qu'un chagrin : sa fille unique qui atteint les trente-cinq ans n'est pas encore mariée.

« Elle est trop intelligente, trop cultivée, dit-il. Les hommes qui pourraient l'épouser ont peur d'elle. »

C'est sans doute vrai.

Ils sortirent ensemble du ministère.

« Allons prendre l'apéritif, proposa Marat.

— Je ne vais jamais au café, répondit M. Sidoine.

— C'est vrai, j'oubliais.

— D'ailleurs, je dois me dépêcher pour prendre midi 23 à Montparnasse. »

(M. Sidoine habite une villa dont il est propriétaire à Viroflay.)

« A après-demain, dit Marat. Et tâchez de m'avoir l'horaire dont nous avons parlé; si le train spécial saute, ce sera grâce à vous, vous êtes notre ange...

— Si ça ne dépend que de moi, il sautera... »

Le vieux monsieur sourit malicieusement.

« Adieu, je vais arriver en retard pour déjeuner, ma femme va crier... »

IV

Midi. Place Saint-Germain-des-Prés. Rodrigue attend sous le porche de l'église. Marat lui prend le bras au passage et l'entraîne dans la rue de l'Abbaye.

« Te rappelles-tu Mathilde?

— La grande brune un peu mûre qui couchait avec Dani?

— Oui. Tu la reconnaîtrais?

— Certainement.

— Elle m'attend, en ce moment, au coin de la rue du Four et du boulevard Saint-Germain. Je ne suis pas tout à fait sûr d'elle. Vas-y. Inspecte les lieux. Fais gaffe qu'il n'y ait rien de suspect. Puis tu l'aborderas, tu lui diras que tu viens de ma part, — d'ailleurs, elle te reconnaîtra, — qu'elle te suive à vingt mètres. Tu te dirigeras vers Saint-Michel et, arrivé à Danton, tu tourneras dans le passage couvert. Je vous suivrai à distance et je me montrerai quand je serai sûr qu'elle n'est pas suivie. Si, quand vous aurez atteint le passage, je ne suis pas apparu, barre-toi.

— Si elle ne veut pas me suivre?

— Tant pis. On laisse tomber. Dépêche-toi. Au fait : rien de dangereux sur toi?

— Rien dans les mains, rien dans les poches.

— Alors, à tout à l'heure...

— Dac. »

.. ..

La tête enfermée dans le col de sa canadienne, le pas un peu lourd, Rodrigue marche comme un jeune berger. A porter des plis, transmettre des consignes, attendre les courriers de province, de mission en mission, il accomplit dans Paris trente kilomètres par jour.

Mathilde suit à vingt mètres. Son manteau d'astrakan commence à être râpé, son chapeau date du printemps 43. Elle relève la tête avec une sorte de volonté d'arrogance.

A hauteur de la rue Grégoire-de-Tours, Marat surgit. A Rodrigue :

« A quatre heures, comme convenu. »

Déjà Mathilde est sur lui :

« Qu'est-ce que c'est que cette mise en

scène? Tu te fais accompagner par un sbire, maintenant? Tu deviens odieux, François.

— Tu sais bien, répond doucement Marat, que j'ai toujours eu le goût du théâtre. Mon sbire est beau gosse, n'est-ce pas?

— Deviendrais-tu pédéraste?

— Si on te le disait, le croirais-tu, Mathilde? »

Il la regarde dans les yeux en souriant. Les traits de Mathilde se détendent.

« Salaud! » fait-elle.

Il la prend par le bras et ils marchent, côte à côte, en silence. Chacun attend que l'autre parle le premier. Marat la regarde du coin de l'œil : le visage qui fut si beau s'est défait : le pli des lèvres, la courbe de la joue, l'aile du nez, la plage de la tempe, la tendre membrane des paupières, les deux colonnes flexibles qui portent la nuque, les yeux qu'il se plaisait à dire troubles et palpitants comme des huîtres de pleine mer, tous les éléments jadis si doucement unis pour former l'édifice triomphal de la beauté se sont déliés les uns des autres et vivent maintenant chacun pour lui-même. L'œil dit une épouvante, le pli du coin de la bouche une humiliation, l'aile du nez un désir effréné qu'aucune volonté ne contrôle plus. Le fard tient mal sur la peau sans éclat. Les plis sous les yeux énoncent le poids des années ajouté à celui des passions.

« Eh bien? dit doucement Marat, en serrant le bras qui s'appuie contre lui.

— As-tu des nouvelles? demande-t-elle.

— Toujours à Fresnes. Au secret. On ne peut communiquer avec lui.

— Que pouvez-vous faire?

— Rien.

— C'est tout de même insensé! s'écrie-t-elle, — et le ton de sa voix s'élève peu à peu, — un garçon travaille pour vous, vous lui faites faire des choses dangereuses, il y met tout son cœur, il se fait prendre, vous dites en guise d'oraison funèbre : « C'est dommage, il était gentil », et puis vous passez à autre chose, vous n'en parlez plus, vous n'y pensez plus...

— C'est la guerre qui l'exige, Mathilde. Aujourd'hui lui, demain moi-même. Je ne sais pas si je ne serai pas arrêté à mon prochain rendez-vous et fusillé demain matin. Il y en a déjà tellement, et des meilleurs, qui sont tombés autour de nous. Ce doit être ainsi dans les tranchées, tu aimes bien le camarade qui est tué à tes côtés, tu as beaucoup de peine, mais tu n'as pas le temps de pleurer : le combat continue.

— On ne fusillera pas Dani.

— Mais non, on ne fusillera pas ton Dani.

— Je saurai bien empêcher qu'on le tue!

— Voilà ce que j'attendais. Quand un homme est en prison, au secret, incapable de se défendre, abandonné de tous parce que toute tentative pour le sauver serait vaine, il n'y a qu'une femme amoureuse qui puisse, contre toute raison, tenter quand même quelque chose... et réussir.

— Moi?

— Toi.

— C'est facile à dire! Moi qui ne suis pas dans le coup, moi qui ne sais pas au juste ce qu'il faisait ni pourquoi ils l'ont arrêté, qui ne connais personne dans les prisons ni dans la police...

— Je croyais que tu avais fréquenté des officiers allemands...

— Si peu. Ils se foutent pas mal de moi. Et puis, pas d'argent. Je ne connais même pas ses camarades de combat... si... un seul : toi, toi, le plus égoïste des hommes, le plus léger, celui sur lequel on peut le moins compter; un homme de plaisir, un jouisseur, je me demande même ce que tu fais là-dedans?

— Toi, Mathilde, rien que toi. Ecoute une histoire vraie : tout récemment la police allemande a arrêté à Lyon un de nos camarades; son cas était bien plus grave que celui de

Dani puisqu'il était catalogué comme communiste; il a été enfermé à Fort-Montluc, n° 1 sur la liste des otages. Sa femme est allée supplier ses camarades, ceux qu'elle connaissait, pas nombreux : les communistes ne se connaissent jamais plus de trois. Ils ont haussé tristement les épaules : on ne s'évade pas de Fort-Montluc; l'été dernier, un grand chef de la Résistance, mandaté spécialement d'Alger en France, a été arrêté et conduit à Fort-Montluc; les états-majors réunis de toutes les organisations ont tout envisagé pour le tirer de là, les plus gros sacrifices d'argent, même l'assaut à main armée; un soir, on avait rassemblé dans la banlieue de Lyon cinq cents jeunes gens du maquis, il a fallu renoncer à tout, il est mort sous les coups sans avoir parlé, — c'est pour te faire comprendre ce que c'est que Fort-Montluc. La femme du communiste, cependant, n'abandonna pas. Elle s'installa aux abords du fort, elle guettait ceux qui entraient, ceux qui sortaient, les suivait, se renseignait sur eux; elle ne se souciait jamais que ce qu'elle tentât fût sûrement inutile; elle refusait de voir l'absurdité de ses efforts. Enfin, elle parvint à communiquer avec son mari, par une infirmière, une femme de ménage, je ne sais pas qui. La commissionnaire était vénale; chaque lettre coûtait mille francs, chaque réponse autant; elle trouva l'argent : mille francs, c'est beaucoup pour la femme d'un communiste, tu ne peux pas te rendre compte; enfin, elle les trouva.

— Pour moi, c'est beaucoup, en ce moment...

— Mais tu perds dix mille francs au poker, dans ta soirée.

— L'argent du jeu, ce n'est pas la même chose...

— Ne dis pas de conneries. Ecoute. Un jour, elle apprit qu'il allait être transféré dans une autre prison. Elle parvint à savoir la date et l'heure du transfert. Elle courut chez les camarades, ils restèrent sceptiques, on se méfie des illusions d'une femme aimante. Elle parvint à les convaincre. Ils n'avaient pas d'armes, tout venait d'être raflé, elle les secoua tellement qu'ils s'en procurèrent et réunirent quelques copains. Elle eut une mitraillette pour elle, car elle les avait persuadés de la laisser participer à l'affaire. Une heure avant l'action, elle parvint à s'isoler quelques instants avec le plus jeune, celui qui lui avait paru le moins sévère :

« — Montre-moi comment on se sert de cet outil-là », demanda-t-elle.

« Elle n'avait pas osé avouer qu'elle n'avait

jamais eu une mitraillette entre les mains.

« Au dernier moment, dans le garage d'où ils allaient partir, ils hésitèrent encore, non qu'ils eussent peur du danger, — c'étaient des F.T.P. qui n'en étaient pas à faire la preuve de leur courage, — mais ils estimaient qu'ils n'avaient pas le droit de s'exposer, pour ce qui n'était peut-être que le fruit d'une imagination anxieuse. Ils lui firent encore répéter comment elle avait obtenu les renseignements. Ils se consultèrent à voix basse. Elle sourit au plus jeune, celui qui venait de lui montrer le maniement de la mitraillette.

« — Allons, dit-il, c'est l'heure, en avant! »

« Ils croisèrent la voiture cellulaire à l'heure qu'elle avait indiquée, l'attaquèrent, délivrèrent le camarade et quelques autres avec. On apprit qu'ils devaient être fusillés le lendemain.

— Quel âge avait cette femme? » demande Mathilde.

Marat hésite un instant.

« Je ne sais pas », dit-il enfin.

Ils marchent en silence. Ils ont dépassé la place Maubert. Ils passent sur le trottoir de gauche pour être au soleil. Il fait tiède. C'est une des premières journées d'un printemps tardif. Ils croisent la première femme sans manteau, les seins à l'air sous un corsage de soie rouge; Marat la suit du regard.

« Et pourquoi, pourquoi, pourquoi, s'écrie Mathilde, pourquoi s'est-elle tellement débattue? Pauvre femme! Il l'a sûrement déjà trompée avec la bonne du restaurant. Et un de ces jours, il l'abandonnera, parce qu'il aura rencontré une petite juive intrigante.

— Tu es rancunière...

— Tu la connais, toi, la petite juive à Dani?

— Oui.

— Une étudiante crasseuse?

— Pas crasseuse. Une jeune fille qui se trouve tout à coup au centre d'un grand drame à multiples faces : la vie, la guerre, la persécution, l'amour — et qui essaie de se défendre...

— Je vois ça d'ici : vingt ans, pédante, arrogante, sans pudeur. A son âge, je n'étais pas encore sortie sans ma mère.

— Tu t'es bien rattrapée depuis. Tu sais, elle est mieux...

— ... que moi.

— Non : que lui. »

Mathilde s'arrête, se plante devant Marat, le regarde dans les yeux :

« Tu ne l'aimes pas, mon Dani?

— Non. Ça n'accroche pas avec lui. Je n'arrive pas à comprendre ce qu'il aime dans la vie. Peut-être est-il un peu trop maquereau pour mon goût. J'ai sans doute tort, il s'est bien comporté avec nous.

— Serais-tu jaloux? »

Il voit sous les yeux les poches nervées de rides, quelque chose se serre dans sa poitrine.

« Mathilde. Mathilde, aurais-tu oublié? Il y a eu trop de plaisir entre nous pour que nous puissions être encore amoureux l'un de l'autre. Nous sommes deux vieux complices, c'est bien mieux ainsi, bien plus fécond... »

Il lui prend le bras et l'entraîne à marcher de nouveau.

« J'ai soif, dit-elle. Offre-moi l'apéritif.

— Où veux-tu aller?

— Je connais un bar à pastis, près de la place Maubert. »

Ils font demi-tour. Les sirènes sonnent l'alerte. Puis un lointain ronronnement de moteur dans le ciel très pur, mais plus si pur qu'en hiver, moelleux, comme imperceptiblement duveté.

« Ça ne fait rien, dit-elle : on m'ouvrira quand même, on me connaît.

— Tu te soûles toujours?

— Chaque fois que je le peux. »

Le bar est fermé à cause de l'alerte. Ils trébuchent dans un couloir obscur. Elle

frappe. Lui, n'a même pas deviné la porte.
« C'est Mathilde », crie-t-elle.

La porte s'ouvre. Une vieille femme très maquillée dit :

« Bonjour, madame Mathilde.

— Oh! *Madame* Mathilde! murmure Marat.

— Ta gueule, fait Mathilde.

— Pas de nouvelles de M. Dani? demande la vieille.

— Non, répond Mathilde. Servez-nous vite, j'ai soif.

— Ce sera comme d'habitude?... Pour monsieur aussi?

— Oui. Deux *grands*... »

Ils s'assoient sur des chaises de cuir, style Henri II, dans une sorte de salle à manger dont la fenêtre s'ouvre sur une cour profonde, obscure et crasseuse. Autour de la suspension, des transparents en couleurs, vues du Vésuve et de la Sicile. Sur la table, une toile cirée mouillée, avec des ronds de bouteilles et des verres pas essuyés.

« Ce n'est pas gai, dit Marat.

— Ils vendent le pastis le moins cher et le meilleur de toute la rive gauche; un vrai 45 degrés...

— Fauchée en ce moment?

— A ras...

— Ton père ne se décide pas à mourir?

— Tu ne sais pas son dernier tour? Comme mon frère, Baby, le benjamin, celui que tu trouves si bête, va se marier, mon père a décidé de partager tout de suite une partie de ses biens. Il paraît que c'est pour ne pas avantager notre frère aux dépens de ma sœur et de moi... Je calculais que ça me ferait autour de deux millions, tu vois ça... Ouiche, disposition spéciale pour moi : étant donné ma conduite, que je suis divorcée, que j'ai abandonné mes enfants, etc., tu connais la chanson, je n'ai droit qu'à l'usufruit, jusqu'à sa mort.

— C'est déjà ça...

— Attends un peu : l'argent liquide et les titres pour mes chers frère et sœur. Ma part est en immeubles : avec les loyers actuels, les impôts et les réparations, c'est tout juste si ce n'est pas moi qui dois payer.

— Tu ne peux pas emprunter?

— Penses-tu! Dans ma famille, on vit centenaire. Pas un usurier qui veuille miser sur la mort de mon père. A soixante-dix ans, il est encore toute la journée sur le dos de ses ouvriers, à les engueuler s'ils lèvent le nez de dessus leur machine, comme si ça allait le ruiner qu'ils regardent voler les mouches...

— Comment te défends-tu?

— Toujours pareil : quelques affaires, du petit marché noir, des bas de soie, du café, des savonnettes, du margoulinage, quoi. Tiens, c'est moi qui fournis de bas de soie ces dames du Chabanais. Tu vois où j'en suis... Encore un pastis?

— Si tu veux...

— Madame Berthe, deux grands bien tassés... Et puis, François, il y a toujours le poker...

— Une culotte?

— Oui, hier soir... Un pot de cinq sacs... J'ouvre avec deux as, la dernière à parler... rentrent trois valets... je fonce... Qu'aurais-tu fait? Après plusieurs passes, mon voisin relance de dix mille.... je ne les avais plus... je fais tapis en toute tranquillité... il étale un full aux dames par les as... pouvais-je deviner qu'avec deux as il n'avait pas ouvert?

— Un coup dur...

— Au fait, es-tu capable?

— Non.

— J'ai besoin d'argent pour m'occuper de Dani. Ton organisation ne laisse tout de même pas tomber les femmes des prisonniers?

— Dani ne travaillait pas dans mon service. Je voulais d'ailleurs te dire — et c'est essentiellement pour cela que je t'ai demandé un rendez-vous que le patron de Dani désire te voir; d'abord pour s'occuper de toi, comme il est normal qu'on le fasse; ensuite pour te demander quelques précisions sur l'arrestation de Dani.

— Qu'est-ce qu'ils veulent encore savoir? (La voix devient soudain agressive.) J'ai déjà tout raconté dix fois à Alexandre, César, Mithridate, je ne sais plus lequel, vous choisissez tous des noms à coucher dehors.

— Cette fois, ce sera Caracalla.

— Caraca quoi?

— Caracalla, c'était un empereur romain qui...

— Qu'est-ce qu'il veut, ton empereur?

— Je n'en sais rien. Mais ne te froisse pas. C'est l'habitude, quand un camarade est pris, de faire une enquête très complète sur toutes les circonstances qui ont entouré son arrestation. Ça permet souvent d'éviter d'autres coups durs, ça permet quelquefois d'aider celui qui vient de « tomber »...

— Vous feriez mieux de commencer par l'aider...

— Je t'ai déjà dit ce que je pensais. »

Un silence. Mathilde rallume pour la cinquième fois la même cigarette.

« Encore un pastis, propose-t-elle.

— Non. Deux, c'est déjà trop. J'ai maintenant un voile derrière les yeux et, cet après-midi, je n'aurai envie que de dormir. C'est bête, c'est idiot. J'ai horreur de me soûler avant sept heures du soir...

— François, tu es une brute. Je te vois venir. Tu vas faire ta petite tirade sur la lucidité, l'allégresse d'être à jeun, la joie de comprendre, de pénétrer, d'être « conscient ». Ah! ah! ah! être conscient! je me rappelle ton vocabulaire, hein! Tu fais ta crise d'ascétisme, en ce moment? « Pouah! cette horrible « vieille femme qui se soûle, qui joue et qui « a le béguin pour un gigolo... » Toi, tu « cultives ta conscience »... Toi, le premier homme avec lequel j'ai trompé mon mari et si tu avais voulu coucher avec ma fille, — qui avait dix ans, — et je crois bien que tu en as eu envie, je t'aurais laissé faire. Toi, qui m'as entraînée à passer la nuit chez les tziganes et je ne buvais jamais assez, tu me disais : « Tu es comme les tziganes, tu car- « bures au champagne. » Toi, qui m'as appris à fumer l'opium, ce n'est pas ce que tu as fait de plus mal, mais ensuite tu m'as obligée à me désintoxiquer parce que tu prétendais que ça t'empêchait de faire l'amour. Toi qui m'as ôté le respect que j'avais encore pour mon père...

— Mathilde! Mathilde! écoute :

Je suis le chuchoteur de la perversité
Et mon aspect corrompt comme le gouffre
[*attire...*

C'est du pire... ou du meilleur Rollinat...

— Bien sûr, je sombre dans le ridicule, je ne fréquente plus les milieux intellectuels, moi, je n'ai pas la chance de te rencontrer tous les jours, je ne sais plus ce qui se porte en matière de tragique. Tu me regardes, tu te dis : « Comme elle a vieilli, comme elle « dégringole, jusqu'où tombera-t-elle? » Je te lis à livre ouvert, va. D'ailleurs, tu ne te donnes pas la peine de cacher ce que tu penses. Mais moi je crève, François, je crève! C'est peut-être du mélodrame, mais j'ai besoin de Dani, j'en ai besoin bien davantage que tu n'avais besoin de drogue, j'en ai besoin comme dans les chansons réalistes qui font pleurer les vieilles putains; une femme de mon âge, ça ne se désintoxique pas du garçon qu'elle a dans la peau. Dire que je me croyais malheureuse, quand tu me plaquais au milieu de la nuit pour aller coucher avec une « entraîneuse », dix fois moins belle que moi; je n'étais que vexée; je ne t'aimais pas, je ne savais pas ce que c'était que l'amour. Dani est encore bien pire que tu ne le crois; c'est un sale maquereau; il me plaquera dès que la guerre sera finie, pour épouser sa petite juive. Il ne me fait plus l'amour. Il me bat, ça te fait rire, toi aussi tu me battais, mais c'était quand tu étais soûl, tu me battais gentiment, comme un sale gosse que tu étais; lui, il me bat à jeun, méchamment, froidement, parce qu'il en a marre de me voir; il me le dit. Eh bien, j'accepte tout, la juive, les coups, les insultes, le mépris, et je suis même heureuse, heureuse, heureuse..., pourvu qu'il soit là...

— Crie moins fort, la maquerelle t'écoute...

— Je m'en fous...

— Moi aussi. Mais tu le regretteras tout à l'heure. Ecoute-moi et réponds-moi franchement... et à voix basse. Dani t'a-t-il raconté ce qu'il faisait pour nous?

— Oui, qu'il corrigeait les épreuves d'un journal clandestin...

— C'est inexact.

— Qu'est-ce qu'il faisait?

— Il était radio.

— Radio?

— Oui, opérateur d'un poste de radio clandestin; il avait appris à « pianoter » quand il était marin.

— Mais alors... »

Les traits de Mathilde se décomposent, — comme la mer après la tempête.

« Oui...

— Mais alors, ce n'est pas un petit séjour en prison, une méchante aventure dont on peut le sortir avec des relations, en se remuant, en connaissant même des Allemands...

— Même des Allemands ne peuvent pas grand-chose pour lui.

— François, ils ne vont pas me le fusiller?

— Ils ne fusillent pas tous les radios qu'ils prennent.

— François, il faut faire quelque chose.

— Vois d'abord Caracalla comme il te le demande; c'est par là qu'il faut commencer. Chloé, tu te rappelles Chloé, t'attendra demain à midi devant l'église Saint-Roch et te conduira à lui... »

Un long silence. Marat roule une cigarette. Mathilde lève les yeux de temps en temps, pour le regarder.

« Et toi, demande-t-elle soudain, qu'est-ce que tu fais dans la Résistance?

— Je ne peux pas te le dire. »

Encore un silence, Marat se lève.

« A bientôt, dit-il... Voilà mille francs pour ton poker de ce soir.

— François! je le tirerai de là, tu sais.

— C'est à toi justement qu'il appartient de le tirer de là.

— Pourquoi dis-tu cela?

— Parce que je viens de te l'expliquer, tu es la femme qui l'aime. Adieu. »

Il sort.

« François! » crie Mathilde.

Il rentre.

« ?

— De quoi vit la petite juive?

— Je ne sais pas.

— Je te défends de l'aider.

— Merde. »

Il sort et s'en va à grands pas vers la Seine. Les sirènes sonnent la fin de l'alerte.

V

PRÈS du pont Notre-Dame, la Seine coule le long d'un mur couvert de lierre. Au-delà, ce sont les plages désertes qui précèdent l'Hôtel-Dieu, la Préfecture de Police et l'Hôtel de Ville. Marat hésita devant ces étendues hostiles et suivit le quai Saint-Michel, en bordure d'un quartier de restaurants orientaux, de bordels, de bals musettes et de bistrots pour Arabes. Il allait d'un pas nonchalant : pas de rendez-vous avant quinze heures trente. Il traversa la place Saint-Michel où il avait jadis habité; toute cette partie de Paris pour lui craquait de souvenirs comme le visage d'une femme trop longtemps aimée. Il continua le long du quai, tourna brusquement rue des Grands-Augustins, puis flâna devant des affiches de ventes aux enchères, le temps de s'assurer qu'il n'était pas suivi. Rue Dauphine, il entra dans un restaurant et monta directement dans la salle du premier, réservée aux clients de marché noir.

« Toujours seul, monsieur Lamballe? » dit la patronne.

Ici, on ne connaissait pas Marat.

Il inspecta rapidement la salle : des commerçants du quartier, bouquinistes, marchands de tableaux, dont les femmes bien en chair riaient bruyamment, deux jeunes gens et deux jeunes filles, genre café de Flore, cheveux longs, les filles sur les épaules, les garçons sur le front et dans le cou, — ce qu'on appelait alors des zazous, — sans doute des artistes d'un petit « théâtre d'art », deux hommes d'âge mûr, trapus et rougeauds, en train de boire leur deuxième bouteille « d'appellation contrôlée », parlant à voix basse avec beaucoup d'animation; Marat eut l'impression de les avoir déjà rencontrés — probablement des journalistes passés à la « collaboration »; — il s'assit de manière à ne pas être dans le champ de leur regard. A sa gauche, une fille d'un bordel du voisinage et son maquereau, un étudiant italien; il les connaissait de vue.

Il composa un menu léger : grillade, pomme purée, pâtisserie, eau de Vichy. Il était furieux de s'être laissé aller à boire deux pastis à jeun : effet de l'alcool ou malaise à la suite de la conversation avec

Mathilde. toute la légèreté, le printemps intérieur qui avaient enchanté sa matinée avaient fait place à une torpeur maussade. Il demeurait, malgré les approches de la maturité, extrêmement sensible à ces sautes du « temps intérieur » qui avaient fait le tourment de ses jeunes années.

... A dix-sept ans, je m'étais fabriqué une sorte de baromètre dont les graduations marquaient, au-dessus de zéro, tous les stades de l'aisance intellectuelle et de l'allégresse jusqu'à « l'extase », au-dessous de zéro, tous les degrés de la mélancolie, de la dépression, du dégoût de soi-même, jusqu'à cet état limite où seule la conscience de pouvoir se tuer à n'importe quel moment rend tolérable un prolongement de l'existence perpétuellement considéré comme provisoire, état que je désignais par une formule dérisoire à dessein : « pou qui peut poum! n'est plus pou », onomatopée dont l'humour très spécial ne peut guère être compris que de ceux qui eurent vingt ans entre 1925 et 1930.

Plus tard, j'usai et abusai de l'opium qui donne la clef de la rose des vents et permet d'éteindre et d'allumer à volonté le soleil intérieur. Je devins semblable au jardinier qui aurait le pouvoir de commander au soleil et à la pluie. Je savais qu'avec trois pipes de plus, je serais aussi heureux que si je possédais la femme désirée entre toutes. qu'avec six pipes de moins je serais aussi malheureux que si Franco entrait dans Madrid, mais il était tellement plus facile de fumer six pipes que d'empêcher Franco d'entrer dans Madrid. Comme pour l'avare en pièces et en billets, toutes les joies et toutes les peines du monde se transmuaient pour moi en pipes; j'avais trouvé la pierre philosophale.

L'usage de l'opium exige beaucoup de sagesse, de « modération » au sens antique du mot. Il y a une dose d'opium au-delà de laquelle l'effet s'émousse au lieu de s'accentuer — effet optimum, effet maximum, ce qui distingue le biologique du mécanique — dose optimum qui varie perpétuellement selon le degré d'accoutumance, selon aussi que le fumeur reste étendu ou se promène, parle ou se tait, travaille ou dort, optimum qu'il faut sans cesse chercher par tâtonnements, guetter, calculer, aménager, piéger. L'intoxiqué court perpétuellement après son Kief. La plus simple des formules : fumer deux pipes de moins pendant trois jours consécutifs pour retrouver le Kief en fumant une pipe de plus le quatrième; à partir de là, les combinaisons sont infinies.

Mathilde raffinait. Quand, pour avoir trop fumé, elle avait dépassé l'optimum, le Kief, et sombrait dans la torpeur, elle combattait l'effet de l'opium avec de la cocaïne (qui en est en quelque sorte l'antidote), puis fumait de nouveau jusqu'à retrouver l'état souhaité — comme ces goinfres qui se font vomir pour pouvoir encore manger — c'est ce que les intoxiqués appellent « fonctionner au panaché ».

Mathilde avait remarqué qu'à un certain stade d'équilibre entre les effets opposés de la cocaïne et de l'opium, elle devenait particulièrement brillante, spirituelle, désinvolte, mordante, s'attachant les soupirants des autres femmes, traînant après soi les hommes bousculés, meurtris, humiliés, éperdus, réalisant enfin l'image romantique d'elle-même dont elle se faisait un idéal. En prévision de telles soirées — dont elle me faisait ensuite cent fois le récit — je la vis se « fabriquer » dès le matin, fumant encore quelques pipes, reprenant une prise de cocaïne, encore deux pipes, oui-non, une petite prise, c'est trop, une pipe pour atténuer, se « corrigeant » à mesure qu'approchait l'heure où elle devait paraître en public, se cuisinant comme une pièce montée, faisant à la fin d'infinis calculs sur ce qu'un souffle d'opium, une poussière de cocaïne ajouteraient à son brio, à son allégresse, à cette sorte de piaffement que célébraient ses amoureux, se laissant enfin aller par les portes soudain grandes ouvertes du salon, comme un vaisseau qui s'abandonne au vent après que les armateurs l'aient longuement, amoureusement préparé pour un long voyage.

Je me suis trouvé d'assez bonne race montagnarde pour ne pas me contenter longtemps de ces plaisirs du monde des fantômes. Je me suis jeté en clinique, juste au moment où j'allais devenir, comme Julien, un comptable en pipes, un rond-de-cuir de l'opium...

Marat mangeait rapidement, sans prêter grande attention à ce qu'il avalait, comme les hommes qui ont l'habitude de prendre leurs repas seuls, au restaurant.

Silence fait de chuchotis. De la table des « zazous » montaient des rires étouffés. Puis des voix s'élevèrent à la droite de Marat; là, déjeunaient ensemble deux couples de commerçants bien connus dans le quartier, l'un tenait une librairie, neuf et occasions, l'autre une galerie d'art où l'on était venu de toute l'Europe, voire d'Amérique, acheter des fétiches nègres. Le libraire se plaignait que les attentats contre les voies ferrées rendissent encore plus difficile le ravitaillement de Paris.

« C'est idiot, tous ces attentats, affirma l'une des femmes.

— Il n'y a que les Français qui en souffrent, enchaîna l'autre. Les trains allemands ont la priorité et finissent quand même par passer. Ce n'est pas ça qui avancera la fin de la guerre.

— Ceux qui font dérailler les trains, reprit la première, sont payés par les Anglais. Ils se foutent pas mal que nos gosses manquent de lait. »

A la table des « zazous », on entendit une jeune fille s'émerveiller :

« ... Un éclair au chocolat gros comme ça...

— Si, dit le libraire, les terroristes ne trouvaient pas tant de complices parmi les fonctionnaires, il y a longtemps qu'ils seraient tous pris. Mais les communistes ont noyauté toutes les administrations. On nous prépare les Soviets. On regrettera les Allemands. Nous devrions profiter qu'ils sont encore là pour nous débarrasser des communistes. Vichy est complice de Moscou. Il nous faudrait un gouvernement à poigne...

— A poigne, répéta le marchand de tableaux.

— A poigne », reprirent en chœur les deux femmes.

... ta poigne pour t'astiquer, tête de nœud, con patenté, bouge pas, je te repère, t'en sentiras une de poigne autour de ton cou, couillon, coup de pied au cul, coups sur la gueule, couture sur les couilles, cou-cou, cocu, cul... marchand de tableaux, maquereau de peintres... et cet autre enculé du quartier qui me disait hier : « Il ne faut pas céder aux préjugés patriotiques, le nazisme aussi est une révolution, les hitlériens sont en train de liquider leur bourgeoisie, pourquoi ne pas fraterniser? » Les pédés de Saint-Germain-des-Prés, comme les maquereaux de Montmartre, pour les mêmes raisons...

Marat cependant commanda un vrai café. C'est un luxe en ce mois de mars 44 : cinquante francs la tasse. Mais il a un rendez-vous important et il faut absolument qu'il chasse au préalable le voile qui, depuis les pastis, s'est étendu derrière ses yeux. Il se sent de plus en plus maussade. Comme il s'en va.

« Toujours seul, monsieur François », remarque de nouveau la patronne.

... C'est vrai, je mange seul, je dors seul, je parle seul. Un conspirateur est bien obligé de

vivre seul : le métier l'exige. Je monologue à longueur de journée dans les rues et les jardins, les cafés et les restaurants, les trains et les gares, les salles d'attente et les chambres d'hôtel, ah! j'aurai mené mon monologue intérieur dans tous les hôtels de France, zone sud et zone nord, commis voyageur en terrorisme. La résistance, le terrorisme, comme disent les journaux, est essentiellement une longue promenade solitaire avec toutes sortes de pensées, de souvenirs, de projets, d'amours secrètes et de rages étouffées, qu'on remâche sempiternellement, entre les rendez-vous d'une minute, entre deux signaux, entre deux messages attendus huit jours et qu'il faut aussitôt brûler, entre deux amis fusillés, entre les yeux des flics qui vous guettent, entre chaque station de l'interminable itinéraire qui mène — malheur à moi s'il n'y mène pas — qui mène au grand jour de sang où seront lavées toutes les hontes...

Les deux journalistes ont reconnu Marat au moment où il sortait du restaurant.

« Tiens, tiens, Lamballe est remonté à Paris...

— Ils viennent tous à tour de rôle respirer l'odeur de nos futurs cadavres!

— Les cadavres ne se portent pas trop mal,

reprend l'autre en entamant son troisième bifteck (au printemps 44, la distribution légale de viande aux Parisiens fut de 90 grammes par mois. Dans les restaurants de marché noir, le grand chic fut de manger deux ou trois biftecks à la file; leur prix variait entre 80 et 140 francs, dans les établissements modestes; le salaire moyen d'un employé, dans le département de la Seine, était de 1 800 francs par mois).

« Il était très marqué à gauche, continua le journaliste...

— Attends... je me rappelle avoir vu sa signature dans *Le Droit de Vivre* : un reportage sur l'Italie fasciste qui avait ameuté toute la presse romaine.

— *Le Droit de Vivre*... tu me donnes un bon écho : « Le retour à Paris d'un ami de « l'immonde Lecache. » Au fait, n'a-t-il pas été l'amant de Mathilde S.?

— Pendant plusieurs années, ils ont levé ensemble des poules au Poisson d'Or...

— Elle fut mêlée à une affaire de coco?

— Ça s'est terminé par un non-lieu.

— Tant pis. Je tiens quand même mon écho : « L'ex-journaliste enjuivé François « Lamballe, créature de l'immonde Lecache, « continue à tenir le haut du pavé — pardon « du bifteck — dans les restaurants de mar-

« ché noir, avec son cortège habituel de
« pédérastes, de lesbiennes et d'esthètes
« d'avant-garde. »

— Tu charries. il était tout seul...

— Tu ne sais pas avec qui il sera ce soir...
« Est-ce Moscou ou Londres qui lui permet
« de continuer son train de vie de nabab dé-
« généré? On devine ce que coûte ce genre
« de plaisanterie quand le beurre se paie
« 700 francs le kilo. Ou bien continue-t-il à
« faire le trafic de la coco, comme lorsqu'il
« était l'amant de la belle Mathilde S., une
« grande bourgeoise antimunichoise et sovié-
« tophile comme noblesse oblige? Ce beau
« monsieur jouit, bien entendu. de la pro-
« tection de la police. Londres accuse Dar-
« nand de faire régner la terreur — tandis
« que François Lamballe se goberge dans les
« restaurants de luxe... drôle de terreur...
« Marty saura mieux faire. »

— Tu vas le faire foutre en taule.

— Ça en fera un de moins. Faut épurer la profession. Ils ne nous rateront pas, eux autres! J'ai encore reçu ce matin trente-deux lettres de menaces, je les ai comptées...

— Tu ne sais même pas s'il est gaulliste...

— Avec son nom on lui aurait offert un poste de rédacteur en chef. s'il avait voulu « collaborer »; les Fridolins raffolent des ex-hommes de gauche. Si on ne l'a pas vu, c'est qu'il n'a pas voulu se mouiller. Qui n'est pas avec nous est contre nous. Même s'il n'a rien fait, il mérite d'être fusillé. Ce serait trop beau que M. Lamballe se tienne peinard à la campagne, à attendre le retour de ses petits amis les youtres, tandis que nous léchons les bottes des Fritz pour gagner notre bifteck. N'aura plus qu'à applaudir quand on nous pendra. Non, non : au poteau...

— Va donc, Fouquier-Tinville...

— Fouquier-Tinville, tu charries, c'est Judas qu'il faut dire : mon « écho dénonciateur », comme ils disent à la radio anglaise, me rapportera tout juste trente deniers : trente deniers, ça devait être à peu près le prix d'un bifteck au marché noir à Jérusalem? La trahison paie mal; voilà quatre ans que je trahis tout le monde, mon pays, mes ennemis, mes amis et je n'ai pas mis un sou de côté; j'ai tout bouffé, enfin bouffé et bu... Patronne, encore une bouteille de votre Nuits-Saint-Georges — Gros-Rouge de l'Hérault...

— Vous plaisantez toujours, monsieur Alain. Vous savez bien que le patron achète ces bouteilles chez le propriétaire et qu'il les réserve pour quelques vieux clients comme vous.

— Ça va, pas de salade, j'en vends. Ta vinasse c'est du bourgogne, comme ma prose c'est du français. On s'y connaît tous les deux en contrefaçons, pas besoin de faire du chiqué.

— Ce M. Alain, toujours le mot pour rire...

— Ça va. Dis donc, le grand maigre qui vient de sortir, il vient souvent ici?

— On ne peut pas dire. Quelquefois trois jours de suite, ensuite on reste un mois sans le voir. Il paraît qu'il vit à la campagne, dans ses terres.

— Gentleman-farmer! Ah! ah! ah! Est-ce qu'il amène des poules?

— Jamais, toujours bien tranquille, toujours seul, même que je me disais...

— Je te vois venir, vieille maquerelle, tu veux lui refiler un de tes laissés pour compte de Saint-Lazare...

— Monsieur Alain...

— Eh bien, moi je vais te le dire, ton michet, c'est un dangereux, un terrible, un communiste...

— Pas possible, lui si comme-il-faut...

— Ta gueule, taulière, tu verrais Staline, tu le trouverais « bien comme-il-faut » pourvu qu'il paie son addition sans râler.

— Staline! Monsieur Alain, Staline, celui-là, si je le voyais, je lui crèverais les yeux plutôt que de le servir.

— Qu'est-ce qu'il t'a fait, Staline?

— Mais Staline, voyons, monsieur Alain, Staline...

— Staline, ça te fout les jetons, ça te fout la chiasse, t'as peur pour ton magot, mercanti! T'en fais pas, sera bientôt là, le Staline, et il nous pendra tous, toi, lui, le grand con qui nous regarde en rigolant, moi, ma bourgeoise, mes lardons, ma belle-mère, la tienne, rien à foutre, ils arrivent, les cosaques, on y passera tous à la potence, à la casserole, à la chaudière. T'as les foies, hein, la taulière? Allons, l'addition, et magne-toi, grossis-le encore un peu, ton magot, avant que le petit père ne vienne te le prendre... »

VI

A CINQ heures, Marat sortit d'un bel immeuble de l'avenue de Friedland. Deux heures durant il s'était efforcé de convaincre un vieillard sourd, président de conseils d'administration, de lui donner une introduction pour le directeur d'une usine d'aviation travaillant pour l'Allemagne. Le sourd était giraudiste et anticommuniste; il perdait son cornet acoustique chaque fois que Marat en revenait au but de sa visite. Il avait fallu lui démontrer dix fois que de Gaulle n'avait accepté l'alliance russe que pour faire contrepoids aux visées anglo-saxonnes. « C'est la politique traditionnelle de la France, c'est celle que vous pratiqueriez. » Alors surgissait l'épouse; elle n'était pas sourde, mais elle avait pris l'habitude de crier : « Nous sommes des patriotes, monsieur, mais le péril communiste... nous ne voulons pas revoir les occupations d'usines. » « Moi non plus, chère madame » (*tu parles, vieille peau*); enfin le rendez-vous avait été pris. « C'est bien parce que vous êtes recommandé par le général, d'ailleurs M. Souvestre verra ce qu'il peut faire pour vous, nous le laissons entièrement libre. » Il faudrait donc livrer une nouvelle bataille; la première manche était tout de même gagnée.

Marat descendit à Pigalle et gagna l'avenue Junot où habite Chloé. Un inconnu vint lui ouvrir. Chloé était dans la cuisine, en train de faire du chocolat. Il se haussa pour l'embrasser : c'est une grande, forte fille qui, avant de se consacrer à la résistance, était mannequin.

« Rodrigue t'attend, dit-elle, il a amené un copain. Ils réclament à goûter, ils sont affamés, ces garçons... »

Marat se trompa et poussa la porte de la salle de bains. Il aperçut un homme dans la baignoire.

« C'est un radio qui arrive de Lille pour voir Caracalla, expliqua Chloé, son train a eu dix-huit heures de retard et a été mitraillé deux fois : il est claqué.

— Salut, fit l'autre, quel métier de chien...

— Salut », fit Marat.

Il s'ébroua, et l'on entendit un grand bruit d'éclaboussures.

« N'inondez pas mon appartement », cria Chloé.

Marat vit l'inconnu, qui avait ouvert la porte, entrer dans la chambre, s'étendre sur le lit et ouvrir un roman policier qui traînait sur la table de nuit.

« Qui est-ce?

— Je ne sais pas. Carac m'a demandé de le garder jusqu'à demain. Il doit filer sur Toulouse mais il ne faut pas qu'il couche à l'hôtel. Sans doute arrivé de Londres par l'avion d'hier. Muet comme une carpe. Je le coucherai sur le divan du salon. »

Rodrigue était dans le salon avec Frédéric; celui-là lisait, celui-ci rêvait. Chloé entra avec le chocolat fumant.

« Un, deux, trois, quatre, compta Marat, cinq avec celui qui est dans la baignoire, c'est beaucoup d'illégaux pour un seul appartement. Et je ne parle pas des coups de téléphone. Ce qui m'étonne c'est que la Gestapo ne soit pas encore venue rafler tout ce joli monde.

— Ne joue pas les oiseaux de mauvais augure. D'ailleurs tu es bien content de venir aussi...

— D'ac, comme dit Rodrigue, c'est mon seul foyer. N'empêche que tu es imprudente...

— Bois un chocolat, ça te remettra d'aplomb... Messieurs, on goûte, beurrez vos tartines vous-mêmes, la maîtresse de maison en a marre de faire la cuisinière... »

Chloé se laissa aller dans un fauteuil et alluma une cigarette. Le garçon de la baignoire surgit, drapé dans un peignoir dont le bas traînait par terre.

« J'ai faim..., cria-t-il.

— Pas si fort, dit Chloé. Céline habite au-dessus. Chaque fois qu'on fait du bruit chez moi, il croit qu'on s'apprête à le tuer.

— Sans blague? Si on le tuait pour de bon?

— Vous tenez décidément à me faire boucler. Après ça où irez-vous prendre des bains et manger du chocolat?

— Pardon, Chloé... »

L'homme de Londres était entré sans faire de bruit.

« Si vous permettez, dit-il, je prendrai également une tasse de chocolat.

— Votre tasse est servie.

— Vous me comblez, chère madame. »

Frédéric beurrait silencieusement sa tartine. Marat le regarda, puis se pencha vers Rodrigue :

« Ton Toulousain n'a pas l'air gai, murmura-t-il.

— Il a le noir. Pense tout le temps à Annie. Et puis ses parents en taule. Mais c'est surtout Annie; il se demande si elle sait que c'est son père qui l'a donné et comment elle réagit; il retourne cela dans tous les sens... »

On sonna. Rodrigue alla ouvrir. Silence général : en ces années — et surtout dans une maison comme celle de Chloé — chaque coup de sonnette causait une certaine anxiété. Une jeune fille entra avec une serviette sous le bras. Elle salua à la ronde.

« Ça y est, dit-elle. Le coup est fait. Toutes les fiches de recensement de la Faculté de médecine sont enlevées.

— Raconte, demanda Rodrigue.

— Facile comme bonjour. Nous sommes entrés au secrétariat : « Haut les mains! » Tout le monde a rigolé, surtout les étudiants qui étaient en train de faire la queue devant le guichet. Le secrétaire s'est dépêché de nous passer les paquets de fiches. Nous les mettions à mesure dans nos serviettes. « Vous n'en oubliez pas? » demanda René. « Non, non, soyez « tranquilles, répondit le secrétaire, je fais « attention de ne rien oublier. » Tout le monde riait de plus en plus. Il fallut répéter « haut les mains! » en grossissant la voix, parce que les types, ça leur paraissait ridicule de lever les bras au ciel.

« Si quelqu'un sort d'ici avant cinq mi-

« nutes, il est descendu », dit René en montrant son revolver, une énorme machine à barillet qu'il avait dénichée je ne sais où. Lui aussi se retenait pour ne pas rire. Tout de même s'il était entré des miliciens, il aurait fallu tirer, et il y en avait justement deux à l'autre bout du couloir. Nous sommes passés tranquillement devant eux. Ensuite il a fallu jeter les fiches dans une bouche d'égout, sans attirer l'attention. C'était le plus délicat. Nous sommes allés rue Hautefeuille, une rue bien tranquille. J'ai fait le travail, tandis que les garçons assuraient ma protection, l'un à côté de moi, les deux autres à cinquante mètres de chaque côté, nous agissons dans les règles, nous autres, exactement comme pour un attentat...

— Mes félicitations, dit l'homme de Londres.

— Qui est-ce? demanda l'étudiante, à la cantonade.

— Je ne sais pas, fit Chloé.

— Il faut fêter ça, reprit sans se troubler l'homme de Londres. Regardez... »

De sa poche revolver, il sortit une gourde.

« C'est de l'eau de Vichy? demanda l'étudiante.

— Du whisky, fit l'homme, du vrai, du White Label... »

On l'acclama. Au printemps 44 il était devenu impossible, à poids d'or, de trouver un whisky authentique dans Paris. Chloé apporta des verres. La gourde fut aussitôt vidée.

L'inconnu tritura le poste de radio et en fit sortir un air de jazz.

Marat dansa avec l'étudiante et Rodrigue avec Chloé. Le garçon au peignoir retourna dans la salle de bains pour s'habiller; il revint bientôt et dansa avec l'étudiante. Marat avec Chloé. La fatigue de Marat était passée.

« C'est le paradis chez toi, dit-il à Chloé, « le vert paradis des amours enfantines »...

— Cinq plus une, ça fait six illégaux, railla Chloé. La sixième semble te plaire...

— Elle a du cran et de la simplicité, c'est sympathique... Mais j'ai quand même raison, Chloé, tu es imprudente. C'est moi qui t'ai mise dans ce bain-là...

— Je ne t'en serai jamais assez reconnaissante. Je m'ennuyais tellement avant... »

Le garçon qui avait été en peignoir dansa avec Chloé et l'homme de Londres avec l'étudiante. Marat s'enferma dans la chambre avec Rodrigue pour préparer le courrier de Cherbourg qu'un agent de liaison devait emporter le lendemain. On se retrouva à sept heures et demie autour du poste pour écouter les informations : un ordre du jour de Staline annonça la prise de Cernovitz.

« Et les Anglais? »

On se retourna vers l'homme de Londres.

« Je n'en sais pas plus que vous », dit-il.

Et les Anglais? C'était ce que toute la France se demandait. Depuis deux ans on attendait le débarquement pour la semaine prochaine. Marat entraîna Chloé dans le couloir.

« Maintenant, lui dit-il, je dois m'en aller. J'ai pris rendez-vous pour toi, demain midi, avec Mathilde, pour que tu la conduises à Carac qui désire la voir.

— Tu n'aurais pas pu choisir un autre intermédiaire? Tu sais bien que je ne peux pas voir cette vieille poule...

— Ne sois pas mauvaise. Tu auras son âge un jour...

— Mais je ne serai jamais une donneuse.

— Chloé!

— Il y a quelque chose de louche dans l'arrestation de Dani...

— Elle l'adore. Elle m'a encore fait une grande séance à midi. « Je ne peux pas vivre « sans lui. » Elle exige que nous fassions quelque chose pour le tirer d'affaire. Comme si c'était facile. Mais je suis sûr qu'elle est sincère...

— Ecoute-moi. Dani a été arrêté dimanche à sept heures du soir, devant l'Univers, alors qu'il attendait Carac qui, par bonheur, n'est pas venu. S'il n'est pas venu, je peux te le dire maintenant, c'est parce que j'ai oublié de le prévenir. Donc, de notre côté, pas de fuite possible : j'étais seule à connaître l'affaire et je suis absolument sûre de n'en avoir pas parlé. J'ai vérifié par ailleurs que Dani n'a vu personne du service entre le moment où je lui ai transmis le rendez-vous et le moment de son arrestation. Il n'a donc pu en parler qu'à Mathilde. Conclus : la fuite ne peut venir que de Mathilde ou de moi.

— Je suis sûr que Mathilde est prête à se faire tuer pour le faire sortir de Fresnes.

— Alors, c'est moi qui l'ai donné...

— Idiote... Remarque que j'ai été assez frappé de tes soupçons pour ne voir Mathilde qu'avec les précautions de rigueur. Demande à Rodrigue. Mais je suis persuadé qu'il faut chercher ailleurs. Quand as-tu transmis le rendez-vous à Dani?

— Samedi matin.

— Entre samedi matin et dimanche soir, il a eu le temps d'en parler à dix mille personnes.

— Non. Je te répète qu'il n'a vu personne du service. Et ce n'est pas un garçon à clamer sur les toits qu'il s'occupe de la résistance. Ce n'est pas sa manière. Il est plutôt du genre sournois. Qui donc d'ailleurs pouvait s'intéresser à ce qu'il voie Carac? Qui donc, sinon sa poule, toujours jalouse, toujours en transe, malade qu'il puisse en voir une autre...

— Enfin, voilà, Carac veut la voir; j'ai transmis la consigne. Sois quand même prudente...

— Et comment... »

Elle ouvrit la porte du salon :

« Garçons, j'ai besoin d'une « protection » pour demain midi.

— Présents », répondirent tous les jeunes gens.

Marat sourit et fila.

VII

Place des Abbesses, la foule s'agglomérait déjà autour de l'entrée du métro, une des stations les plus profondes de Paris et donc l'un des abris les plus réputés. Quelques nuits plus tôt des bombardiers anglais attaquant la gare de la Chapelle avaient laissé tomber des bombes sur le pourtour de Montmartre, des maisons ouvrières s'étaient écroulées, il y avait eu quelque cinq cents morts.

Depuis lors, chaque soir, une partie de la population du XVIIIe traînait jusqu'à minuit, heure du couvre-feu, autour des bouches de métro du quartier, pour s'y engouffrer plus vite, en cas d'alerte. La veille, comme la D.C.A. s'était soudain mise à tirer, des femmes avaient été piétinées au cours d'une bousculade dans les escaliers.

« J'ai honte, murmura Caracalla, pour ces hommes jeunes tout prêts à se précipiter dans leur trou au moindre bruit. Comment croire que c'est ce même peuple qui a fait 94, 48 et la Commune, qui s'est accroché dans les tranchées de 14 à 18...

— ... ce même peuple qui fournit au maquis les jeunes gens qui, en ce moment même, armés de simples mitraillettes et de vieux fusils, tiennent tête dans l'Ain à une division blindée allemande.

— Je ne comprends rien à mes compatriotes. Ils me sont plus mystérieux que les Chinois; j'ai lu dans le temps *La Pensée chinoise* de Granet, et j'ai l'impression de comprendre quelque chose aux réactions des Chinois. Mais voici bientôt trois ans que je suis revenu de Londres à Paris et le comportement des Français m'ahurit chaque jour davantage...

— Vous rappelez-vous une expérience classique en biologie : on sectionne les canaux semi-circulaires d'un pigeon, il perd le sens de l'orientation et de l'équilibre, on le voit chanceler et, hagard, tourner indéfiniment sur lui-même. Ainsi nous apparaissent beaucoup de Français depuis juin 40; ils ont été ahuris de voir les professionnels du patriotisme passer à l'ennemi, le vainqueur de Verdun organiser la défaite et les antimilitaristes prendre la tête de corps francs pour poursuivre la lutte malgré l'armistice. Ils ne comprennent plus rien à rien ni à eux-mêmes... »

Caracalla emmena Marat dans un restaurant que lui avait recommandé son « chef des coups durs », Thucydide, qu'il avait engagé spécialement pour les opérations délicates qui dépendaient directement de lui, parachutages de fonds, exécutions de traîtres, qu'il payait bien « afin de le soustraire aux tentations », et qui connaissait les derniers bons restaurants de Paris.

C'était, boulevard de Clichy, une imitation d'auberge campagnarde avec de fausses poutres peintes sur la maçonnerie. Orchestre russe, fleurs et petites lampes sur les tables, maîtres d'hôtel en habit.

Le patron s'avança au-devant d'eux, échangea un clin d'œil avec la caissière :

« Je regrette, messieurs, dit-il, toutes les tables sont retenues.

— Nous venons de la part de M. R., dit Caracalla.

— Il fallait le dire, répondit le patron. Vous comprenez, nous sommes forcés d'être prudents et de ne pas recevoir les clients que nous ne connaissons pas. Près ou loin de l'orchestre?

— Loin, dit Caracalla.

— Vous êtes d'accord? La musique convient comme fond sonore à la conversation. Elle ne doit pas s'y substituer.

— Oui, dit Marat, qui poursuivait la conversation commencée en chemin, le peuple français n'a pas compris la nécessité de cette guerre. En 36, les masses ouvrières seraient allées avec enthousiasme au secours de l'Espagne rouge. En 38, elles auraient approuvé que la France, aux côtés de la Russie soviétique, tînt les engagements pris à l'égard de la Tchécoslovaquie. En 39, elles n'ont pas compris la signification politique du conflit; elles ne se sont pas aperçues que Daladier et tous ceux qui avaient trahi le Front Populaire faisaient tout ce qu'ils pouvaient pour que la guerre ne devînt pas effective, pour qu'elle restât une « drôle de guerre », pour que tout s'arrangeât finalement sur le dos de la Russie. Le peuple mal informé, décontenancé par le pacte germano-soviétique, ne vit dans le nouveau conflit qu'un renouvellement de 1914, la triste fatalité d'une guerre par génération, un cataclysme inévitable, quelque chose comme une peste, un tremblement de terre. L'armistice de juin 40 fut généralement accueilli avec soulagement...

— Je me demande, dit Caracalla, si l'idée de patrie n'est pas périmée. Les événements actuels dépassent nos vieilles notions. Je me le demande chaque jour davantage... »

Il se mit à rire.

« C'est, continua-t-il, ce que Valenciennes appelle avec inquiétude ma « conception za-« zoue de la patrie ». Brave Valenciennes, si parfaitement loyal... mais j'ai l'impression qu'il est né dans une autre ère de l'histoire du monde. »

Valenciennes est l'ami commun qui les a mis en contact, un ancien officier qui travaillait déjà pour le deuxième bureau, pendant la précédente guerre.

Marat ne releva pas l'objection. Il aurait eu tant à dire sur la notion de patrie, lui au contraire l'avait « retrouvée ». Il réserva le sujet pour une autre conversation. Il évoqua ses souvenirs de l'armistice :

« Je me trouvais dans un dépôt d'infanterie à Narbonne. La plupart des soldats étaient originaires de la région de Marseille. Quand on apprit que c'était signé, que c'était fini, toute la troupe reflua spontanément vers la cantine. Plusieurs hommes avaient des accordéons. Ils se relayèrent. Une table fut transformée en estrade et les chanteurs s'y succédèrent. C'était assez déconcertant d'entendre au soir de la défaite ces garçons de vingt ans, l'âge du guerrier, célébrer avec des larmes dans la voix le « cabanon » du rentier... Grande soûlerie au vin rouge, le lourd vin de l'Hérault, celui qui fait les vomissures les plus répugnantes. La cour de la caserne fut pleine de vomissures cette nuit-là...

— La France est dégénérée...

— C'est une formule qui ne signifie rien. Ces mêmes jeunes gens serrent maintenant les dents quand les miliciens viennent traquer les réfractaires dans leur village. J'en ai vu tout récemment, aux abords d'une petite ville en état de siège, pleurer de rage parce qu'ils n'avaient pas d'armes; nous les verrons bientôt se battre comme « des lions ». Alors vous direz : « Quel peuple de héros! » Ce sera également faux. En 40, ils ne voulaient pas se battre parce que la bataille ne répondait à aucun besoin profond de leur être; maintenant ils n'aspirent qu'à se battre, en maints endroits ils se battent déjà, parce que l'Allemand et le milicien les ont opprimés et surtout humiliés; ils ont un affront à venger. Dans un chef-lieu de canton j'ai vu des Allemands emmener en le giflant un jeune cordonnier qui faisait partie de la Résistance. Sur le trottoir d'en face les camarades du cordonnier, désarmés, impuissants, regardaient, muets, pâles, les poings serrés dans leurs poches. C'était bien plus grave que s'ils l'avaient vu fusiller. J'ai soudain « réalisé » le cliché des mélodrames : « La honte qui ne peut se laver que dans le sang. » Il faudra qu'il coule encore beaucoup de sang après les années que nous sommes en train de vivre. Les hommes réagissent selon le style de leur époque : en 40, il était caractérisé par la valse musette et le « cabanon » marseillais; en 44, il s'est haussé jusqu'à la tragédie : nous voici tous devenus des personnages de Corneille...

— Corneille?

— Shakespeare, si vous préférez. Relisez *Macbeth* : les conversations des « dissidents » réfugiés en Angleterre, leur méfiance à l'égard des nouveaux fugitifs, sont-ils de vrais ennemis du tyran ou bien des Pucheu? La soif de meurtre de celui qui apprend que, faute d'avoir pu le saisir, Macbeth a fait massacrer sa femme et ses enfants, autant de scènes « d'actualité ». Voilà le style de l'année 44. Quatre ans ont passé et nous sommes aussi loin de la *Guinguette au bord de l'eau*, d'*Ici l'on pêche* et de *Mon Légionnaire* que des bergeries de Marie-Antoinette. Il dut se passer quelque chose d'analogue entre 1789 et 1793... »

Le maître d'hôtel, cependant, leur soumettait un « menu d'avant guerre » : c'était encore le cas dans un certain nombre de restaurants parisiens. Puis vint le sommelier :

« Voulez-vous que nous dînions au champagne? demanda Caracalla, je n'aime pas le vin...

— C'est de votre âge...

— Vous ne trouvez pas que le bourgogne ou le bordeaux alourdit?

— Non, quand il est bon... Mais c'est sans importance, je dînerai volontiers au champagne. »

Ils eurent un Veuve Cliquot fort convenable.

« Peut-être, reprit Caracalla, peut-être en effet la France se réveille-t-elle. Vous qui avez contact avec les *résistants* de la base, vous pouvez mesurer le progrès. Encore ne voyez-vous que des *résistants*. Nous sommes comme, sur un paquebot, l'officier mécanicien qui ne quitterait jamais ses chaudières et devrait deviner l'état de la mer, d'après le roulis et les ordres du capitaine. Nous ne voyons jamais l'océan.

« C'est le drame de notre métier. Le conspirateur, l' « illégal », comme on dit maintenant, s'abstrait du genre humain, même si, comme dans notre cas, il conspire avec l'assentiment tacite de la nation. Le climat de l'illégalité, si légitimes qu'en soient les motifs, est inhumain. Il devient irrespirable à la longue : d'où ces paniques sans cause apparente que nous avons constatées chez tant de nos camarades.

« Imaginez plutôt mon « mode de vie ».

« Je me lève chaque matin à huit heures; pas de domestique pour ne pas risquer d'indiscrétions; personne qui me dise : « Bonjour, monsieur, il fait beau aujourd'hui. » De neuf heures du matin à six heures du soir, d'un rendez-vous clandestin à l'autre, je marche dans Paris; je donne tous mes rendez-vous dans la rue...

— C'est ce que nous faisons tous... L'année dernière on pouvait encore se rencontrer dans les cafés, cette année, il y a les microphones et les rafles...

— Et si l'on sonne à un appartement, on n'est jamais sûr que ce ne soit pas la Gestapo qui vienne ouvrir... Je ne note jamais aucun de ces rendez-vous éparpillés au travers des rues, des jardins, des halls de gare, des porches d'église, des stations de métro, des ponts et des berges; c'est un des principes que m'a solidement inculqués mon stage à l'R.R.S.; il a fallu exercer ma mémoire; c'est ce que j'ai fait de plus difficile; comme mes rendez-vous sont souvent pris huit, dix jours à l'avance, comme j'en ai huit à douze par jour, je suis devenu un agenda vivant. Comment encore avoir des idées? Voilà deux ans que je n'ai plus que des dates et des lieux dans la tête...

— Moi qui ne sors pas de l'R.R.S. je note mes rendez-vous mais sur une feuille si mince que je puisse la bouffer à la moindre alerte...

— Ne le dites pas à votre patron... Tout au long de la journée, je rencontre donc mes courriers, mes chefs de service, les chefs des mouvements de résistance, les agents de Londres et d'Alger; je donne des ordres, j'en reçois, j'en transmets, j'écoute des doléances, je distribue des fonds; au cours de tous ces entretiens, il n'est jamais question que du complot, rien que du complot, pas des raisons pour lesquelles nous complotons — il est admis que nous savons tous pourquoi — mais de la pratique du complot, rien que de la pratique. Ingénieur en conspiration? Pas même : machine à conspirer.

« De six à huit, je dicte le courrier à ma secrétaire. Je ne la connais pas. Puis je vais me coucher, car je suis mort de fatigue. Il ne m'arrive pas une fois tous les trois mois de passer une soirée comme celle-ci, de parler comme nous parlons, de me coucher tard comme nous allons le faire.

« Je ne vais jamais chez des amis, ce serait les compromettre et me compromettre. Je ne reçois jamais, personne ne doit connaître mon adresse. Je n'ai pas le droit d'avoir des amis.

« Ne parlons pas des femmes : l'amour m'est encore plus interdit que l'amitié. Les romans d'espionnage ne mentent pas : j'ai vu nos meilleurs agents tomber parce qu'ils avaient été indiscrets avec une femme...

« Reste l'autre grande préoccupation humaine : l'argent. Je me trouve être un des seuls intermédiaires responsables entre Alger et les organisations de Résistance, je dispose donc de fonds qui, pour un individu, peuvent être considérés comme pratiquement illimités; des dizaines de millions me passent entre les mains et je suis pratiquement seul juge des « frais » que j'engage. Je peux acheter absolument n'importe quoi, n'importe qui, sans m'occuper du prix. Mais je n'ai aucun besoin; j'habite par sécurité, en sous-location, une chambre meublée à trois cents francs par mois, je ne me fais pas faire de costumes parce que je n'ai pas le loisir d'aller chez le tailleur; et bien souvent je n'ai pas le temps de déjeuner... Enfin le problème de l'argent ne se pose pas : tout se passe pour moi comme si l'argent n'avait aucune valeur. J'ai d'abord trouvé cela merveilleux ou plus exactement féerique. Mais, et c'est précisément le thème de *Barnabooth :* le pouvoir qui m'était donné n'a servi qu'à m'abstraire encore un peu plus du genre humain.

« Pas de domestique, pas d'amis, pas de maîtresse, pas de loisirs, pas de « vie personnelle », même pas de soucis d'argent : je ne suis pas un homme, rien qu'un conspirateur, c'est-à-dire un agenda.

« J'y ai bien réfléchi : je n'ai de rapports humains qu'avec ma boulangère : je parle tous les matins avec elle de huit heures et demie à neuf heures moins vingt, en lui achetant des croissants. Des croissants que, bien entendu, elle fabrique clandestinement. Ah! comme je voudrais, qu'au moins ces croissants fussent légaux. Enfin, c'est par elle que j'apprends ce qui se passe dans le monde des hommes...

— Vous devriez coucher avec Chloé. Je crois qu'elle est amoureuse de vous. Aucun inconvénient à l'avoir pour maîtresse puisqu'elle est du métier et qu'elle en sait déjà suffisamment pour nous faire prendre tous. Elle conspire comme elle ferait ses confitures : c'est la bonne ménagère de la Résistance; vous retrouverez des forces en dormant près d'elle, comme Antée revivait chaque fois qu'il touchait terre.

— Elle est bien trop du métier. Nous passerions la nuit à réciter les rendez-vous du lendemain...

« Ce dont je rêve, ce n'est pas d'une femme, c'est d'une petite villa dans la banlieue de Londres : le soir, je recevrais mes amis. Je leur offrirais des liqueurs, nous écouterions des disques, nous parlerions littérature, quelqu'un raconterait des histoires sur la résistance en France, nous nous plaindrions d'être en exil, ce serait merveilleux... »

Le sommelier apporta une seconde bouteille de champagne, le maître d'hôtel proposa des desserts :

« Nous avons ce soir de la pâtisserie : des éclairs, des mokas, des choux à la crème, comme avant la guerre...

— C'est cela, dit Caracalla, apportez des pâtisseries.

— Combien de gâteaux?

— Beaucoup, de toutes les sortes, une grande quantité, tous les gâteaux que vous avez... »

Car Caracalla n'a pas dépassé l'âge où l'on aime les gâteaux. Marat l'a dit ce matin à Frédéric, le « patron », comme les généraux de la Révolution, est presque un adolescent : il a vingt-trois ans.

VIII

Rue Pigalle, Marat, après avoir tâtonné, frappa contre une porte qui, dans le black-out total, significatif de l' « état de pré-alerte », se confondait avec la muraille.

La porte s'entrouvrit :

« Que voulez-vous? demanda une voix.

— Nous sommes des amis de Mimi », répondit Marat.

On les laissa entrer. Ils descendirent un escalier en direction d'une lueur.

« Quoi donc, s'étonna Caracalla, n'importe qui peut entrer, il suffit de connaître le prénom de la patronne!

— C'était la même chose pour les speakeasies, à New York, du temps de la prohibition. Ce sont les journalistes qui ont inventé le mystère.

— Mais il est impossible que la police ne sache pas que ce bar reste ouvert après l'heure permise et qu'on y entre comme dans un moulin...

— Il n'y aurait pas un seul « clandestin » à Paris, si la police n'en tolérait pas.

— Ça ne vous inquiète pas?

— Oh! je n'ai aucun doute, je suis certain que Mimi est indicatrice de police... Travaille-t-elle pour la P.J., pour la Sûreté ou pour la Gestapo? Sans doute un peu pour chacune. Au fait, elle travaille peut-être aussi pour nous?

— J'ai l'impression que nous nous fourrons dans la gueule du loup...

— C'est l'abri le plus sûr contre le loup. Des indicateurs de police ne sont dangereux que si on les prend pour des honnêtes gens. Je ne fais pas de confidences à Mimi. Elle me prend pour un gentil garçon qui joue le gentleman-farmer en attendant la fin de la guerre. Je suis sans intérêt pour elle, je ne fais pas même de marché noir... »

Mimi embrassa Marat.

« Mon petit François, voilà bien longtemps qu'on ne t'a vu... Toujours dans tes terres?... Tu as bonne mine, la campagne te réussit... tu dois quand même t'emmerder dans ton bled... Mais Paris n'est pas drôle, les affaires ne marchent plus, les Allemands n'achètent plus rien, les caïds du marché noir sont dans la mouise, je me demande si je ne vais pas tout boucler et faire comme toi, me mettre au vert... Au fait, comment ça s'appelle ta campagne, j'ai oublié...

— Oh! ça ne te dirait rien, c'est un petit trou, dans le Centre, juste entre Dijon et Guéret. tu vois? »

Mimi présenta Marat à des « amis » à elle qui étaient accoudés au bar : elle ne dit que son prénom; c'était discourtois en mars 44 de prononcer le nom de quelqu'un dans un endroit public; on ne savait jamais, le nom d'hier n'était pas nécessairement celui d'aujourd'hui.

« François. dit-elle, un bon ami, un de mes plus vieux clients, il était là le jour de l'ouverture en 33, ça fait plaisir d'y penser... »

Marat ne présenta pas Caracalla.

« Au fait, dit Mimi, ton amie Mathilde était là tout à l'heure... »

Se tournant vers les autres elle expliqua :

« ... C'est la grande brune qui faisait tant de bruit, c'était son amie dans le temps. oh! il y a longtemps... une des plus belles femmes de Paris vers 1930, quand elle entrait dans une boîte tout le monde la regardait, ça faisait une sorte de silence... Mon François était fier comme un paon... Allons, ne dis pas le contraire... et distinguée avec cela, pas du tout poule, une vraie femme du monde... Non, non, je ne plaisante pas, vous avez tort de rigoler, ce n'est pas parce que je suis taulière que je ne sais pas reconnaître une femme comme il faut... Elle est bien tombée maintenant... elle se laisse aller.

— Elle te doit de l'argent?

— Oh! pas grand-chose... ce n'est pas la question... mais elle s'y prend mal... elle se grille partout...

— Avec qui était-elle ce soir?

— Je ne vois pas du tout... Quelqu'un qui n'a sûrement pas l'habitude de sortir... elle essayait le grand charme... elle s'y prenait comme un manche... On n'apprend pas le métier de putain à son âge... elle a plutôt le genre à se payer des gigolos... Ça fait de la peine à voir... elle parlait très fort de sa famille, de l'usine de son père, du général, de la comtesse... Ça sonnait chiqué alors que je sais bien que c'est vrai... Elle était sûrement soûle... »

Marat et Caracalla s'assirent à une table éloignée du bar où Mimi continuait, sans en avoir l'air, croyait-elle, à renseigner ses « amis » sur les habitués de la maison.

« Mathilde, demanda Caracalla, n'est-ce pas l'amie du radio Dani, la femme que je dois voir demain?

— C'est bien elle...
— Hum...
— Une pauvre femme...
— Chut... Nous en reparlerons un autre jour. Cette nuit nous sommes en vacances... »
Ils commandèrent encore du champagne.
« Nous allons être ivres, s'inquiéta Caracalla.
— Je l'espère bien, fit Marat. Aller dans une boîte de nuit sans se soûler, c'est comme aller à la messe sans prier, autant rester couché... »
C'était la première fois que Caracalla venait dans un bar de nuit. En 39 il n'avait que dix-neuf ans et ses parents exigeaient qu'il fût rentré à une heure du matin; les garçons qui commencent trop tôt à « sortir » ratent leurs examens. Il posait mille questions à Marat.
« Je ne vois pas de jolies filles, s'étonnait-il.
— On ne voit jamais de jolies filles dans les boîtes de luxe, répondait Marat. Quelquefois de jolies femmes, ce n'est pas la même chose. Les Français, les Européens en général, ne dépensent pas d'argent pour sortir de jolies filles. En Amérique c'est différent. Les femmes que vous voyez ici — où déjà avant la guerre un champagne buvable coûtait trois cents francs la bouteille — sont des femmes « arrivées »; à Paris, une femme « n'arrive » qu'à

force d'intelligence, de finesse et de savoir, la beauté et la fraîcheur ne viennent qu'après; la plus belle fille du monde n'a aucune chance si elle a pour rivale une de ces redoutables créatures; il lui faudra d'abord beaucoup apprendre... conquérir ses galons à l'ancienneté... Quand on la verra ici elle aura des petites rides sous les yeux; elle n'y parviendra sans doute jamais, handicapée qu'elle se sera trouvée par l'outrecuidance à laquelle encourage la beauté. C'est à l'homme pauvre et à la femme laide, à ceux qui ont à venger les humiliations des premières années, que sont promises les hautes destinées...

— Mais qui sont ces gens, demandait Caracalla, pourquoi viennent-ils ici? Ils ne semblent pas s'amuser...

— Voudriez-vous qu'ils lancent des confetti et se coiffent de bonnets d'âne : c'est le style de l'Europe Centrale; à Paris et à Londres on ne « chahute » pas dans les boîtes « chic »...

— Mais maintenant, s'étonnait encore le jeune homme, quelle sorte de plaisir peut-on trouver dans cet établissement sans musique, sans danse, et où une vingtaine de personnes parlent à voix basse en buvant du mauvais champagne à huit cents francs la bouteille?

— J'imagine qu'on vient rôder là comme

dans une église désaffectée où l'on assista jadis à d'émouvantes cérémonies. Les visages que nous voyons ne me sont pas inconnus; voilà quinze ans qu'on les rencontre dans toutes les boîtes d'Europe. C'est l'ultime carré des amateurs de la nuit. »

Le bar de Mimi fermait à une heure du matin. Un peu avant il se fit une certaine agitation; on s'interrogeait de table à table; on se demandait où aller continuer la nuit; chacun disait :

« Paris est devenu trop sinistre, je rentre me coucher... »

Puis, entendant parler d' « un endroit où l'on dansait », d'un clandestin nouvellement ouvert, posait des questions, demandait le mot de passe, se décidait lentement. Des tables se scindaient, de nouveaux assemblages se formaient, Mimi donnait des conseils.

Marat et Caracalla se trouvèrent en compagnie d'un couple qui, depuis le début de la soirée, ne cessait de se disputer à voix basse, et de deux jeunes femmes qui avaient ostensiblement provoqué leur invitation.

« Que nous veulent-elles? demanda à voix basse Caracalla, elles n'ont pas l'air de poules...

— Sûrement pas...

— Alors?

— Nous verrons bien. Sans doute ont-elles tout simplement envie d'aller danser... »

L'endroit où ils avaient décidé d'aller était voisin de l'Etoile; seule une des jeunes femmes le connaissait. Arrivé place Blanche, Marat, qui se trouvait près de chez lui, hésita :

« Je suis fatigué, dit-il, je vais rentrer... »

Les autres protestèrent. L'homme affirma qu'on trouverait un fiacre place Clichy, qu'il y en avait toujours... Le black-out était total. Nuit sans lune. Paris était complètement englouti dans les ténèbres; on ne distinguait même pas la silhouette du Moulin Rouge.

Une des femmes éclairait la route avec une lampe de poche. Elle prévenait :

« Attention, il y a un trottoir... »

Une légère bise soufflait, dissipant les vapeurs du champagne. La petite troupe marchait silencieusement; chacun à part soi regrettait de s'être laissé entraîner dans cette aventure et ne souhaitait plus que dormir.

Place Clichy il n'y avait pas de fiacre.

« Nous en trouverons sûrement à Villiers », dit une voix.

Il n'y avait pas plus de raison pour continuer que pour se séparer. Le froid engourdissait les volontés. Il se trouva que personne ne prit l'initiative de la séparation.

A hauteur du parc Monceau, les sabots d'un cheval rompirent soudain l'immense silence de Paris. Un énorme bruit qui grossissait démesurément en s'approchant.

« Le cheval de l'Apocalypse », murmura Caracalla.

Marat courut au-devant en brandissant la lampe de poche. Mais le fiacre passa sans s'arrêter.

A l'approche des Ternes les femmes commencèrent à gémir qu'elles avaient mal aux pieds. Il fallut encore monter l'avenue de Wagram, traverser la place de l'Etoile. La petite troupe était de nouveau silencieuse. Le couple avait renoncé à sa dispute. La bise avait encore fraîchi. Il était deux heures du matin.

Quelqu'un promena la lueur de la lampe sur une plaque de rue.

« C'est ici », dit une voix.

La lueur révéla la façade cossue d'un hôtel voisin de l'avenue Kléber. Au même instant la porte tourna silencieusement sur ses gonds.

« Entrez vite, fit quelqu'un, nous sommes surveillés ce soir. »

Il n'y avait qu'une veilleuse dans le couloir. Une ombre les guida. Il fallut tourner deux fois, franchir une double porte. Ils se trouvèrent soudain dans une grande pièce carrée où une trentaine de couples de danseurs piétinaient, étroitement pressés sur une piste trop petite. Le bruit des pas étouffait presque celui de la musique diffusée par le haut-parleur d'un minuscule poste de radio posé sur le coin d'un bar. Les grandes glaces oblongues qui ornaient les angles et une sorte de vernis bleu pâle et brillant qui couvrait les murs multipliaient l'éclat des lampes. Il faisait très chaud. Le maître d'hôtel parvint à les caser dans un coin et apporta d'autorité le champagne « maison », un affreux breuvage, tiède et sucré.

Marat gagnait les lavabos quand, soudain, la radio s'étant tue, les danseurs se séparèrent et regagnèrent leurs places; au même instant plusieurs personnes s'en allèrent, ce qui accrut la confusion. Brusquement, il se trouva dans un couloir, à deux mètres de Mathilde. Elle attendait son vestiaire, appuyée au bras d'un homme, les yeux fermés. Marat se dissimula derrière une tenture.

Le compagnon de Mathilde paraissait avoir légèrement dépassé la quarantaine. Il avait les joues roses et la peau boursouflée, à quoi l'on reconnaissait aisément à cette époque les hommes qui venaient de sortir de prison; des chaussures à triple semelle de cuir comme n'en portaient plus que les trafiquants du marché noir et les agents de l'Allemagne, un chronomètre d'or au bras. Mathilde était effroyablement ivre. Elle chancela quand on lui passa son manteau. L'homme l'entraîna. Il paraissait exaspéré.

Mathilde répétait d'une voix pâteuse :

« C'est promis, hein, Robert, c'est promis, on tiendra ses promesses tous les deux, hein, Robert... »

Ils disparurent derrière la double porte...

Marat s'enquit s'il y aurait moyen d'avoir un fiacre vers les trois heures du matin. On lui répondit que ce serait impossible. Il alla au bar et but coup sur coup deux grands verres de cognac; puisqu'il allait falloir rester jusqu'au premier métro, autant être ivre tout de suite, comme tout le monde. Il aperçut Caracalla qui dansait avec une de leurs compagnes. Il alla inviter l'autre.

Il remarqua encore que la plupart des femmes étaient remarquablement élégantes pour l'époque. Il y avait plusieurs officiers allemands, discrets, effacés, s'efforçant visiblement de faire oublier leur uniforme. Il suivit un instant des yeux une très jolie collerette rouge sur laquelle venait jouer un mince collier d'émeraudes.

Puis les deux grands verres de cognac commencèrent à agir et il se perdit dans le sourd piétinement rythmé par un jazz dont les accords venaient tout droit, par-dessus l'Atlantique, d'une boîte de Harlem.

Au-dessus de Paris ronronnaient les escadrilles britanniques qui rentraient avant l'aube de leurs raids sur l'Allemagne. De temps en temps, les grosses pièces de marine en batterie sur la place des Invalides tiraient une salve qui éparpillait dans la nuit un bref feu d'artifice; mais le bruit n'en parvenait pas jusqu'au cube clos et chaud, insolitement suspendu au milieu de la grande ville inerte.

IX

(Extrait du journal intime de Marat.)

.. ..

CONVERSATION très pénible avec Mathilde, hier à midi. Elle est certainement en train de faire des sottises; je ne vois pas encore bien de quel genre; je devrais m'en occuper, mais ça m'emmerde. Mathilde : Phèdre. La passion, amour, jeu, drogue — ne m'intéresse pas davantage que la tuberculose ou la syphilis. Des romans de Dostoïevski, c'est *Le Joueur* que je relis le moins volontiers. Un être humain ne m'intéresse plus dès que je sais que son comportement est entièrement conditionné par la tuberculose, le jeu ou l'amour-passion. L'écrivain devra réagir comme moi : la psychologie, à mesure qu'elle devient une science (depuis Freud, Pavlov), cesse d'être une matière à œuvre d'art; dans cinquante ans, on s'étonnera du roman psychologique comme aujourd'hui de l'alchimie. Ce qui me touche par excellence, c'est la lutte consciente et volontaire de l'homme contre le monde, sous tous ses aspects; le mineur défonçant l'Oural et le kolkhozien déniaisant le paysan pour édifier le socialisme — ou bien Rodrigue « piochant » Hegel ou Marx, mettant patiemment de l'ordre dans les pensées confuses de l'adolescence, pour se faire une conception du monde, c'est-à-dire un outil pour dominer le monde — ou encore Brutus tuant César :

César m'aimait, je le pleure. Il avait de la chance, je m'en suis réjoui. Il fut courageux, je le respecte. Mais il voulait devenir tyran : je l'ai tué.

Que Shakespeare mette l'accent sur la chance de César et que Brutus y attache tant de prix, me font découvrir une manière de réagir à l'égard des hommes qui ne m'était pas étrangère, mais dont je n'avais pas encore pris complètement conscience, un nouveau pan se soulève sur le drame humain; comment dirai-je à quel point cette réplique m'a bouleversé? Ce qui me touche, en un mot, c'est la tragédie.

.. ..

Ai dîné avec C., l'un des très jeunes chefs de la Délégation gaulliste. Nous nous sommes ensuite soûlés dans diverses boîtes clandestines.

Au début de la soirée, nous avons longuement « parlé », Il ne pense qu'avec une extrême confusion les événements auxquels nous sommes tous mêlés et dans lesquels il joue, au moins en ce qui concerne la France, un rôle relativement important. Il découvre, en ce mois de mars 44, au cœur du conflit, les problèmes qui étaient les plus familiers aux jeunes gens de ma génération, il y a vingt ans.

Bien qu'intelligent et informé, C. a pensé jusqu'ici le conflit actuel selon les notions héritées de la guerre 14-18.

La majorité des hommes essaient de prendre conscience des grands événements qui interfèrent avec leur vie privée à l'aide des notions mises en circulation par les historiens ou les politiciens qui ont interprété le passé; si les événements qui surviennent sont d'un caractère absolument nouveau, les vieilles notions ne permettent que des interprétations fragmentaires; non seulement le caractère nouveau échappe à la conscience claire, mais les vues partielles aboutissent à des contradictions déchirantes — d'où confusion et malaise qui persisteront jusqu'à ce qu'un homme de génie, pensant et s'exprimant pour tous les hommes de son temps, impose une interprétation pertinente des faits. En ce moment les hommes de droite (C. était camelot du roi en 1939) sont déchirés par la nécessité de combattre les fascistes dont ils approuvent la politique intérieure; les hommes de gauche, par l'apparente contradiction entre leur antimilitarisme, leur pacifisme (« prolétaires de tous les pays, unissez-vous ») et la nécessité de combattre l'armée allemande. La grande majorité des gaullistes n'échappent à ces contradictions qu'en refusant d'y penser; ils ont pris parti, les nécessités quotidiennes de l'action imposent leurs exigences, la réflexion viendra plus tard; ce n'est pas une mauvaise solution. Seuls les communistes disposent d'une doctrine qui leur permet une interprétation cohérente des événements. L'homme de génie sortira de leurs rangs; ce sera celui qui saura tirer du marxisme une explication du monde actuel frappante, évidente, universellement acceptable, et en déduire des règles d'action : ce que fit Lénine en 1917.

.. ..

A propos des hommes qui ont peur des

bombardements aériens (C. s'indignait de la lâcheté manifestée ces jours-ci par les Parisiens) : l'ouvrier plombier devenu petit commerçant, rue Lepic, anémié par le confort, pourri par l'esprit de « combine » du milieu montmartrois, se précipite dans l'abri en entendant la D.C.A.; le même homme, mécanicien à Villeneuve-Saint-Georges, soutenu par la dure et chaude camaraderie des cheminots, profite du bombardement pour aller, à la barbe des sentinelles allemandes, verser de l'acide sulfurique dans la chaudière de sa locomotive. Dire que les Français sont des lâches n'a pas plus de sens que de dire que les ouvriers ne rêvent que de devenir des petits bourgeois (comme dit ma sœur). C'est vrai et c'est faux : la question est mal posée. Qui vit dans des conditions d'esclave a évidemment une mentalité d'esclave. Devenu libre, il pensera en homme libre. La grandeur de la vie, c'est que l'esclave, un jour, se libère, crée lui-même sa condition d'homme libre; c'est aussi inexplicable que la chenille devenant papillon.

Métamorphoses et révolutions : ainsi procède la vie...

DEUXIÈME JOURNÉE

(qui se situe le surlendemain
de la « Première Journée »)

« L'amour est ce qui se passe entre deux êtres qui s'aiment. »

I

MARAT sauta du lit juste à temps pour écouter la dernière émission matinale de la B.B.C. Son poste de radio était posé sur le buffet de la salle à manger parce que c'était la seule pièce de l'appartement où il y eût une prise de courant.

Mademoiselle servit le thé et s'appuya contre la table pour écouter, elle aussi, la radio anglaise.

Les alliés avaient bombardé Rome : Londres semblait s'en excuser.

« Ils ne font pas tant d'histoires quand ils bombardent Rouen, observa Mademoiselle qui est d'origine normande. Le pape va peut-être commencer à comprendre qu'il y a la guerre... »

Mademoiselle, fille et petite-fille d'artisans parisiens, est anticléricale par tradition familiale. Son père, qui avait été communard, ne l'a pas fait baptiser, singularité dont à soixante-cinq ans elle n'a pas cessé d'être fière.

Le glas tinte à une église toute proche.

« Notre-Dame des Briques sonne à la mort... », grogne Mademoiselle.

J'aime, pense Marat, ces jeux de mots allusifs à quoi excellent les Parisiens. Ici l'allusion est double. Interprétons premièrement que, le seul matériau digne d'un monument étant la pierre de taille — c'est une Montmartroise qui parle — Notre-Dame des Abbesses, construite en briques, est en toc, ersatz de monument comme la religion est un ersatz de vérité, etc. Secondement : manger des briques, c'est se serrer la ceinture, danser devant le buffet, se taper du vent; à qui prie : « Donnez-nous notre pain quotidien » la Sainte Vierge n'envoie que des briques, celui qui ne compte que sur le ciel pour « gagner sa croûte » risque fort de ne manger que des briques, etc. Mademoiselle est un poète de suggérer tant de choses avec quatre mots.

La radio cependant annonçait que, poursuivant leur avance à l'ouest de Cernovitz, les avant-gardes russes avaient atteint Kolomya. Marat alla pointer la nouvelle avance, au crayon bleu, sur la grande carte d'Europe au millionième qui couvrait entièrement les murs de sa chambre. Une petite chambre que Mademoiselle louait d'ordinaire à des étudiants. Repassant dans la salle à manger :

« Les Russes, dit-il, seront demain à la frontière tchécoslovaque... »

Cernovitz, Kolomya n'évoquaient rien pour Mademoiselle. Il pensait que Tchécoslovaquie signifierait davantage, quelque chose en Europe, tout près de l'Allemagne, non plus cette lointaine Russie où la guerre semblait se dérouler dans un autre monde. Il aurait voulu lui communiquer la fièvre qu'il éprouvait depuis le début de l'offensive de printemps.

Mais Mademoiselle, toujours appuyée contre la table, méditait silencieusement.

Le glas continuait à tinter à Notre-Dame des Briques.

« Comment, demanda-t-elle soudain, comment peut-on croire à l'immortalité de l'âme? »

Marat sursauta.

O joie, admirable question, étonnement si naturel et si rare, loyale, consciencieuse, perspicace Mademoiselle... Vous me comblez dès mon réveil... vous n'avez pas demandé : « L'âme est-elle immortelle? » mais : « Comment peut-on croire à l'immortalité de l'âme? », *vous ne faites pas, Dieu merci, de l'inquiétude religieuse (comme on fait de la rougeole), mais vous vous étonnez, comme il sied, de la religiosité de l'homme, vous avez été* « *bien élevée* »... *On raconte que lorsque les écoliers russes visitent une église et qu'on leur décrit les cérémonies qui s'y déroulaient, ils sont saisis d'un inextinguible fou rire... Inutile de faire auprès d'eux de la propagande antireligieuse... seules les Chinoises qui ont les pieds enfermés dans des bandelettes dès l'enfance ont besoin du pédicure, celles dont le pied s'est développé librement marchent d'aplomb tout naturellement... Vingt ans après la fermeture des églises, tout esprit non prévenu considère le catéchisme comme une curiosité ethnographique... ou comme une pitrerie (une* « *conversion* », *quel film pour Chaplin!), le musée* « *antireligieux* » *devient une section du* « *musée de l'Homme* » *et c'est à l'historien et à l'anthropologue qu'il appartient de répondre à la question de Mademoiselle...*

Mademoiselle, cependant, attendait une réponse immédiate :

« Ceux, dit Marat, qui ne croient pas à l'immortalité de l'âme, sont enclins à chercher leur bonheur sur cette terre, ils réclament leur part des biens matériels, ils exigent des augmentations de salaires, ils vont jusqu'à faire grève pour les obtenir. Les curés au contraire enseignent que le paradis est dans l'autre monde et que son entrée est réservée aux pauvres qui se seront montrés bien dociles; malheureux riches qui se ferment la porte du ciel... c'est pourquoi les patrons entretiennent les curés... »

... Tu parles comme un facteur radical-socialiste, raillerait ma sœur. Oui, ma sœur, je fais de l'anticléricalisme primaire, c'est de mauvais goût, ça date, était-ce bien la peine que mes parents fissent des sacrifices pour que j'apprisse le latin?... L'Eglise, d'abord décontenancée par le développement de la libre pensée qui a accompagné le succès des sciences au XIXe siècle, s'est ressaisie : son astuce a été de persuader nos élites que l'anticléricalisme était « primaire »... « Quoi donc, raille ma sœur, tu crois comme les instituteurs au Progrès avec un grand P, tu proposes l'automobile et l'avion comme remède à l'éternel tourment de l'homme, tu estimes qu'un ouvrier métallurgiste en sait davantage que Pascal, tu te juges plus fort que tous les hommes illustres qui, depuis deux mille ans, se sont proclamés chrétiens, etc. » L'Eglise est

parvenue, dans « l'entre-deux-guerres », à retourner le sentiment public (dans les classes bourgeoises) : en 1900, un homme devait manifester du courage pour « faire ses Pâques », en 1930, il fallait un courage analogue pour affirmer que le progrès des sciences avait amélioré la condition humaine... les lettres de Maritain et la conversion du malheureux Max Jacob — qui vient de mourir sous les coups des fascistes — préparaient le maréchal Pétain, Dieu à l'école, l'apologie de l'artisanat et du retour à la terre, l'idéologie de la « Révolution Nationale »...

Mademoiselle cependant achevait son ménage, elle alluma la cuisinière, pour épargner le gaz. Elle mangera à midi et, à une heure moins le quart, s'en ira à pied vers l'atelier de couture où elle travaillera jusqu'à sept heures; à soixante ans elle doit encore travailler, une ouvrière à la journée n'a pas la possibilité de faire des économies pour ses vieux jours, son ami était marié, elle n'a connu que le « back street » de la vie, il est mort brusquement sans prendre de dispositions en sa faveur. Marat lui explique souvent qu'il est monstrueux qu'elle doive encore aller à l'atelier, alors que le machinisme permettrait à tous les hommes de ne travailler que pendant leur jeunesse, à une tâche de leur choix, joyeusement, si les bourgeois ne freinaient pas le progrès technique afin d'être les seuls à en tirer profit.

« Oui, approuve Mademoiselle, les bourgeois ont déclenché la guerre parce qu'ils étaient furieux que, depuis 36, les ouvriers aient des congés payés — notre menuisier avait acheté une auto d'occasion pour ses vacances, « c'est insensé », disait ma patronne. Elle disait aussi, en juin 36 : « Il faudrait « appeler Hitler pour qu'il empêche les occu- « pations d'usines... »

Les réflexions de Mademoiselle avaient été à l'origine d'un rapport sur certaines réactions des milieux ouvriers de la région parisienne, que Marat avait envoyé à Londres et à Alger.

Mademoiselle et Marat étaient, somme toute, fort contents l'un de l'autre.

II

MARAT commençait à mettre au clair un exposé des nouveaux travaux entrepris par les Allemands dans la région de Brest, quand Chloé sonna à la porte. Elle échangea quelques paroles avec Mademoiselle et lui promit un quart de beurre; les Parisiens, au mois de mars 44, n'eurent droit qu'à 50 grammes de beurre par personne et Mademoiselle, trop pauvre pour acheter au marché noir, devait faire cuire ses pommes de terre à l'eau, ce qui, gourmande qu'elle était comme tous les vieillards, la rendait fort malheureuse.

Marat, au coup de sonnette, avait entrouvert le tiroir où il rangeait son colt; il avait maintes fois réfléchi à ce qu'il devrait faire en cas de descente de police : tirer au travers de la porte de la chambre pour décontenancer l'adversaire et le retarder, saisir le petit sac rangé près du colt, où il serrait des documents et le budget du service, bondir sur le balcon, escalader la grille qui le séparait du balcon voisin, gagner le toit, et d'un toit à l'autre, la fenêtre d'une Italienne antifasciste dont le fils était dans le maquis et qui le laisserait passer, se précipiter dans l'escalier, essayer de sortir avant que l'alerte soit donnée dans la rue — si l'alerte était donnée, se frayer un chemin en tirant; en aucun cas ne se laisser prendre vivant. La nuit, quand il entendait une voiture s'arrêter dans le voisinage, il lui arrivait de se glisser sur le balcon, pour guetter si ce n'était pas chez lui qu'on venait; il caressait alors longuement le colt, il faisait jouer le cran de sûreté, il ôtait et remettait le chargeur, il se sentait beaucoup plus sûr de lui depuis qu'il possédait une arme...

La voix bien connue le rassura. Il repoussa le tiroir.

« Mathilde, raconta tout de suite Chloé, a refusé de voir Caracalla.

— Quoi! fit-il, n'était-elle pas hier au rendez-vous?

— Elle y était. Nous avons été toutes deux merveilleusement ponctuelles. Je venais de la Madeleine, elle du Palais-Royal. Nous nous sommes rencontrées, juste devant Saint-Roch, à midi pétant...

— Il n'y a que les gens qui s'adorent pour être exacts au rendez-vous.

— Yes, my dear... Elle m'a abordée de son air le plus femme du monde (elle avait un chapeau dont je n'aurais pas voulu pour ma bonne; enfin, passons); elle a susurré : « Bon-« jour, ma chère... je suis vraiment très heu-« reuse de vous rencontrer... puisque je sais « que vous êtes une bonne amie de Fran-« çois. » Tu vois ça, elle condescendait à m'appeler « ma chère » parce qu'elle supposait que je couchais avec toi...

— Comme je déplore qu'elle se soit trompée!

— Ça va, toi... Je lui ai répondu : « Fran-« çois?... connais pas. » Oh! elle ne m'a pas manquée : du tac au tac, elle a lancé : « C'est « vrai, j'oubliais que, pour vous, il s'appelle... « voyons comment... Ah! c'est cela, un nom « de guerre : Marat. » Tu piges : « Pour « vous. » Ça commençait bien...

— Je te chargerai encore de missions diplomatiques...

— Si elles sont du même genre, tu peux les garder pour toi... Alors tout heureuse de me voir pâlir... ou rougir... je ne sais pas lequel des deux, enfin mon sang a reflué dans un sens ou dans l'autre... elle a continué : « Et où est donc ce M. Caraca-quoi? que vous « êtes chargée de me présenter? — Vous vou-« lez dire Caracalla, Caracalla avec deux l,

« ai-je dignement répondu. Notre chef a
« choisi ce nom parce que c'est celui d'un
« empereur romain qui a battu les Germains
« et mené les légions gauloises jusque sur le
« Danube. Tout le monde sait cela. » Tu
vois : je n'oublie pas tes leçons. Elle a tout
de même trouvé moyen de répondre par une
insolence : « Ah! oui, a-t-elle fait, moi, je
« l'ignorais, mon amant ne me donne pas de
« leçons d'histoire au lit. » Je te jure que j'ai
dû me retenir pour ne pas la gifler... ou lui
dire que son amant avait sans doute trop à
faire à compter ses rides... ou les plis de ses
cuisses, je vois ça d'ici...

— Quelle vache!

— Elle ou moi?

— Toutes les deux. Continue. J'adore ce
genre d'histoires...

— Donc, je me suis retenue; c'est bien à
cause de toi; dis-moi merci. J'ai pris mon ton
le plus service pour lui dire : « Suivez-moi,
« madame, je vais vous conduire là où Cara-
« calla vous attend. — Il aurait bien pu se
« déranger! » a-t-elle répondu. « Un chef
« comme Caracalla, ai-je dit, ne s'expose pas
« à tomber dans un guet-apens; moi seule
« — car il a une confiance absolue en moi —
« sais où il nous attend; et dans la foule des
« passants, il y a en ce moment plusieurs de

« nos amis, en train de surveiller si nous ne « sommes pas suivies. » Elle s'est arrêtée pile : « C'est toute la confiance qu'on a en « moi! » s'est-elle écriée. Je tenais ma revanche, excuse-moi, je lui ai lancé : « Com« ment aurions-nous confiance en vous? Vous « ne connaissiez qu'un des nôtres et il est en « prison. »

— Idiote!

— Elle m'avait assez provoquée, la salope. Elle est devenue blanche. J'ai cru qu'elle allait me sauter dessus. « Ah! c'est comme ça, « a-t-elle dit entre les dents, eh bien, il peut « toujours courir, votre Caracalla... avec « deux l... » Elle a filé.

— Merde!

— Attends, avant de te fâcher. Je n'ai pas fini mon « récit de Théramène » : c'est ainsi qu'on dit dans le monde de Mathilde?

— Ça va...

— Ta Mathilde disparue voilà que je ne retrouve plus « l'homme de Londres » (tu te rappelles, celui qui a couché dans mon salon avant-hier) qui m'escortait. J'ai attendu un quart d'heure : disparu, évanoui, vaporisé. Le petit radio, mon second « protecteur », ne l'avait pas vu davantage. Nous ne l'avons retrouvé qu'à l'heure du goûter, à la maison... Il avait eu l'idée de filer Mathilde...

— Bien.

— Et devine où elle est allée tout droit?

— Chez les Boches...

— Tout juste : dans un hôtel particulier de la rue Spontini, habité par un colonel allemand...

— Je sais qu'elle fréquente des officiers allemands.

— Voilà qui me semble clair...

— Mais qui ne prouve rien du tout. Mathilde connaît des Boches, son amant est arrêté par d'autres Boches, elle s'adresse aux Boches qu'elle connaît pour qu'ils interviennent auprès des Boches qu'elle ne connaît pas, en faveur de son amant. C'est normal.

— Si tu trouves également normal qu'elle ait refusé de voir Caracalla.

— Tu l'as vexée. A son âge on est doublement susceptible quand l'insulte vient d'une femme de ton âge et qu'on suppose dans les meilleurs termes avec son ancien amant.

— Tu la défendras jusqu'au bout!

— Je m'efforce seulement d'y voir clair... et de ne pas tomber dans le roman feuilleton. Pourquoi aurait-elle fait arrêter un garçon qu'elle adore et qu'au surplus elle sait être le dernier amant qu'elle puisse raisonnablement espérer?... Je la crois bien un peu cinglée, mais pas à ce point-là. Elle m'agace autant qu'elle peut t'agacer, je te le jure, mais ce n'est pas une raison suffisante pour l'accuser de la pire des saloperies et qui, pis est, une saloperie dont elle serait la première victime : son dernier amant... Réalises-tu ce que ça signifie pour elle?

— Mais je n'ai pas fini. Le copain de Londres, tout en se renseignant sur le colonel de la rue Spontini, surveillait le petit hôtel. Mathilde n'y est restée qu'une demi-heure, puis s'est dirigée vers les Champs-Elysées; elle marchait vite, comme si elle était en retard. Elle est allée au *Honeymoon* : c'est un bar fréquenté par des gens suspects...

— Je sais : moitié marché noir, moitié mouchards.

— Un bonhomme l'attendait. Le copain s'est discrètement renseigné sur le bonhomme...

— Epatant, le copain!

— Il paraît que c'est quelqu'un qui s'occupait de la Résistance, que la police allemande a trouvé des armes chez lui, qu'il est resté trois mois à Fresnes et puis...

— ... il a été fusillé...

— Mais non, idiot, puisqu'il était au *Honeymoon*. Il vient d'être relâché.

— Oh! comme je n'aime pas cela!

— Moi non plus.

— Comment est-il fait?

— Le visage rose et boursouflé, m'a dit le copain; mais c'est normal après trois mois de taule. On le connaît au *Honeymoon* par son prénom : Robert.

— Je l'ai déjà vu avec Mathilde.

— Sans blague. Quand?

— Avant-hier soir. Il sortait d'une boîte, juste comme j'y entrais... avec Carac...

— Ah! tu as fait la bombe avec Carac. C'est pourquoi il était claqué hier...

— Nous sommes même allés coucher chez des poules...

— Salauds!... Carac a couché? Comment était-elle? C'est une copine à toi, naturellement... Tu as la manie de faire l'entremetteur. Mon petit Marat, sois gentil, raconte-moi comment ça s'est passé...

— Je n'en sais rien, je dormais.

— Tu ne vas pas me dire que tu n'as fait que dormir.

— Je te le jure. A peine entré dans l'appartement, je me suis endormi. Je suis un horrible mufle. Tu sais, j'étais terriblement soûl.

— Mais Carac ne dormait pas, lui...

— Sais pas...

— Oh! je suis bien sûre qu'il a couché avec l'une des poules... sinon avec les deux.

— P'tête ben qu'oui, p'tête ben qu'non...

— Ne fais pas l'idiot! Raconte...

— Je te jure que je n'ai rien vu, rien entendu.

— Enfin, au réveil, il te l'a bien dit. Les hommes se dépêchent de raconter ces choses-là.

— Quand je me suis réveillé, il était déjà parti. Il a toujours des rendez-vous matinaux.

— Alors ce sont elles qui t'ont fait des confidences.

— J'ai bien essayé de les confesser. Moi aussi je suis curieux. Rien à en tirer : elles étaient redevenues femmes du monde.

— Ah! ce sont des femmes du monde...

— Si l'on veut. Des poules entretenues du genre sérieux. Appartement à Passy, vison et avant la guerre roadster décapotable.

— Il est capable d'avoir le béguin. C'est un môme : une poule à vison, ça l'aura impressionné. Hier, je l'ai trouvé froid, distant. Tu en fais toujours des comme ça...

— Ne me fais pas une scène de jalousie.

— ... de jalousie... Tu sais bien qu'il n'y a rien entre Carac et moi. Pas même un baiser... pas le plus petit flirt.

— Vous avez bien tort tous les deux...

— Ce n'est pas de ma faute.

— Je t'adore, Chloé.

— Si tu m'adores, ne fous pas des poules de luxe dans les pattes de Carac.

— Ne t'en fais pas. Il n'aura jamais le temps de les revoir. Tu sais comme il est : boulot. boulot.

— Oh! je le sais... »

On sonna.

« C'est sans doute Rodrigue, je l'attends... »

Ils entendirent Mademoiselle parlementer à la porte. Chloé se redressa. Marat entrouvrit le tiroir du colt. D'un mouvement du menton. il montra le balcon.

La porte se referma et Mademoiselle regagna la cuisine.

« L'employé du gaz ou de l'électricité, murmura Marat.

— A propos de Rodrigue. dit Chloé, je vais te raconter quelque chose. mais jure-moi d'abord de ne pas le lui répéter.

— C'est juré.

— Hier soir, à minuit, on sonne chez moi. Par hasard, il n'y avait plus personne à la maison. Je vais ouvrir en robe de chambre. Je trouve Rodrigue, figé devant la porte. blanc comme un linge. ne faisant pas mine d'entrer. J'ai cru qu'il venait m'annoncer que tu étais arrêté. Je demande :

« — Qu'est-ce qui se passe?

« — Rien », répond-il.

« Et il ne bouge pas. « Entre », lui dis-je.

« Il reste encore un moment, immobile et muet.

« — Ah! oui », fait-il.

« Je le pousse dans la chambre et le fais asseoir dans un fauteuil. Je demande :

« — Tu n'es pas bien? Veux-tu que je te fasse du thé?

« — Oh! dit-il, je passais par là, en ren-
« trant chez moi, j'ai vu de la lumière à ta
« fenêtre, je suis monté te dire bonsoir.

« — C'est gentil », dis-je.

« Que voulais-tu que je dise?

« Je lui ai fait du thé. Il est resté jusqu'à deux heures du matin, sans bouger de son fauteuil, sans rien dire ou presque, rien que des banalités sur le service ou sur le débarquement. Oui, il m'a parlé du temps qu'il avait fait, « de la belle journée de prin-
« temps », sans blague. Il me fixait avec des yeux, je te le jure, hagards. Moi, je mourais de sommeil, je ne savais qu'en faire, je n'osais pas lui dire de s'en aller, j'avais peur de le vexer, c'est un gentil camarade. A la fin, je lui ai proposé de dormir sur le divan du salon, il s'est levé d'un bond :

« — Oh! non, a-t-il protesté, je m'en vais,
« excuse-moi de t'avoir dérangée. »

« Il est parti. Voilà, c'est tout. Qu'en penses-tu?

— Ce que tu en penses toi-même : il est amoureux et tu l'intimides.

— Qu'est-ce que tu veux que j'en fasse? C'est un gosse.

— C'est vrai, mais ça n'empêcherait pas une petite fantaisie... s'il te plaisait.

— Mais c'est un autre qui me plaît... »

On sonna de nouveau.

« Le voilà », dit Marat.

Ils entendirent Mademoiselle dire d'un ton rogue : « Vous connaissez le chemin... »

« C'est sûrement lui. Je le devine au ton de Mademoiselle. Elle n'aime pas son allure carrée de jeune militant; c'est sa petite faiblesse d'adorer les hommes « distingués »...

Rodrigue frappa et entra en même temps.

« Salut », fit-il.

Il s'assit sur le bord du lit, écarta les deux jambes, posa ses mains sur ses genoux, attendit...

Marat et Chloé éclatèrent de rire.

« Qu'est-ce qu'il y a? demanda-t-il.

— Salut, fit Chloé, en imitant sa voix... Nous étions justement en train de nous émerveiller de tes manières distinguées.

— Je ne suis pas fils de notaire », répondit Rodrigue en regardant Chloé dans les yeux.

(Caracalla est fils d'un riche notaire de la région lyonnaise.)

« Bon, dit Chloé, en se retournant vers Marat. Que décides-tu au sujet de Mathilde?

— Ne t'en occupe plus, tu es trop diplomate. Je monterai chez elle et je tâcherai de rembobiner un rancart avec Carac... s'il tient toujours à la voir.

— Allons, adieu. Je te laisse avec ton lieutenant. »

III

« Elle t'a raconté? demanda Rodrigue.

— Raconté quoi?

— Oh! rien...

— Et encore?

— Rien vraiment, je pensais à autre chose... excuse-moi.

— Tu sembles en froid avec Chloé...

— J'en ai marre qu'elle me traite comme un môme...

— C'est peut-être que tu te comportes avec elle comme un môme...

— Carac n'a jamais que trois ans de plus que moi. Il est vrai que je ne suis pas un des chefs de la Délégation gaulliste. Les femmes sont dégueulasses : ce n'est pas l'homme qu'elles aiment mais son titre, son prestige, le respect qu'il inspire aux autres hommes, le pouvoir qu'il exerce sur eux... oui, surtout cela... L'autre nuit elle mouillait parce qu'elle avait vu un ancien sénateur, ex-président de je ne sais quoi, « tout petit garçon » devant lui, elle m'a raconté trois fois la scène, elle répétait : « A son âge, c'est formidable... il « deviendra sûrement un grand bonhomme. » Se faire baiser par un « grand bonhomme », voilà à quoi elles rêvent toutes.

— Ce qui est môme, c'est de dire : les femmes... Enfin, nous nous trouvons dans une situation cornélienne : Rodrigue aime Chloé qui aime Caracalla qui aime... qui n'aime que sa patrie. Vous avez même choisi des noms de tragédie pour vous mettre dans l'ambiance...

— Je ne suis pas tellement amoureux de Chloé. J'ai le béguin, dac. Mais ça n'atteint pas au tragique.

— Je me demandais justement jusqu'à quel point tu étais amoureux...

— Je voudrais bien que tu me le dises; moi, je n'y comprends plus rien. Certains jours la pensée de Chloé ne me quitte pas, elle m'accompagne partout et si je me réveille au milieu de la nuit, je vois au pied du lit son fantôme qui rigole, en se foutant de moi, oh! gentiment, avec sa terrible bonne camaraderie. Enfin, l'image que je me fais d'elle, pas la vraie Chloé, hélas! est plus collante qu'une vieille maîtresse — j'en parle par ouï-dire, car je n'ai jamais eu ce qu'on appelle une maîtresse, tout au plus des bonnes amies, comme on dit en Savoie, que j'emmenais à l'hôtel le dimanche après-midi, ou bien des poules, comme la petite du deuxième que j'ai renversée sur son lit, en vitesse, pendant que son ami était allé faire une commission...

— As-tu déjà passé une nuit complète avec une femme?

— Une seule fois, et ça ne compte pas, c'était une putain de Pigalle. Je lui avais donné cinq cents balles pour qu'elle reste toute la nuit. C'était promis, mais après le doublé réglementaire, elle a commencé à me baratiner pour que je la laisse filer. Sûrement que son mec l'attendait. J'ai insisté. Elle est restée. Mais à six heures du matin, la voilà qui s'habille. « Il faut que j'embrasse mon « gosse, avant qu'il parte pour l'école »; ce fut tout ce qu'elle trouva. Moi, j'avais envie de pleurer. C'est idiot, d'accord, mais depuis des semaines, que dis-je! des mois, j'imaginais comme le comble du bonheur de prendre le petit déjeuner sur la terrasse d'un grand café, au soleil, en compagnie d'une femme avec laquelle j'aurais passé la nuit : nous nous attardions, j'éprouvais une grande lassitude heureuse, elle avait les yeux battus, nous ne parlions presque pas, nous rapprochions nos chaises et elle s'appuyait un peu sur moi, avec abandon; c'était, succédant à l'excitation, à la grande tension de la veille au soir, cet abandon dans le grand soleil matinal qui me paraissait devoir être merveilleux. Enfin j'avais gambergé ferme autour de ce petit déjeuner. J'avais même fini par décider qu'il aurait lieu à la terrasse des *Deux Magots*, côté exposé à l'est, face au porche de Saint-Germain-des-Prés. Coucher près de Pigalle avait déjà dérangé mon plan mais la fille avait absolument refusé d'aller dans un hôtel de l'autre rive... Je n'avais pas osé lui expliquer pourquoi j'y attachais tant d'importance. De toute manière, avec cette garce, ç'aurait été raté. D'ailleurs, il pleuvait.

— Sûrement raté. Il ne faut pas attendre d'une putain ce genre d'émotion...

— Pourtant, tu couches avec des putains...

— J'adore les putains; j'en ai fait toute ma vie un grand usage. Mais je ne les considère pas comme un succédané, je leur demande une sorte de plaisir qu'elles sont seules à pouvoir me procurer. Je t'apprendrai à t'en servir... Il y a des quartiers à filles — filles d'un genre très particulier, par exemple entre l'Hôtel de Ville et le Sébasto — où je ne peux pénétrer sans être terriblement ému. »

.. ..

Silence. Marat rêve en dessinant vaguement un plan où la rue des Lombards coupe la rue de la Charbonnière.

« Tu permets », dit Rodrigue, et il ouvre le pot à tabac pour rouler une cigarette. Mademoiselle frappe et demande si elle peut faire la chambre. « Dans un moment, répond Marat, nous travaillons. »

Les sirènes sonnent l'alerte.

Le premier rendez-vous de Rodrigue étant à l'autre bout de Paris et les métros ne se remettant en marche qu'une demi-heure après la fin des alertes, le voici immobilisé chez Marat. Ils en sont tous les deux satisfaits, car ils ont envie de poursuivre la conversation : sur l'amour et sur l'érotisme, deux hommes qui se sentent en confiance et qui sont assez lucides pour être sincères et assez honnêtes pour être cyniques, peuvent dialoguer à l'infini sans jamais cesser d'éprouver un vif plaisir.

.. ..

« Certains jours donc, reprend Rodrigue, la pensée de Chloé ne me quitte pas; chaque fois qu'elle se fait plus intense, je sens une étreinte au creux de la poitrine. Quand j'ai suivi des cours de pathologie mentale (c'était la matière à option que j'avais choisie pour la licence de philo), on nous a montré à Sainte-Anne un anxieux qui hurlait jour et nuit, en crispant convulsivement les mains dans le creux de l'estomac : « Il y a là, « disait-il, quelque chose qui m'étreint sans « répit, qui me serre, qui m'étouffe. » Je n'avais pas réalisé que cette oppression pût être douloureuse à hurler mais maintenant je devine ce qu'elle peut être : la pensée de Chloé me fait souffrir d'angoisse, au sens médical du mot...

— Le mot n'a qu'un sens; toutes les angoisses sont du même ordre, elles varient seulement d'intensité.

— Chloé me tape sur le plexus solaire; tu piges?

— Tu es amoureux... plus que je ne le croyais.

— Ou pas autant. Car d'autres jours j'oublie complètement Chloé, il se passe des heures sans que son image m'apparaisse, et je peux même la rencontrer à l'improviste sans que ma tête se vide de sang, sans que mes jambes flageolent... belles journées, les pensées dansent comme aux plus beaux temps, je suis capable de lire Hegel dans le métro et je retrouve l'envie de prendre des leçons de boxe. Ces jours-là, il faut qu'il prenne fantaisie à Chloé de changer de robe (ou de chemise) devant moi, sans même dire : « Ferme « les yeux » ou « Ne regarde pas », en toute confiance, avec une parfaite sérénité, comme si j'étais un chat ou un pot de fleurs, il faut que de quelque manière elle me donne en camarade un de ces mots, un de ces gestes, qu'il serait si merveilleux et qu'il est si improbable qu'elle me donne jamais en amante, pour que l'angoisse me ressaute dessus. Sinon, je suis libre et léger comme un champion de course à pied...

— L'amour-passion a de ces flux et reflux... Si tu demeurais perpétuellement en tension, on t'enfermerait à Sainte-Anne, comme ton anxieux.

— C'est affreusement significatif. Le reflux, comme tu dis, me fait douter de la valeur du flux. Il me contraint à regarder sincèrement en moi. J'ai tourné et retourné la question...

— Et tu as découvert?

— ... que si j'avais la certitude de ne plus jamais revoir Chloé, — si par exemple elle était prise et fusillée, — ce serait certes un coup dur, je vivrais de sales journées, je chialerais sans doute, mais qu'au bout d'un certain temps, — jours, semaines, mois, je ne sais, — je cesserais de souffrir, je cesserais de penser à elle, je pourrais aimer d'autres femmes, qu'un jour peut-être pas tellement lointain je ne pourrais plus me rappeler les traits de son visage...

— En es-tu tellement surpris?

— Mais ça prouve que je ne l'aime pas tellement...

— Ça ne prouve rien du tout. L'Eternité n'existe que dans les romances et dans le catéchisme. J'ai croisé récemment dans le métro une fille pour laquelle à ton âge j'ai plaqué ma famille et mes études, avec laquelle j'ai vécu deux ans, que j'ai aimée et haïe comme tu ne sais pas encore qu'on peut le faire... Je me suis dit : « Qui est-ce? J'ai l'impres-« sion de la connaître, où l'ai-je déjà ren-« contrée? »

— Qu'est-ce que tout cela qui n'est pas éternel?

— L'horrible, la criminelle question. Aussi imbécile au surplus que le pari de Pascal. Il y a plus de grandeur et de joie à se réaliser dans les limites de la condition humaine, qu'à se rêver uni à Dieu dans un monde imaginaire. Le plus bel amour est celui qui naît, croît, fleurit et meurt, comme une plante, comme un arbre, comme un homme... comme un bel arbre, comme le noyer vieillissant de mon village de Bresse avec ses bras enfin figés à la limite d'un voluptueux étirement... ou d'une douloureuse crispation, entends-le selon ton humeur, selon ton amour. »

.. ..

La D.C.A. se remet à tirer; les canons lourds grondent dans le lointain, comme un orage; une batterie légère toute proche, sans doute dans les jardins du Sacré-Cœur, aboie des sons rauques; les pas des Montmartrois qui coulent de toute la Butte vers le métro « Abbesses » font une rumeur de cascade. Puis l'explosion des grosses bombes ébranle les vitres, fait trembler les meubles.

« Je les vois », crie Mademoiselle.

Marat et Rodrigue passent dans la salle à manger dont la fenêtre domine tout Paris.

Des Forteresses Volantes survolent très haut, très lentement, semble-t-il, le sud de la ville. Chaque escadrille est formée de sept appareils impeccablement alignés, disposés en angle très ouvert, dessinant comme une grande mouette dont l'appareil de tête serait le bec, les deux groupes de trois les ailes largement ouvertes. Cent mouettes, en une longue file, planent en ronronnant au-dessus de Paris. Les flocons blancs des obus de la D.C.A. naissent comme spontanément autour d'elles, sans qu'une liaison évidente s'impose entre cette fluorescence du ciel et le vacarme des canons.

Un, deux, trois avions se détachent de l'alignement et tombent en laissant un sillage de fumée. Des parachutistes fleurissent et se balancent, comme immobiles; on les distingue à peine. Les autres avions continuent leur parcours rectiligne, avec la même majestueuse lenteur, sans que les coups reçus dérangent rien de leur ordonnance, tenant les vides creusés comme suspendus entre leurs ailes.

Des nuages se forment au ras du sol, à droite de la tour Eiffel, transpercés soudain par une haute flamme claire avec quoi rivalisent bientôt des flammes plus foncées, rouge pourpre. Puis une lourde fumée blanche recouvre tout. De nouveau l'explosion des bombes, plus sourde que celle des obus, fait trembler les meubles.

L'événement se déroule dans un monde si disproportionné à l'échelle humaine, il faut un tel effort de l'esprit pour réaliser que ce que les yeux voient et ce que les oreilles entendent sont les aspects divers d'un même phénomène, que le spectateur même directement menacé y demeure étranger; il n'assisterait pas autrement à un choc de nébuleuses. S'il n'a pas cédé à la toute première panique que tant de récits entendus sur l'horreur des bombardements tenaient prête en lui il demeure froid et impassible. Il faudrait qu'il descende de son observatoire et voie de près les corps déchiquetés pour que sa chair frémisse. De si loin, le déroulement inexorable du bombardement n'est pas sans lui procurer un certain plaisir, comme s'il en était l'ordonnateur et s'en trouvait démesurément grandi.

Mademoiselle profite de l'incident pour faire le lit de Marat; elle sait de longue expérience qu'une ouvrière n'a pas le droit de se laisser distraire; à l'atelier quand on sonne l'alerte. il est permis de descendre dans l'abri mais le temps qu'on y passe est déduit du salaire horaire.

Le soleil de mars est déjà chaud, près de la fenêtre ouverte. Quand la dernière escadrille est passée, quand la D.C.A. s'est tue, dans la paix et le silence revenus. les incendies grandissants, posés sur les lointains, sont comme de grosses pivoines, dans un jardin brumeux, par un matin d'été.

.. ..

« Le plus curieux, reprend Rodrigue. je ne te l'ai pas encore dit, c'est que Chloé...

— ... ne t'excite pas, interrompt Marat.

— C'était ce que j'allais dire. Pourquoi

m'as-tu devancé? Serait-il tellement classique de ne pas désirer la femme qu'on aime? Les romanciers, même Stendhal, donnent peu de renseignements sur ce point capital; j'essaie pourtant de lire entre les lignes...

— C'est, je pense, le cas le plus général, lorsque l'amour a pour objet une femme qu'on n'a jamais possédée. Cette sorte d'amour...

— Je vais, interrompt Rodrigue, je vais te raconter quelque chose. Mais jure-moi de ne pas le répéter à Chloé?

— C'est juré.

— Hier, j'étais dans un de mes jours hantés... A dix heures, je passe devant sa maison, la fenêtre de sa chambre était éclairée, elle était là. A onze heures, je repasse, toujours de la lumière, elle ne dormait pas. A minuit, je monte chez elle. Pourquoi? Je n'en sais vraiment rien. Je n'avais pas pris de décision héroïque du genre « l'avoir ou me faire mettre « à la porte ». C'était plutôt l'impression qu'aller chez elle mettrait fin à mon obsession, un désir de repos. Il y avait aussi de la curiosité, de la jalousie, si tu préfères : « Etait-elle « seule? »; pendant une seconde, dans l'escalier, j'ai eu la certitude que j'allais te trouver dans son lit; j'ai râlé; je me suis dit : « Tant « pis pour eux, je les emmerderai jusqu'à la

« gauche, je ne comprendrai rien, je serai « mufle, je m'incrusterai jusqu'à ce qu'ils me « foutent dehors. »

— Charmant ami... Alors toi aussi tu crois que je couche avec Chloé? Je ne suis pourtant pas un « grand bonhomme »; le vrai Marat, tu ne l'ignores pas, a été tué en 1792, par une sale gamine qui voulait faire parler d'elle : toujours le goût des femmes pour les hommes célèbres!

— Toi, ce n'est pas la même chose. J'ai l'impression que les femmes ne couchent avec toi ni par vanité ni, pardonne-moi, par amour, mais plutôt, comment dirai-je? par vice, sans y attacher tellement d'importance... Tu comprends?

— Pas très bien, mais continuons : si je couchais avec Chloé, pourquoi te le cacherais-je?

— Avec toi, dans le domaine sexuel, on ne sait jamais... en général tu es d'un cynisme effrayant... il m'arrive d'en être gêné... Encore suis-je habitué, je commence même à prendre le même ton, je m'en suis aperçu... mais d'autres... tiens, Rosine, tu sais, l'étudiante qui a volé les fiches de recensement, elle t'a entendu l'autre jour, quand tu m'as fait un petit cours sur la flagellation, suivi de conseils pratiques, elle était scandalisée.

— Elle préfère les grosses plaisanteries des étudiants en médecine...

— Mais tu es en même temps étonnamment secret. Somme toute, aux filles près, j'ignore tout de ta vie sexuelle... et sentimentale. Je ne t'aurais pas vu coucher avec des putains, je me demanderais si tu n'es pas pédéraste. As-tu une maîtresse? Je n'en sais rien. C'est peut-être Chloé...

— Non, non, tranquillise-toi, je ne te la disputerai pas. Pour moi la question Chloé est résolue depuis longtemps... négativement. Je ne veux rien te cacher : un après-midi, j'ai flirté avec elle.

— J'en étais sûr. Je sais quand : le jour où Hercule a tué deux flics... tu as voulu rester seul avec Chloé, sous prétexte de préparer toi-même le nouvel état civil d'Hercule.

— Tu n'as rien compris, comme tous les amoureux. Ce jour-là j'étais très ému par l'aventure d'Hercule, nous ne nous sommes occupés que d'état civil, je me suis cassé la tête pour que les nom, prénoms, dates, etc., concordent. C'est au printemps dernier que j'ai flirté avec Chloé, tu n'étais pas encore à Paris. Nous nous sommes trouvés par hasard seuls chez elle, j'étais venu sans aucune préméditation, pour travailler. Tout d'un coup, j'ai eu envie de la bousculer, comme un charretier (ne pâlis pas, je fais ton éducation). J'avais l'impression très nette (je l'ai toujours) qu'elle est incapable de dire « non » à un homme qui la presse vivement; sa seule défense c'est sa grande familiarité, cette camaraderie dont tu te plains tant : « Si, tout d'un « coup, pense-t-on, je lui parle avec les in- « flexions tendres des grands soirs... ou si elle « m'entend haleter comme un chien, je serais « parfaitement ridicule. » On imagine son rire, une raillerie qui vous cloue là l'animal, on est douché d'avance... « Qu'est-ce qui te prend? » m'a-t-elle demandé en riant, exactement comme je l'avais prévu...

— Qu'est-ce que tu lui faisais?

— Devine... J'ai ri aussi, j'ai dit des plaisanteries idiotes, mais je n'ai pas cessé de la peloter, je l'ai poussée sur le divan...

— Comme un charretier!

— Non : le charretier pousse la servante sur le billard, chacun sait cela... Je l'ai embrassée, « non », « oui », je faisais les questions et les réponses, je riais toujours, elle se défendait mais elle n'osait pas se fâcher : c'était elle qui avait peur d'être ridicule; tout d'un coup elle est devenue rouge et elle a répondu à mes baisers. Ne te hérisse pas, nous en sommes restés là. Je n'avais pas fait l'amour depuis plusieurs jours, je m'étais énervé en la pelotant, je me pressais trop contre elle en l'embrassant, tout fut pour moi terminé avant d'avoir vraiment commencé. Je feignis de ne pas vouloir dépasser le flirt pour ne pas gâcher la bonne camaraderie. Elle ne fut certainement pas dupe mais n'en fit rien voir, nous allumâmes les cigarettes de la paix, nous n'avons jamais renouvelé l'expérience. Tu vois que je ne suis pas un rival bien redoutable, je t'enseigne même la méthode à suivre...

— Merci du conseil. Je me demande si tu es capable d'aimer?

— ... A en crever. Je n'ai fait que cela pendant des années. Mais cette année, je fais de la « résistance », chaque chose en son temps.

— Moi, je ne sais pas si j'aime, si je n'aime pas, si je serai jamais capable d'aimer. Cette nuit-là, je suis resté en face de Chloé, dans un fauteuil, sans plus savoir quoi lui dire. Elle a dû croire qu'elle m'intimidait. En un sens, c'était vrai. Mais il était vrai aussi que je n'avais rien à lui dire. Je n'avais aucune envie de la bousculer comme tu l'as fait. Je n'avais même pas envie de l'embrasser : des baisers doivent trouver place tout naturellement dans une suite de gestes, s'imposer dans l'enchaînement des figures de la danse... mais nous ne dansions pas la belle danse des séductions mutuelles, nous étions figés l'un en face de l'autre... comme à la messe des péquenots qui ne savent pas quoi faire de leurs mains...

— Après le charretier, le péquenot : pauvre Chloé!

— Lui dire : « Je vous aime, je t'aime »? Qu'est-ce que cela peut bien vouloir dire? Je te jure qu'à ce moment-là, ces mots se trouvaient pour moi rigoureusement vides de sens. J'étais très malheureux. J'avais la certitude que « je t'aime » ne voudrait plus jamais rien dire pour moi, *nevermore,* que j'étais un infirme, que j'ignorerais toujours le plus bouleversant, le plus fécond, le plus irremplaçable des sentiments, qu'il faudrait apprendre à me contenter de coucher sans amour ou d'aimer sans aimer assez pour persuader l'aimée de coucher avec moi, etc.; resterait la révolution, le Parti, il faudrait plus que jamais m'y consacrer tout entier, puisque je n'aurais que cela de valable dans ma vie; de ce point de vue, ne pas aimer présente un incontestable avantage, une économie de force, je pourrais concentrer toute mon énergie pour... Enfin j'avais envie de partir pour mettre toutes ces nouvelles idées en ordre, dans la solitude de ma chambre. Mais je n'osais pas. Qu'allait penser Chloé? Comment expliquer ma visite à cette heure tardive? Je bafouillais n'importe quoi, je parlais du service, du débarquement, j'ai même fait des considérations sur le temps : « La belle journée de printemps. » A un moment j'avais fermé les yeux, je sursautai, j'avais failli m'endormir, je pris conscience que je m'ennuyais, je fus atterré : « Est-ce donc cela « l'amour? Je suis, au cœur de la nuit, seul à « seule avec la femme aimée, je ne lui ai « encore rien dit de tout ce que j'ai à lui dire « et voilà que je m'ennuie au point de m'en- « dormir... Mais qu'ai-je à lui dire ? » Je retrouvais mon infirmité. Je ne te parais pas monstrueux?

— Tu me plais. Continue ton histoire.

— Elle est finie. Comme j'allais me décider à partir, — n'était-ce pas le plus honnête? — Chloé me proposa de dormir sur le divan du salon. Ce n'était pas prudent, dit-elle, d'aller jusque chez moi après le couvre-feu. J'habite, tu le sais, à trois cents mètres de chez elle. Je me demande maintenant si le couvre-feu n'était pas un prétexte. Chloé, tu t'en es aperçu quand tu as joué les charretiers, est une fille plutôt facile; je ne suis pas un grand bonhomme mais je suis jeune; elle peut avoir l'impression qu'une passade avec moi serait sans conséquence; et puis, si j'en sors le cœur brisé, tant pis, elle s'en fout...

— Tu oublies que tu n'as pas de cœur...

— Oui, mais elle l'ignore... Ça ne te paraît pas plausible?

— Quoi? Que tu puisses garder un cœur brisé? Il faudrait demander à un médecin...

— Ne me mets pas en boîte... N'as-tu pas l'impression que cette nuit, à deux heures du matin, à la suite de tout ce que je viens de te raconter, Chloé avait envie de se taper un gigolo? C'est-à-dire de se me taper? Je suis un imbécile, un tordu, un Joseph... Je n'ai rien vu, rien entendu, rien compris...

— Ne crois-tu pas plutôt « qu'à la suite de « tout ce que tu viens de me raconter », de tes prouesses, de ton esprit, de ton charme, elle avait envie de dormir?

— Mais puisqu'elle m'a offert son lit?

— ... Le divan du salon, m'as-tu dit?

— Elle parlait par euphémisme.

— Ah! oui? Moi je veux bien.

— Mais moi je n'en sais rien, je n'y comprends rien. J'en ai marre. C'est un casse-tête, un attrape-nigaud, un piège à cons. Et toi qui t'amuses, depuis deux heures, à me retourner sur le gril. Je suis un niquedouille, un Jean-Nivelle, un Cadet-Rousselle, une coquecigrue, un emplâtre sur une jambe de bois, un Joseph pour la Chloé et un cobaye pour toi.

« Ah! j'en ai marre, marre, marre... marre de la Chloé, de l'amour, de pas-l'amour, des putains, des pas-putains... Marre de Frédé et de son Annie, encore un niquedouille — coquecigrue celui-là, puceau de malheur, il ne s'est jamais même branlé, encore une histoire à te raconter, elle vaut l'os, elle t'amusera davantage que mes angoisses joséphiéresques... Ah! marre aussi de toi, de ton petit air tranquille de Monsieur Je-sais-tout, de tes éternelles questions à la Socrate-accoucheur-de-fausses-couches... Marre de ce métier d'idiot qui consiste à compter le nombre de rayons qu'il y a sur une roue de locomotive et à chuchoter : *amstram-gram piqué piqué collégramm* dans l'oreille d'un colonel en retraite qui en déduit la date et l'heure du débarquement alors qu'il aurait dû comprendre qu'il était chargé de *bourrer bourrer le ratatam moustram*... Marre de ces bombardements à la noix, entendez-vous la voix des sirènes? Moi, madame, je ne descends pas à la cave, moi, mademoiselle, je m'y précipite, j'emmène même mon chat, il vaut mieux être prudent, non mais tu ne trouves pas cela totalement dépourvu de sens, parfaitement absurde, *a tale, told by an idiot, full of sound and fury and signifying nothing,* ce gigantesque baratou-boum-badaboum et ces tôles ondulées qui se baladent dans le ciel comme le fer à repasser dans la maison hantée? Qu'est-ce que tout cela peut bien avoir affaire avec moi? Vos gueules et foutez-moi la paix! Marre de ces basses histoires de police que nous finissons par ressasser toute la journée parce que c'est notre pain quotidien de menace-sur-ton-crâne-Damoclès. Comment va-t-il? Pas mal et toi? On lui a passé hier les couilles au laminoir... Pourquoi cet homme stationne-t-il devant ma porte? Pourquoi ma concierge avait-elle un drôle d'air en me disant bonjour? Pourquoi la fenêtre est-elle ouverte? Pourquoi est-elle fermée? J'ai déjà vu cette femme dans le métro... elle me suit, le garçon de café écoute notre conversation, il est de la Gestapo; le voisin a une sale gueule, c'est un milicien, il doit écouter derrière la cloison... Ma femme de ménage a un beau-frère inscrit au P.P.F.. elle a peut-être fait faire une clef pour ouvrir la valise aux documents *and so on and so on*... Il y a des soirs où je sursaute chaque fois que j'entends le déclenchement de la minuterie dans l'escalier... Au moment de l'affaire Hercule, je dormais tout habillé, la fenêtre ouverte, en plein hiver, pour pouvoir, à la première alerte, foutre le camp par le toit, sans faire de bruit. Je ne suis pourtant pas peureux, je fais mon boulot impeccablement, je n'ai pas la chiasse quand je me promène les poches pleines de documents militaires au milieu des rafles... L'intolérable, c'est d'être perpétuellement dans l'attente d'un danger sournois; à deux, on prendrait ça à la rigolade... Mais toute la nuit seul dans le grand appartement de mes parents, toutes les nuits seul, les nuits ne finissent pas en hiver; ma mère en Savoie, mon père prisonnier, pas de maîtresse, toi qui te fous de tout. Seul, François, seul, seul, seul, seul...

— Ah! j'en ai marre, moi aussi, crie soudain Marat. Primo, je m'appelle Marat; qu'est-ce que c'est que ce François qui ressuscite d'entre les morts?... Secundo... »

Rodrigue sursaute, car c'est la première fois qu'il voit Marat en colère.

« ... Tu es le troisième, depuis quarante-huit heures, qui me joue le grand air de la solitude. Trois de trop. Est-ce que je ne suis pas seul, moi aussi? Nous sommes tous seuls. Et ce n'est pas à cause des circonstances, pas parce que nous sommes des illégaux : l'homme est toujours seul, tu seras toujours seul...

« Vous me faites rigoler, Carac et toi; à peine entrez-vous dans la bagarre que vous voudriez prendre votre retraite, faire de la métaphysique en pêchant à la ligne. Vous mettez vos petits ennuis personnels sur le compte de la guerre et de la Résistance. Tu te plains d'être dérangé par les bombardements. Tiens : j'ai traversé un coin d'Espagne, en 40; dans une ville complètement détruite, j'ai dit bêtement à un homme : « Ça doit tout « de même vous faire plaisir de ne plus en- « tendre le canon »; il m'a répondu : « La « guerre, monsieur, c'était le bon temps, on « se battait, il y avait des chances contre, des « chances pour; il dépendait un peu de cha- « cun de faire pencher la balance; maintenant, « il ne se passe plus rien... *Il ne se passera « plus jamais rien.* » *Nevermore,* Rodrigue, tu employais le mot tout à l'heure, à propos de ton béguin pour Chloé; je ne te le reproche pas, je trouve tes réactions très sympathiques, mais vois le vrai tragique : cet homme persuadé qu'il ne pourra *plus jamais* lutter pour conquérir sa liberté, *plus jamais* combattre le tyran, *plus jamais* risquer sa vie pour qu'elle soit digne d'être vécue, cet homme parfaitement désespéré, puisqu'il est persuadé que pour lui il n'arrivera *plus jamais* rien, *nevermore...*

« Ecoute-moi bien : pour des hommes propres, c'est-à-dire lucides, sincères à l'égard d'eux-mêmes, il était encore bien plus difficile de vivre avant la guerre que maintenant.

Carac et toi, vous êtes trop jeunes pour pouvoir faire la comparaison. Avant 39, en France, ce n'est pas le *nevermore* du vaincu de la guerre d'Espagne, mais un perpétuel *not yet,* pas encore. Ce n'était *pas encore* l'heure du combat, on avait de fausses alertes comme en 36, mais elle était toujours remise, on doutait parfois qu'elle dût jamais sonner. Tu ne sauras jamais à quel point, pour un certain nombre d'hommes, il n'y eut *rien à faire* entre 1930 et 1940. Maintenant, nous nous battons, l'espoir est là tout proche, nous allons changer la face du monde, ouvrir le cocon où frémit déjà l'homme nouveau; le travail est commencé. Tout peut encore rater, mais la bataille est engagée et son issue dépend de ce que nous serons capables de faire; nous tenons notre sort entre nos mains : jamais il n'y eut tant d'espoir sur la terre!

« Pense que, s'il n'y avait pas eu la guerre, tu poursuivrais tes études et tu te demanderais quelle carrière choisir... Après ta licence de philo, tu as commencé le droit et les sciences po; autrement dit, tu hésiterais présentement entre la diplomatie et l'inspection des finances; réalises-tu ce que ça voudrait dire? Te sens-tu capable de parler sérieusement, avec « considération », avec respect, à n'importe quel personnage officiel d'avant

guerre? A un magistrat? « Mes respects, mon-
« sieur le Premier »; à un académicien? « Mon
« cher maître Abel Bonnard »; à un maréchal
de France? Maintenant, c'est « la liberté ou
la mort », les jeux sont faits, 93 n'est pas
loin. Ah! Rodrigue, tu as gagné vingt ans sur
moi... »

— Dac, fait Rodrigue, dac, dac, dac, dac,
dac... *C'est la lutte finale...* Zut, c'est peut-
être le beau-frère de ton voisin qui est pé-
péhef et il va nous faire boucler si je chante
des chants séditieux... Avant guerre au moins
on pouvait chanter n'importe quoi...

Voilà la jeune Garde, voilà la jeune Garde,
Qui descend sur le pavé — sur le pavé!

« Celle-là, je l'adore.

— ... *Prenez garde, prenez garde,* enchaîne
Marat,

Les bourgeois, les sabreurs, les gavés...
et les curés...

— Ta gueule... Dis-moi, j'ai faim... nous
avons passé toute la matinée à jaspiner,
l'alerte vient juste de finir, tous mes rancarts
sont loupés, je suis libre. Tu bouffes avec
moi? J'ai rendez-vous avec Frédéric.

— Où?

— Au Quartier, dans le petit bistrot de la rue Cujas.

— Dac... Mais nous descendons à pied, j'ai envie de marcher. »

IV

ILS marchèrent allégrement. Ils n'avaient, contrairement à l'habitude, aucun document dangereux dans leurs poches. C'était midi. Les rues étaient animées, beaucoup d'employés et d'ouvriers préférant faire de longs trajets à pied à risquer de se trouver immobilisés dans le métro par une nouvelle alerte. Les deux conspirateurs se retournaient au passage des femmes qui commençaient à ne plus porter de manteau.

« Nous me faisons penser, dit Marat, à une image d'un grand livre illustré sur Bonaparte que j'ai eu comme prix d'excellence (oui, mon cher) au lycée, en cinquième. C'est bien avant Brumaire, pendant les derniers soubresauts de la Révolution, une époque de conspiration aussi. Bonaparte n'est encore que lieutenant d'artillerie, on le voit dans une rue de Paris, bras dessus bras dessous avec un camarade, le col de la veste relevé, le bicorne enfoncé sur les yeux, en train d'accoster une jeune fille qui l'engueule en rigolant...

— Lequel de nous deux est Bonaparte?

— Toi : le Bonaparte rouge. Moi, je suis déjà trop vieux : à trente-six ans, Bonaparte s'appelait Napoléon et était empereur. Moi, dans dix ans, je ferai terriblement Ancien Régime... passé bien entendu à la Révolution, mieux : artisan de la Révolution, mais Ancien Régime quand même... on n'a pas eu impunément vingt ans en 1928, été surréaliste, etc. Je serai ton Fouché.

— Quelle horreur!

— Non, j'aime bien Fouché. Corrompu, mais efficace, hypocrite, mais vrai avec lui-même. Et surtout éternellement irrespectueux : comme j'aime l'irrespect... cela aussi fera très Ancien Régime... »

Ainsi allaient-ils, insouciants, tantôt devisant du passé et de l'avenir, à la manière des jeunes gens, tantôt muets, chacun poursuivant son rêve.

Marat pensait que quoi qu'il vînt de dire, *il se sentait aussi jeune que son compagnon : comme lui il n'était lié par rien : situation, famille, foyer. Toute sa vie était dans l'avenir. Il considérait son passé d'homme, toute la longue période entre vingt et trente-six ans, comme une sorte de prolongation de ses études; il était heureux d'avoir multiplié les expériences mais de n'avoir pas à en porter le poids puisqu'il n'avait jamais consenti à « faire carrière », à se lier à une société dont, dès l'adolescence, il avait jugé les idéaux périmés, les idoles dérisoires, la survie peu probable. Plus encore que ces motifs conscients, une sorte d'instinct l'avait toujours mis en garde contre les fonctions auxquelles l'homme s'identifie, les travaux et les actes qui le « suivent » dans la vie. Comme il s'en félicitait! Maintenant, c'était différent. Depuis l'armistice, il n'était plus possible de « rester en marge », c'eût été quand même prendre parti et prendre parti contre les siens; maintenant donc, il combattait. Quand la phase actuelle sera terminée, quand on luttera à visage découvert, il jouera le jeu, s'engagera, se compromettra. Dans le nouveau monde qu'il forgera avec ses camarades, il pourra sans honte, sans ce sentiment de dérisoire qui naguère le poignait si fort dès qu'il participait tant soit peu à la vie officielle de son pays (il pensait pêle-mêle aux grands discours des « ténors » de la Chambre, au cérémonial de la Cour d'assises, aux funérailles de Foch, aux cérémonies devant la Flamme), il pourra « faire*

« carrière », devenir, pourquoi pas? un officiel. Comme pour Rodrigue, la vie commençait pour lui.

« Et si tout rate? demanda-t-il soudain.

— Quoi? Le débarquement?

— Non. Le débarquement n'est qu'un détail. Mais la Révolution, l'édification du socialisme, tel que nous le voulons.

— Bah! dit Rodrigue en riant, nous pourrons toujours « mourir en combattant »...

— J'y ai souvent pensé. Dans les moments de dépression, je regrette de ne pas m'être engagé dans les brigades internationales... de ne pas avoir été tué, comme Lorca, en me battant contre Franco... J'ai l'impression que c'était mon destin et que je l'ai raté. J'ai été frappé au plus haut point le jour où M.L. m'a raconté avoir vu, sur le bord d'une route, au sortir de Madrid, le cadavre d'un milicien, un jeune intellectuel, frappé d'une balle en plein front, alors qu'il allait, en lançant des grenades, au-devant des tanks de Franco : ce milicien, racontait M.L., me ressemblait si étonnamment, qu'il a été tout surpris de me retrouver vivant, à Paris. La guerre d'Espagne ne fut pas viciée par les ambiguïtés et les compromissions de celle-ci; ce ne fut pas comme en 40 : chacun sut immédiatement de quel côté se ranger; ce fut la plus « pure » des guerres actuelles, celle où il fut le plus léger de mourir... Mais suppose que, l'Allemagne vaincue, tout recommence comme avant : on établit un régime démocratique, mais les trusts dépensent assez d'argent pour nous faire battre aux élections et la haute bourgeoisie continue à contrôler les gouvernements de gauche comme ceux de droite, l'U.R.S.S. a trop de travail avec la reconstruction du socialisme sur son propre territoire pour s'occuper de nous, elle rebâtit le barrage du Dnieproprostroï, etc.; les ouvriers français se trouvent sous-alimentés depuis trop longtemps pour être capables d'un de ces réveils dont parle le cardinal de Retz, on leur donne huit jours de congés payés pour qu'ils restent tranquilles et ils se remettent à faire des économies pour acheter une affreuse bicoque en banlieue (près d'un chemin de fer, pour être sûrs d'être bombardés à la prochaine guerre); les vedettes de Hollywood retrouvent la « une » des grands quotidiens, ceux qui gagnent un peu d'argent retournent passer les week-ends à Deauville, etc. La Révolution est ajournée à la prochaine guerre qui suivra la prochaine grande crise cyclique du régime capitaliste... Qu'est-ce que tu ferais?

— Je ne sais pas... Je n'y ai jamais pensé...

Je crois que je travaillerais pour le Parti... éduquer la classe ouvrière... l'organiser...

— Tu vois ce que ça veut dire : les meetings, les revendications au jour le jour, la préparation des élections, la bureaucratie du Parti... finis les romantiques F.T.P.

— Mais toi, que ferais-tu?... »

Deux camions de police, cependant, venaient de se ranger sur le bord du trottoir, à l'angle de la rue La Fayette et du faubourg Montmartre. Des hommes rôdaient, par deux ou trois, sur tout le pourtour du carrefour — probablement des policiers. Une auto amena un chef de gardiens de la paix, galonné d'argent.

« Ça sent la rafle », murmura Marat.

Ils filèrent par une rue transversale.

Cependant l'amour qui avait fait le principal objet des conversations de la matinée était dans l'air de la journée. Il revint tout naturellement dans l'entretien : c'est, avec l'ambition, le sujet de prédilection des jeunes hommes. Frédéric, qu'ils allaient bientôt retrouver dans le restaurant de la rue Cujas, servit de prétexte.

V

« Pendant que l'autre soir tu te soûlais avec Carac, raconta Rodrigue, je jouais les infirmiers auprès de Frédéric.

— Tu l'avais gardé chez toi?

— Je n'ai pas eu le temps de lui chercher une chambre...

— Je t'ai déjà demandé plusieurs fois de ne pas abriter d'illégaux : deux illégaux sous le même toit, chacun double les risques de l'autre...

— Je ne peux pas laisser tomber un camarade traqué par les flics.

— S'il te fait prendre, les flics chiperont nos documents, il faudra perdre du temps pour retrouver les contacts, le service sera compromis, tu n'as pas le droit de courir ce risque.

— Je sais. Mais le cas est spécial. Je ne garde Frédé que le temps que Chloé lui établisse un état civil viable... et qu'il retrouve son sang-froid. Il a les nerfs détraqués depuis qu'il pense que c'est le père d'Annie qui l'a donné, il est capable de faire des conneries si je l'abandonne à lui-même...

— Ton Frédéric me paraît justement le type de garçon qu'il convient de fuir lorsqu'on fait notre métier. Je ne veux pas qu'il reste une nuit de plus chez toi. Loge-le chez un gaulliste sans activité : on en trouve encore trop. Cherche.

— Je n'ai pas le temps cet après-midi...

— Ne m'oblige pas à te dire : « C'est un « ordre... »

Un pli barra le front de Rodrigue, entre les sourcils. Il hâta le pas. Ils marchèrent un instant en silence.

« Alors, d'accord? demanda Marat.

— Dac, répondit Rodrigue.

— Depuis combien de temps Frédéric est-il amoureux d'Annie? demanda Marat.

— Depuis plus d'un an. Bien avant mon départ de Toulouse, il nous rasait déjà avec cette histoire.

— Comment est-elle faite?

— C'est une fille blonde avec les cheveux flottant sur les épaules, comme elles les portent toutes... pas grande... l'air très jeune fille, de grands yeux clairs qu'elle pose gravement sur les gens avec l'air d'en savoir beaucoup sur eux... mais je ne la crois pas très intelligente. Indolente... sans doute pour avoir l'air sûre d'elle-même : tu sais : « Je ne me « presse pas parce que je sais où je vais »... en fait elle s'est révélée influençable, tout à fait femme « auquel le mâle impose sa vo- « lonté », n'échappant que par des dérobades de femme...

— Que faisait-elle à la Faculté?

— Elle préparait l'agrégation de philo. Lui n'en était qu'à la licence; il suivait également, comme beaucoup de jeunes communistes, des cours d'économie politique à la Faculté de Droit; il s'était inscrit très jeune aux E. C., quand nous n'étions qu'en rhétorique; son père est un gros industriel de la région, une famille riche et guindée; Frédé a d'abord été communiste pour s'affirmer contre le milieu familial. Il a connu Annic à la bibliothèque de la Faculté; ils se sont trouvés deux jours de suite assis l'un en face de l'autre. Il lisait un gros Durkheim, elle feuilletait distraitement les dialogues de Platon, elle a posé sur lui son regard profond...

— Coup de foudre...

— De sa part à lui. Elle, pas du tout. Elle était, à ce moment-là, fiancée à un étudiant en médecine, au visage pâle, grand, fort, calme;

ils faisaient un très beau couple, « placide et « triomphant ». Frédé n'est pas très séduisant, avec ses lunettes, son visage asymétrique, sa perpétuelle nervosité. Il portait les cheveux en brosse, en vertu de je ne sais plus quel principe : il fait tout par principe, avec principe : pendant six mois il fut végétarien parce que la viande contient des toxines. les six mois qui suivirent, il se gava de viande parce que les citoyens des nations fortes. comme l'Angleterre. sont de gros mangeurs de viande...

— De quels principes s'est-il inspiré pour triompher de son beau rival?

— Le baratin... Il a dépensé des tonnes de salive. Le rival ne devait pas être très éloquent. Annie aimait sortir avec lui parce que, comme je te l'ai dit, ils faisaient un très beau couple. Elle continua à l'afficher mais elle écouta Frédé : il avait des opinions sur tout : la politique. la poésie. le théâtre, le cinéma, la musique. l'amour même et il exigeait d'elle qu'elle partageât ses opinions, il la bousculait (en paroles. pas comme toi avec Chloé), il était intransigeant. implacable. méprisant. Les filles aiment ces hommes tout d'une pièce. Pendant les vacances. elle écrivit aux deux jeunes gens. mais davantage à Frédé qu'à l'autre parce que Frédé lui envoyait une lettre chaque jour et savait la rendre intéressante;

l'autre n'écrivait qu'une fois par semaine et ne parlait que de ses exploits sportifs et de son Amour avec un grand A. A la rentrée, on vit Annie plus souvent avec Frédé qu'avec l'autre...

— Pourquoi n'a-t-il pas couché avec elle?

— Elle se défendait. Lui n'a pas dû insister beaucoup. Il a une sorte de peur physique des femmes; il nous est arrivé de nous trouver ensemble en compagnie de vraies femmes, je veux dire de femmes de trente ans, mariées, qui, dans leur démarche, leur voix, un geste pour corriger la fermeture du corsage. la lèvre mouillée, le regard : une caresse, respirent l'amour charnel : il était gêné, il fuyait au premier prétexte. Dans l'amour physique les paroles ne servent plus à rien; j'imagine qu'à la pensée d'être nu devant un corps nu, il se sent désarmé; la terrible présence le glace d'effroi...

— Nu à nue dans le silence du lit il n'y a plus de tricherie possible. Le langage ne permet plus d'éluder le réel, le sophiste se trouve au pied du mur : il faut faire ses preuves. La guerre exige la même loyauté. C'est pourquoi l'homme noble n'admettait que deux occupations : la guerre et l'amour.

— Frédé espère après la guerre passer son agrégation et devenir professeur : un cuistre, aurait dit ton homme noble. C'est évidemment, par excellence, le métier qui permet d'éluder le réel; à parler de Cicéron à des enfants de quatorze ans, on échappe au présent, aux présences...

— Une manière de demeurer irresponsable, comme un enfant.

— Et pourtant, il fait la guerre comme un homme. Un soir, à Toulouse, nous avons attaqué un local de la Légion; Frédé avait été désigné pour lancer la grenade, moi, je faisais partie du groupe de protection; il est arrivé à l'heure dite, il n'a pas hésité, pas tremblé — ou du moins s'il tremblait, il se dominait si bien que ça ne se voyait pas. Une autre fois, c'est moi qui ai lancé la grenade, je sais donc ce que c'est : jusqu'au dernier moment, tu es encore un promeneur paisible dans une ville paisible; rien ne t'oblige expressément; tu dois te contraindre à faire soudain, gratuitement te semble-t-il au moment où tu le fais, ce geste de lancer qui te transforme *immédiatement* en hors-la-loi, qui déclenche instantanément contre toi — tu le sens très concrètement — toutes les forces de répression de la ville. La première fois, il faut terriblement se faire violence...

— Tu vois que ton ami n'est pas tellement tout d'une pièce. Peut-être qu'avec un peu d'entraînement, de puceau il deviendra Don Juan. Mais s'il a réussi par des discours à séduire Annie, pourquoi les parents se sont-ils opposés au mariage? Un receveur de l'Enregistrement est généralement ravi que sa fille épouse le fils d'un riche industriel.

— Il avait convaincu Annie d'entrer aux E. C. Elle découchait — pas pour passer la nuit avec lui, mais pour peindre au minium, sur les murs, les slogans du Parti. Son travail rendait parfois Frédé fou de jalousie : pour coller des *papillons,* au crépuscule, quand il y a encore beaucoup de passants, deux « jeunesses », un jeune homme, une jeune fille, s'enlacent dans un coin sombre, contre l'arbre, le poteau ou le mur sur lequel le papillon doit être fixé; quand un passant s'approche, ils font semblant de s'embrasser — ou s'embrassent réellement; Frédéric avait déjà des responsabilités politiques et c'étaient des débutants qui étaient désignés pour faire tandem avec Annie; c'était parfois lui qui devait les choisir; il s'imposait certainement de ne pas tenir compte de ses antipathies personnelles, de ne pas éliminer un garçon qui semblait plaire à Annie, si celui-ci convenait mieux qu'un autre pour le travail projeté : quels déchirements! Elle dut aller à Montauban porter un état civil à un déserteur allemand; quand elle arriva, la ville était en état de siège, l'homme avait gagné Agen où elle le poursuivit; enfin elle resta trois jours absente. Le receveur de l'Enregistrement l'avait déjà signalée comme disparue au commissariat. « Tu as un amant. » Elle avoua fièrement qu'elle était communiste. Le père eût sans doute préféré l'amant : c'est un malheur qui peut atteindre les meilleures familles et un père sait à peu près comment il doit se comporter en une telle occasion, mais il était sans précédent, dans son milieu, qu'une jeune fille découchât trois nuits consécutives parce qu'elle était communiste. A qui demander réparation? Et quelle réparation peut-on bien demander à un homme qui a fait de votre fille une communiste? Et la police qui allait venir au bureau de l'Enregistrement... Car Annie n'était pas assez maligne pour que la police ignorât longtemps ses agissements, sans doute avait-elle déjà découvert le « pot aux roses », elle allait venir, c'était une question d'heures; « tu nous tueras, ta mère et moi ». C'était une gamine irresponsable au fond, on se servait d'elle, trop naïve pour se rendre compte qu'on se servait d'elle, c'est bien dans la manière des communistes de se cacher derrière une jeune fille de bonne famille, de compromettre une bonne famille, « dis-moi qui t'a monté le bourrichon? »

— Je vois ça d'ici. Pour le cuisinage, un père de famille assisté de la maman et de la mémé bat largement un commissaire de police, son secrétaire et toute sa brigade d'inspecteurs. C'est la même méthode de relais, on se repasse la patiente de l'un à l'autre, du bureau à la chambre à coucher et à la cuisine, avec alternatives de sévérité et de tendresse; la famille est plus forte que les flics pour le chantage sentimental... Annie a fini par se « mettre à table »...

— Exactement. Je passe sur les détails. Frédé t'a raconté le dénouement. Mais il a fallu six mois de drames quotidiens pour en arriver là... Le plus drôle, c'est que personne ne sait plus où elle est : ni Frédé, ni ses parents...

— Elle en a eu marre, elle s'est tirée, je la comprends.

— Mais Frédé ne comprend pas. L'autre nuit je ne savais plus qu'en faire. Quand il pleurait, ça pouvait encore aller. Mais tout d'un coup il sautait du lit, en criant : « Je « ne peux plus y tenir, je ne peux plus, je « ne peux plus... » Il se prenait la tête entre les mains et se mettait à tourner autour de la chambre.

— En chemise?

— Ne rigole pas. Il était réellement malheureux. Par comparaison, je n'osais plus parler de mon béguin pour Chloé. Tantôt il voulait retourner à Toulouse pour chercher Annie, tantôt se livrer à la police : « Me sachant en prison, elle s'occupera de moi, « elle m'écrira, elle m'enverra des paquets. « Ah! recevoir dans ma cellule un paquet « fait par Annie! » Parfois même il envisageait de s'engager dans la L.V.F. : « pour « partir, couper les ponts, créer l'irrémé« diable. Une fois sur le front, je déserterai, « je passerai aux Russes. » Je n'avais pas encore compris que l'amour pût rendre fou...

— Comme toutes les idées fixes, ni plus ni moins. Un collectionneur de timbres qui a laissé échapper un timbre convoité depuis longtemps est tout aussi capable de maintes extravagances. Je n'attache pas grand prix à l'amour d'un puceau...

— Tu ne crois pas à l'amour...

— Je t'ai déjà dit que je ne croyais qu'à l'amour. Mais je ne nomme pas amour l'obsession que provoquent, chez certains hommes, des femmes qu'ils n'ont jamais possédées. Cette sorte d'amour, bien qu'il puisse avoir à sa toute première origine un vif mouvement de désir, ne met finalement en branle que le cerveau et ce qu'on appelle le cœur, c'est-à-dire l'ensemble des émotions qui se manifestent, comme tu l'as si bien remarqué, au niveau du plexus solaire. C'est même le cerveau qui finit par tenir toute la scène — chez ceux qui ont l'habitude de s'en servir. Tout ce que Stendhal dit de la « cristallisation » s'y applique fort bien : c'est l'amour-idée fixe; il relève de la psychologie des passions et dans les cas extrêmes de la pathologie mentale.

« Ce n'est pas à mon sens le véritable amour. Celui-ci implique le corps à corps. C'est une grande aventure à laquelle participe l'homme tout entier : tête, cœur et ventre. Il n'est rien de soi-même qui n'y soit engagé.

« Il n'y a que les chrétiens pour avoir imaginé l'amour platonique. C'est que le christianisme a divisé l'homme, opposant l'âme noble au corps vil. L'homme total aimera dans sa chair et son âme enfin réunies, inséparables, consubstantielles.

« Pour la plupart des romanciers, l'aventure est terminée lorsque les deux antagonistes parviennent enfin à coucher ensemble : ils se marièrent et eurent beaucoup d'enfants. Pour moi, c'est à ce moment-là qu'elle commence. L'épreuve de vérité du nu à nue est nécessaire pour distinguer l'amour vrai des extravagances de l'imagination; celle-ci tourne souvent à vide, comme un moteur au banc d'essai; j'aime qu'elle soit embrayée, que l'homme soit complètement incarné, qu'il soit un *homme total*.

« Stendhal, que j'aime tellement par ailleurs, est un romancier de l'ambition bien plus que de l'amour. Ce qui l'intéresse dans l'amour, c'est la conquête : Julien Sorel et Fabrice se vengent sur Mathilde de la Mole et sur Clélia d'avoir eu vingt ans quand les généraux de Napoléon avaient déjà terminé leur carrière; faute de royaumes à conquérir, ils font le siège des cœurs; mais Lucien Leuwen ne couche même pas avec Mme de Chasteller et Stendhal ne nous dit rien des nuits d'amour de Julien et de Mathilde : cent pages pour la séduction, une ligne pour dire sa réussite. Pour moi l'amour commence une fois la conquête achevée. C'est l'aventure du couple que je nomme amour.

« Je ne conçois pas un amour qui ne soit pas partagé. Si l'un des deux se refuse à l'aventure, l'amour ne se produit pas — par définition. L'amour est ce qui se passe entre deux êtres qui s'aiment : comment ils s'approchent, se fuient, se rapprochent, se déchirent, se brûlent, parviennent ou échouent à faire un couple, et ce qu'il advient de ce couple. Cet amour-là atteint les régions les plus profondes de l'être, celles où se déroulent les cataclysmes physiologiques, le royaume souterrain des grandes maladies et des profondes extases.

« Ce qui s'apparente le plus à cette grande aventure organique, ce n'est pas l'amour-idée fixe, l'amour-passion de Fabrice pour Clélia, de Frédéric pour Annie, ce serait plutôt la brève étreinte avec une prostituée, avec une « fille » : le corps à corps purement érotique, étroitement limité au temps du plaisir, n'admet pas non plus les tricheries; il ne connaît pas non plus d'intermédiaire entre la réussite et l'échec; ses réussites, toutes brèves qu'elles soient, sont complètes, pleinement satisfaisantes, glorieuses. La fille peinte et parée comme une idole qui accomplit rituellement les gestes de l'amour, la fille experte et froide, précautionneuse comme une infirmière, indifférente comme la mer... Les hommes qui aiment profondément les filles sont les plus capables de réussir les grandes amours.

« J'aime les filles, tu le sais. J'ai également tenté l'autre amour... »

Mais ils arrivaient au restaurant où Frédéric les attendait.

VI

Le déjeuner fut animé. Frédéric, qui était un peu intimidé par Marat, n'osa pas parler devant lui de son « amour-passion ». Des étudiants et des étudiantes de leur connaissance vinrent s'asseoir à leur table.

Pendant une partie du déjeuner la conversation roula sur les récents spectacles de la Comédie-Française. Presque tous avaient vu *Le Soulier de satin* qu'on venait de monter et en parlaient intelligemment. Mais les débats portèrent surtout sur les récentes représentations de Racine, Corneille, Marivaux. Dans ce domaine, Frédéric était à l'aise, il s'exprimait avec facilité, avec autorité; les autres l'écoutaient sans raillerie; ils avaient le respect systématique et un peu irritant des jeunes communistes pour la culture des siècles passés. Il faudra attendre que la Révolution ait réalisé sa propre culture pour qu'ils puissent réagir en esprits non prévenus à l'égard de certaines superstitions.

« Moi, disait Marat, j'aime Racine comme un meuble de style, un meuble « d'époque », au même titre et pour les mêmes motifs... »

Ou bien :

« Pour moi, ce qui est essentiellement, typiquement français dans notre littérature, ce qui est unique, inimitable, irremplaçable, c'est Retz, Laclos et Stendhal. J'y ajouterais peut-être Sade, — que je place en tout cas au premier rang des grands lyriques de tous les pays et de tous les temps, — ce qu'il a de bien français, ce qui l'apparente aux précédents, c'est sa prodigieuse faculté d'irrespect... »

On l'écoutait sans protester mais sans lui donner la réplique, d'un air plutôt désapprobateur. On croyait qu'il faisait des boutades. On l'eût aimé plus sérieux. Rien de ce qu'il disait ne répondait à leurs préoccupations. Aucun n'avait lu Sade ni Retz, très peu Laclos.

Un jeune homme apparut sur le pas de la porte, fit un signe d'amitié à Marat, appela Rodrigue. Ils s'entretinrent pendant quelques minutes avec beaucoup d'animation.

« Je sais où est Annie », dit Rodrigue en reprenant sa place.

Marat ne regarda même pas Frédéric. Le

genre de réaction qu'il pouvait avoir à ce sujet ne l'intéressait pas.

« Elle est aux environs d'Etiamble », poursuivit Rodrigue.

Etiamble est le chef-lieu de canton de Bresse où Marat avait loué une maison de campagne. Le même camarade qui lui avait naguère indiqué cette retraite venait d'envoyer dans le voisinage Annie, qui sans doute avait demandé qu'on lui procurât un refuge où elle fût également à l'abri de ses parents et de Frédéric.

« J'y vais dans quelques jours, dit Marat. J'ai à faire dans la région...

— Emmène-moi, demanda aussitôt Frédéric. Rodrigue t'a certainement mis au courant de mes malheurs... »

Marat hésita.

« Non, dit-il finalement. Je vais là-bas pour travailler. La jeune fille est probablement cachée chez des paysans avec lesquels je travaille. Je ne veux pas leur compliquer l'existence. Ce que je leur demande de faire est trop sérieux. »

Frédéric se tourna vers Rodrigue :

« Connais-tu l'adresse? demanda-t-il.

— Le camarade, répondit Rodrigue, m'a défendu de te la donner. Annie a supplié qu'on la laisse quelques semaines en paix.

— Vous êtes durs », dit Frédéric.

Il se tut un long moment. La conversation roulait maintenant sur l'*Antigone* d'Anouilh.

« Accepteras-tu au moins de lui porter une lettre? »

Marat réfléchit.

« Pourquoi pas? dit-il enfin. J'aurai certainement l'occasion de la voir. »

Il avait tout à coup pensé que ça l'amuserait de connaître la jeune fille.

Au dessert. Rodrigue demanda à Marat si son après-midi était très chargé.

« Je n'ai rien à faire jusqu'à cinq heures, répondit Marat. Sinon le rapport sur la rade de Brest, mais je m'y mettrai cette nuit. A cinq heures, j'ai rendez-vous avec le directeur des usines S. Il est plutôt réticent, j'espère être en forme...

— Moi, dit Rodrigue, j'ai un « trou » entre trois heures et demie et cinq heures; pourquoi n'irions-nous pas ensemble au *one two two?* Il y a longtemps que tu m'as promis de m'y mener et tu ne l'as jamais fait...

— D'accord », répondit Marat.

Et se tournant vers Frédéric :

« Viens au bordel avec nous, proposa-t-il. Ça te changera les idées. Les filles du *one two two* sont bien stylées et évitent les trivialités qui effraient les jeunes gens. C'est oui?

— Je ne couche pas avec les prostituées, répondit Frédéric. Acheter l'amour d'une fille, c'est comme acheter le travail d'un homme, c'est contraire à nos principes; je m'efforce toujours de ne pas me servir de mon semblable comme d'un moyen mais de le respecter comme une fin...

— Tu es un con », répliqua Marat.

Comme Marat était beaucoup plus âgé que lui et comme le ton qu'il avait employé n'était pas insultant, plutôt affectueux, Frédéric ne releva pas l'injure.

« Je préfère, continua Marat, les hommes qui couchent avec les putains sans faire de phrases, aux puritains qui les font enfermer sous prétexte de les relever... »

Puis :

« Tant que, pour une raison ou une autre, il existera des putains, ce que nous pouvons faire de mieux pour elles est de les traiter gentiment, humainement, sans mépris... et d'être généreux avec elles. Tu ne contribueras pas davantage à supprimer la prostitution en t'abstenant d'aller au bordel, que tu ne contribuerais à la destruction du régime en dévalisant un banquier. Le refus individuel de l'amour vénal est le pendant de la « reprise individuelle » : aussi naïf... et aussi suspect. »

Ils se séparèrent. Ils avaient fort mal mangé : deux petites portions de légumes cuits sans « matières grasses » et un tout petit « gâteau sec »; ainsi se nourrissaient les étudiants parisiens au printemps 44.

VII

La nuit venue, son rapport sur la rade de Brest rédigé et tapé à la machine en double exemplaire, l'un pour Londres, courrier par avion à la prochaine pleine lune, l'autre pour ses archives personnelles cachées chez une amie de sa mère, Marat brûla soigneusement le papier carbone : la Gestapo avait souvent utilisé des papiers carbone pour reconstituer des textes qu'on croyait bien à l'abri de ses recherches, de l'autre côté de la Manche... voire de l'Atlantique.

Mademoiselle dormait dans la chambre voisine. L'heure du couvre-feu était largement dépassée et le grand silence des nuits sans alerte enveloppait Paris. Marat n'avait pas encore sommeil. Il lut quelques pages de *Lucien Leuwen*, puis repoussa le livre : il en connaissait presque par cœur un grand nombre de passages. D'un tiroir il sortit des cahiers reliés de toile noire, ses journaux intimes de ces dernières années; il les feuilleta; il lut ici et là :

... 13 *avril* 1937. — Deux nuits que je ne vais pas chercher B. pour la ramener à la maison, deux nuits qu'elle ne rentre qu'à l'aube, horriblement ivre... Tout cela n'a peut-être pas tellement d'importance, je ne vois pas *a priori* pourquoi il serait essentiel de vivre avec une « personne », une « grande personne », plutôt qu'avec... Mais comment définir B.? Une enfant? Un objet bouleversant? Un poème vivant? Un démon? Un cataclysme?... Il est d'ailleurs plausible que toute femme qui ne possède pas son indépendance économique demeure une enfant : c'est pourquoi seules les femmes personnellement responsables de leur fortune prennent un amant, les autres sont toujours prises... Mais que B. persiste à être une enfant terrible complique horriblement ma vie...

... 20 *avril* 1937. — B. me parle de la sensualité au Maroc; je suis émerveillé de la justesse et de la sensibilité de ses perceptions (les perceptions comme les balances, plus ou moins sensibles et justes)... B. se montre de plus en plus le médiateur idéal entre le monde du rythme et moi...

... *Orient-Express,* 1er *mai* 1937. — Après deux journées minutées de démarches et de préparatifs, j'ai laissé sur le quai de la gare ma B. qui retenait mal ses larmes... B., pour moi le plus bouleversant des objets poétiques, encore maintenant à la troisième année de notre liaison... Pourquoi la plupart des écrivains n'ont-ils vu le drame de l'amour que sous les formes de l'insatisfaction et de la jalousie?... L'un des points culminants d'intensité dramatique est évidemment la « scène », la « scène de ménage », spontanément dénommée « scène », sans doute parce qu'elle constitue un modèle inégalable de pureté théâtrale... Un amour *organique* comme le nôtre est infiniment plus riche en éléments dramatiques que l'amour-passion de Pyrrhus pour Andromaque... Pendant trois ans, nous nous sommes fait, sans parvenir à tuer notre amour, tout ce que deux êtres humains peuvent se faire de cruel, d'atroce, de honteux, de vil...

... 11 *mars* 1938. — B. en voyage. J'ai dîné seul chez Graff, en face d'un gros homme accompagné de deux jeunes femmes fort élégantes dont l'une, presque parfaitement belle, a croisé ses yeux avec les miens à plusieurs reprises; l'homme a précipité la fin du repas; au moment de partir la belle m'a souri. En d'autres temps j'aurais tout fait pour la joindre; ce soir je suis allé au cinéma. Contrairement à ce que je croyais, j'ai été, jusqu'à une date toute récente, très peu libre à l'égard des choses de l'amour : je réagissais contre ceci ou cela... ce qui est le contraire de la liberté. Réaction contre la privation de femmes dont je souffris tant entre quinze et vingt ans, d'où je me fis ensuite comme un devoir de posséder toutes les femmes qu'il m'était possible; réaction plus tard contre la jalousie de B., dont je ne voyais que l'aspect tyrannique, d'où je me fis un devoir de dignité de la tromper. Que d'éléments étrangers à l'amour conditionnèrent mes amours! Il m'est si facile de lui être fidèle, maintenant que nous ne nous battons plus... enfin presque plus...

... 18 *avril* 1938. — B. est rentrée la nuit dernière. Premier acte : elle a raconté son voyage et j'ai raconté ma vie à Paris : deux monologues plutôt qu'un dialogue. Le récit épuisé, est survenu comme aujourd'hui l'embarras qui se produit chaque fois que nous nous retrouvons après une séparation de plus de quarante-huit heures : longs silences, gaucheries, agacements, impression de ne pas savoir « par où la prendre » — et il s'agit bien en effet d'une « prise », comme de deux lutteurs. Naturellement, j'ai senti toute la journée comme une disgrâce. C'est exténuant de ne pouvoir vivre que *réellement* avec un être. La qualité inégalable de B. c'est de ne tolérer aucun des rapports *inoffensifs* par quoi les humains essaient de se dérober. Elle est inapte aux mondanités, aux marivaudages, à l'amitié, elle exige des êtres humains des rapports *réels*, l'amour ou cette camaraderie qui est complicité, elle exige qu'on se compromette à chaque instant... Inégalable et intolérable, comme le feu, elle ne me laisse pas un instant de repos, elle me consume... Elle exige toute ma vie; que je l'ôte, il ne reste plus rien de ces quatre dernières années... La *scène* qui ne s'est pas déclenchée cette fois, mais que nous avons frôlée, est pour elle la façon favorite de rechercher le contact...

... 22 *juin* 1939. — ... qui de réplique en réplique me mène rapidement au cœur de cette tempête où je suis simultanément océan, ciel et barque, sujet et objet, action et passion — et d'où je sors comme d'un cauchemar, courbaturé et meurtri, sans souvenir précis (je ne garde jamais le souvenir de ce que j'ai dit au paroxysme de la scène), sinon un souvenir vague d'épouvante et d'humiliation. Quand la tempête est apaisée, au moment où selon le sentiment conscient ou inconscient de B. le terrain se trouve libre pour tous les déploiements de l'amour, une seconde fureur, plus violente que la première, m'emporte soudain : c'est la rage d'avoir été agi. Fureur qui, si elle trouve réplique, ménage elle-même une troisième crise : ainsi commencent les périodes infernales — comme celle que nous vivons en ce moment...

... *Cannes, 8 juillet* 1939. — Rencontré hier soir, au restaurant, I. D., mon ancien patron. Troublé un peu de la même façon que je pouvais l'être par mon père, lorsque j'arrivais à Reims, « en faute ». Le père et le patron. C'est exactement la seule chose qui soit impardonnable. Même honte encore (analogue à celle de m'être senti troublé, en faute, devant mon père ou mon patron) lorsqu'on me fit comparaître nu devant des hommes habillés... au Conseil de Revision. Ce qu'au plus profond de ma chair je sais ne pouvoir s'expier que dans le sang... Mémorial de la honte :

quand ma mère... quand au sortir du lycée, R. L., quand B., au cours d'une scène de jalousie, m'examina le corps, comme pour vérifier si je ne l'avais pas trompée : oh! la folle, de n'avoir pas compris qu'elle commettait l'inexpiable; mais c'est sans doute le plus profond de l'amour que d'être absolument et réciproquement inexpiable...

... *Narbonne, 2 juillet* 1940. — Alternative d'ennui et d'euphorie. Stérilité. On a cru me faire plaisir en me retirant de la compagnie pour me faire secrétaire d'un cantonnement; j'y perds le charme des gardes solitaires dans la nuit. Aucune nouvelle de B., qui doit être à Barcelone.

... *Narbonne,* 10 *juillet* 1940. — Toujours sans nouvelles de B. Impossible de sortir de France pour la rejoindre en Espagne. Et où?

... *Marseille,* 29 *juillet* 1940. — J'écris dans la chambre de passe où je viens de coucher avec une putain rencontrée quai des Belges, en compagnie de Jean; j'avais plutôt envie de celle qui est encore avec lui (je l'attends), mais peu importe... L'Amour-Merveille ne se présente pas; est-ce un sort qu'il ne semble s'offrir que lorsque B. est là — ce qui lui communique une forme dramatique?

... *Marseille, 3 août* 1940. — Enigmatique journée d'euphorie, sans cause dont je puisse prendre conscience. Je pense qu'au cours de ces dix dernières années j'ai été, malgré les circonstances hostiles, à maintes reprises indescriptiblement heureux (et surtout à Saint-Germain, au cours de cet incomparable printemps 1936, avec B.).

... *Marseille, 3 août* 1940. — Enigmatique journée d'euphorie. Les velléités que j'avais pu avoir en arrivant ici se sont dissipées. Mon horreur de la Révolution nationale (ou plutôt de la « Restauration ») en train de s'installer, m'occupe bien davantage. Et puis, la séparation, sans doute normale à mon âge, s'accentue entre, d'une part, l'amour que j'appelle organique ou *à la manière d'un arbre qui croît, etc.* — comme fut mon amour avec B. — et d'autre part la sexualité théâtralement organisée par une maquerelle qui possède bien son métier. Les deux formes ne s'excluent pas mais excluent les intermédiaires et les hybrides; entre les deux *l'homme à femmes,* qui tient vaguement des deux, est fracassé.

... *Vichy, mercredi* 28 *août* 1940. — ... Elvire... son cynisme en fait évidemment quelqu'un de ma « race ». Elle a été la seule à comprendre mon amour pour B., amour qui finalement scandalisait même ceux qui avaient fini par l'admettre...

... *Marseille,* 20 *septembre* 1940. — Pour la première fois depuis des années, l'esprit étonnamment libre à l'égard de B. Serait-ce pour de bon la délivrance?... Toujours sans nouvelles de B...

... *Lyon,* 3 *novembre* 1940. — Très triste. En manque de B... « L'homme le plus seul sur la terre. »

Je lis les *Mille et Une Nuits* dans la traduction de Mardrus (je ne connaissais encore que celle de Galland). J'aime l'histoire de ce frère et de cette sœur qui s'aimaient d'un si grand amour qu'ils se firent sceller dans une tombe, avec toutes sortes de nourritures, de boissons, d'instruments de musique; et qui furent changés en minéral par Allah jaloux. L'amour fou. J'ai l'impression que je ne retrouverai plus jamais l'amour fou. Mais peut-être frappera-t-il à ma porte ce soir? Ou bien ce sera le retour de B.?

... *Lyon, 8 décembre* 1940. — Triste jusqu'aux larmes malgré ces charmants, interminables repas avec les trois exquises D., F. et G.; seul en compagnie de trois jeunes femmes aussi jolies, aussi élégantes, etc. Je me garde désespérément des fausses interprétations : je ne veux pas être comme tous ces Parisiens exilés en « zone libre », si désemparés d'avoir perdu les habitudes médiocres dont ils s'étaient d'abord réjouis, lorsque éclata la guerre, d'être délivrés — ou comme ces soldats qui regrettaient la plus dérisoire des vies conjugales. Je sais que la vie à deux est plus sordide et presque aussi dure à supporter que la solitude, je sais que celui qui aura la plus belle visitation sera celui qui aura veillé le plus tard...

... *Lyon, 12 décembre* 1940. — Ai rêvé cette nuit de B...

Je ne te rencontre
Que dans les lieux souterrains
A l'intérieur de mes canaux sanguins
Ou plus profond encore

Là où, si je m'attardais
Je me trouverais face à face
Avec ma propre statue
Sculptée dans le charbon.

... *Lyon,* 30 *décembre* 1940. — Le sein de Rosine vient d'entrer dans ma mythologie, où il retrouve les ruines de Butrinto, la coquille d'huître de Villa Reale de San Antonio, Julien Sorel et la jambe de Jacqueline M. : ce beau sein qui, toute la nuit, a gonflé et durci sous mes caresses, comme un sexe.

J'avais trop négligé les seins jusqu'ici. Faut-il donc attendre trente-quatre ans pour découvrir ce qu'est le sein d'une femme? Mais j'imagine que beaucoup d'hommes ne le découvrent jamais. Ou bien, au contraire, la majorité des hommes le savent-ils, et était-ce moi qui m'étais attardé dans une inconcevable indifférence? Nous ignorons généralement des êtres ce qui est le plus important : par exemple, comment conçoivent-ils un sein? Sa perfection? La manière de s'en servir?

Désormais, le sein de Rosine enrichira toutes les femmes que j'aimerai.

Oui, je t'aimerai demain avec plus de délices que je ne t'aurais aimée à vingt ans, parce que j'ai goûté la jambe de Jacqueline M., le poignet de Françoise, la sauvagerie de B., les yeux de Simone, la taille de Petite Roulure et le sein de Rosine.

Et quand je serai un vieillard, quelle merveille tu seras, jeune fille de dix-huit ans, dans laquelle je découvrirai toutes les perfections que mes bien-aimées, une à une, m'auront révélées!...

... *Lyon, 25 mai* 1941. — Journée mélancolique et d'asthénie brusquement et follement animée par une lettre de Mexico dans laquelle B. me raconte ses aventures d'après l'armistice, et proclame son désir de revenir près de moi... Qu'au travers de tous les aspects possibles de B., ceux que j'aime, ceux que je hais, ceux que je ne connais pas encore, existe une sorte d'entité B., à laquelle je suis irrémédiablement lié... B. est ma femme au sens le plus profond du terme : c'est seulement maintenant que je le comprends, que je l'admets...

... *Lyon, 15 juin* 1941. — ... se lamenter d'avoir une mauvaise épouse est aussi sot, aussi pitoyable que se lamenter d'avoir une sale gueule... On peut divorcer, — on peut aussi être veuf (l'étrange mot, « je suis le ténébreux, le veuf, l'inconsolé »...), — de même qu'on peut vivre sans appendice, sans rein, sans estomac et peut-être même avec un cœur en baudruche à mécanisme d'horlogerie. Mais il est toute une médecine qui croit aux conséquences incalculables des chocs opératoires...

A partir de cette date, il n'est plus jamais question de B. dans le journal intime de François Lamballe, dit Marat...

Marat écrivit.

« *Paris, mars* 1944. — Long entretien sur l'amour avec Chloé, Rodrigue, Frédéric. Les jeunes gens m'ennuient, ils sont trop sérieux. Mais que ferais-je si jamais tout ce que nous sommes en train d'entreprendre vient à rater? Ce soir encore, je suis hanté par la mort de Lorca. »

Il alla s'accouder au balcon : la lune s'était levée et la silhouette du Sacré-Cœur se détachait sur le ciel. Un pas solitaire ponctua le silence monumental de la ville. Il pensa aux millions d'hommes qui dormaient sous lui. Adolescent, il tirait un vif sentiment d'orgueil à veiller quand tous dormaient; il attendait l'Ange qui vient visiter celui qui a résisté le plus longtemps au sommeil. Par l'autre fenêtre du balcon parvint le bruit confus de Mademoiselle qui s'agitait dans son lit; elle prononça en rêve quelques paroles dont il ne compris pas le sens.

Il ferma la fenêtre, avala deux comprimés de gardénal, se coucha. Il relut lentement son rapport, faisant des corrections au crayon, puis il le glissa sous son oreiller. Il pressa la poire de l'interrupteur et presque tout de suite s'endormit.

TROISIÈME JOURNÉE

(qui se situe au mois d'avril 1944,
à quelques jours de la « deuxième Journée »)

> « Un personnage facultatif que le peintre a ajouté gratuitement sur le tableau, un promeneur, rien qu'un promeneur. »

I

Une heure du matin.

L'express Paris-Lyon-Méditerranée roule précautionneusement le long des coteaux bourguignons, hantés par les groupes de partisans et les patrouilles allemandes. Une fusée-parachute illumine de gros nuages que presse tumultueusement un fort vent d'ouest. Un feu de camp de gardes-voie fait entrevoir des hommes encapuchonnés dont le vent plaque le manteau sur le corps.

Il n'y a plus qu'un express par jour entre Paris et Lyon, et l'on s'y tasse comme on peut. Marat se trouve pressé, avec une dizaine de voyageurs, entre un soufflet clos par un panneau métallique et une porte vitrée solidement verrouillée qui donne accès au couloir d'un wagon-lit. Tous debout. Le problème qui se pose périodiquement à chacun, depuis le départ de Paris, — c'était au crépuscule, — est de parvenir à se déplacer suffisamment pour faire porter le poids du corps de la jambe gauche sur la jambe droite, et réciproquement.

La buée qui se condense sur la tôle du wagon tombe goutte à goutte sur l'épaule d'une femme trop étroitement serrée contre ses voisins pour s'y dérober. L'eau fait sur son manteau une tache foncée qui s'élargit peu à peu.

Chaque fois que le train s'arrête, on entend le ronronnement des bombardiers-rôdeurs de la R.A.F. en quête de locomotives à mitrailler, de convois à détruire.

*

Un des voisins de Marat s'indigne soudain que le contrôleur ait obstinément refusé d'ouvrir l'accès au couloir du wagon-lit, le seul couloir de tout le train qui ne soit pas encombré d'un inextricable enchevêtrement de corps humains et de bagages de toutes formes.

« Alors, gronde-t-il, si l'un de nous était malade, on le laisserait dégueuler sur les autres... Il pourrait crever debout... »

Son indignation croît à mesure qu'il parle. Il cogne du poing contre la vitre. Puis il essaie de la briser avec un parapluie. Faute d'élan, il ne casse que le manche du parapluie.

Les autres voyageurs se taisent, n'approuvent ni ne désapprouvent, paraissant étrangers à l'incident. Marat essaie de déchiffrer ces visages fermés sur le secret qui les contraint à passer la nuit, pressés contre des inconnus, entre des parois suintant l'eau, dans un wagon dangereusement lancé au milieu des campagnes hostiles. Il se demande machinalement : « *Celui-ci est-il pour nous?* » S'il ne transportait pas des documents dont la découverte le ferait emprisonner, torturer, tuer, il s'associerait à la protestation de l'homme qui vient de casser le parapluie. « *Serait-ce pour des raisons analogues que les autres se taisent?* »

*

Le train s'arrête de nouveau. Dans le silence on entend les grosses gouttes qui s'écrasent une à une sur l'épaule de la femme. C'est une juive. Elle pleure tout doucement, sans hoquets ni crispations. Les larmes glissent lentement sur la joue puis se détachent et tombent sur le col du manteau. Elle ne s'essuie pas les yeux : ce serait toute une affaire que de tirer le mouchoir du sac à main coincé entre coude et hanche, il faudrait qu'elle incommode au moins trois personnes, elle n'y songe même pas.

Son mari aussi est juif. Il regarde fixement la joue sur laquelle glissent lentement les larmes. Un regard d'où l'homme semble absent. « *Ce doit être cela* », pense Marat, « *le regard de l'infinie détresse* ». Le juif voudrait que sa femme sache qu'il voit ses larmes, qu'il compatit, qu'il souhaite passionnément la secourir, qu'il souffre de son impuissance, qu'il est là. Mais il n'ose pas parler au milieu de ces étrangers peut-être hostiles; il ne trouve pas de mots; il y a déjà longtemps qu'ils ont l'un et l'autre épuisé le vocabulaire des douleurs partagées et des compassions mutuelles.

« *En 41 et 42, on rencontrait beaucoup de juifs dans les trains et les gares, surtout en « zone libre »; tout travail leur était déjà interdit; ils ne cessaient d'aller d'une ville à l'autre, comme des prisonniers qui font le tour de leur cellule. Maintenant ils ne voyagent presque plus parce que le contrôle des papiers est devenu plus sévère. Si l'on découvre qu'ils sont juifs, on les enferme ou on les tue... Au cours des rafles les policiers allemands déculottent les hommes pour découvrir les circoncis... Temps infâme : le « temps du mépris* ».

Tout doucement, le juif effectue un quart

de tour sur lui-même. Il fait bien attention de ne déranger personne. Il glisse son épaule contre un dos, s'insinue entre un ventre et une jambe. Cela dure plusieurs longues minutes. Une secousse du train qui démarre lui permet de gagner encore un peu de terrain. Enfin il parvient à dégager son bras, à l'étendre, à le déplacer de telle manière que, poignet plié, le dos de sa main s'offre en appui à la joue de sa femme. La femme répond en appuyant bien fort sa joue contre la main secourable — une grosse main aux longs poils noirs, sur laquelle viennent lentement s'écraser les larmes.

*

A Dijon, Marat saute sur le quai avant l'arrêt du train, parvient à se glisser dans un wagon de première et à prendre la place d'un voyageur qui descend.

La lueur blanche de la veilleuse lui révèle vaguement ses voisins. En face de lui, il y a un homme encore jeune, décoré de la Légion d'honneur et de la Francisque, guindé jusque dans l'assoupissement, sans doute un haut fonctionnaire de Vichy. Marat pose dans le filet, au-dessus du fonctionnaire, le livre qui cache, entre ses pages non coupées, les documents qu'il emporte.

Puis il se cale dans le coussin, étire ses jambes, leur cherche une place, cale ses pieds entre la banquette et le coussin d'en face. Il essaie vingt positions différentes pour trouver celle qui lui permette de se mieux détendre : « *To relax, je ne vois pas de mot français qui traduise aussi parfaitement le plaisir que j'éprouve, relaxing into a smile...* »

Enfin il ferme les yeux. Le regard du juif vient se poser sur lui « avec une infinie détresse »; il le chasse. La grosse main gauchement offerte à la joue ruisselante de larmes surgit à son tour : il la chasse. Il a gardé de l'enfance le pouvoir de diriger ses rêves, il peut à son gré effacer les souvenirs pénibles ou honteux, il ignore les obsessions (sauf à l'époque où il aimait B.) et le remords (sans exception), il peut à volonté s'interdire le soir de penser à l'événement fâcheux qui se produira le lendemain matin, c'est un homme heureux. Il se dépêche de renouer un rêve à épisodes, le voici dans une combe alpestre en compagnie de la jeune fille rencontrée aux Buttes-Chaumont, il lui donne une leçon de botanique, cueille, cueille la soldanelle, née de la neige, neige elle-même.

*

Vers onze heures du matin, Marat aperçut, tout proche, le clocher trapu de l'église de F., à six kilomètres au-delà d'Etiamble. Il avait fait en car la route de Mâcon à Etiamble et à pied la fin du parcours, par de petits chemins de terre, entre les haies d'aubépines en fleur.

La rumeur de l'harmonium et des chants rituels vint au-devant de lui, avant qu'il eût atteint le haut de la rampe qui mène à l'église. Des vélos étaient posés contre les ormes du mail. Devant le porche, des hommes endimanchés formaient de petits groupes. Au cimetière, situé en contrebas, le fossoyeur achevait de creuser une tombe. C'était l'office des morts qu'on était en train de célébrer.

Marat obliqua, pénétra dans un verger et se coucha dans l'herbe, près d'un buisson, parmi les pervenches et les violettes, sur une petite pente ensoleillée.

Les pommiers et les poiriers étaient en fleur. D'un noyer dont les feuilles — qui sont d'abord dorées — commençaient à poindre, vint le chant discordant d'une mésange-grande-charbonnière dont surgit bientôt le front noir, la gorge bleue, blanche et or. Dans un buisson une touffe de duvet rose et azur s'anima : c'était une orite à longue queue que les Anglais nomment *British long-tailed tit-mouse* (s'appropriant ainsi la plus petite de toutes les mésanges) et que Marat voyait pour la première fois en Bresse. Deux gros oiseaux rayés de noir et de brique, crêtés de roux, traversèrent le verger en oblique, d'un vol lourd : « *Les huppes sont arrivées : si les nuits ne sont pas trop froides, on doit déjà entendre le rossignol.* » Comme il ne bougeait pas, le verger s'anima de plus en plus. Un gros merle, décoché d'un bosquet d'acacias, passa tout près de lui, suivi de sa femelle, d'un noir moins brillant, plus pesante. Il ferma les yeux, se réjouit de la caresse du soleil sur ses paupières.

Le cortège funèbre sortit de l'église. Le glas tinta. Les pompiers, en uniforme bleu roi, boutons dorés, képis galonnés de rouge, portaient le cercueil. Toute la commune était là, hommes et femmes. Entre l'église et le cimetière, cela fit un long déploiement.

Qui suivrait mon enterrement?... Rodrigue?... Chloé?... mes « complices »?... s'ils ne sont pas en expédition... une ancienne maîtresse prévenue par hasard?... Mademoiselle?... Il n'y aurait pas foule... Ma famille que j'ai oubliée me l'a bien rendu... Sans classe? Déclassé? Non, j'ai retrouvé ma véritable classe — mais guerrier clandestin, mes camarades de combat ignorent même mon nom. Partout je ne suis qu'un passant. Ci-gît Marat, promeneur solitaire.

Mais il n'éprouvait aucune angoisse. Tout récemment, à la suite d'une méprise, il avait cru s'être empoisonné et qu'il allait mourir, irrémédiablement, dans l'heure qui suivait; il n'avait éprouvé qu'un sentiment de *contrariété,* comme au matin d'une fête champêtre quand on s'aperçoit qu'il pleut et que la fête ne pourra pas avoir lieu. Voilà, la fête aurait lieu sans lui; il n'était d'ailleurs pas certain qu'elle fût réussie.

La cérémonie achevée, la foule dispersée, Marat rejoignit le curé devant la porte du presbytère.

« Je ne savais pas, dit le curé, que vous étiez à R.

— J'arrive... »

Ils traversèrent la salle à manger carrelée de rouge, passèrent une double porte capitonnée et s'enfermèrent dans une petite pièce où deux grands fauteuils de cuir les accueillirent. Sur un bureau s'amoncelaient des journaux jaunis, un catéchisme, des sachets de graines, un catalogue de la Manufacture d'Armes de Saint-Etienne, une cuillère dorée pour la pêche au lancer, une carte de Russie avec les fronts successifs marqués au crayon bleu, une édition populaire d'un *Manuel pratique des cent manières de chiffrer un message,* un rouleau du laiton qu'utilisent les braconniers pour faire des collets, un petit dictionnaire Larousse, un gros tas de tabac « de paysan », un jeu d'échecs, le tout repoussé pêle-mêle pour libérer une surface plane sur laquelle était étalée une carte d'état-major. Une loupe et un petit compas de fer comme on en vend dans les merceries pour les élèves des écoles primaires étaient posés sur la carte.

« Où en êtes-vous? demanda Marat.

— Ça va et ça ne va pas, répondit le prêtre. Mes jeunes gens sont gonflés à bloc; je les ai bien en main; ils font du bon boulot; je vous raconterai cela... Mais le pays flanche...

— C'est-à-dire?...

— Le débarquement est trop long à venir. On ne peut pas passer sa vie à attendre le jour J. Les tièdes, terrifiés par la dureté de la répression, recommencent à dire, comme en l'an 40 : « Il ne faut pas oublier que nous « sommes vaincus... »

— Ce qui veut dire : accommodons-nous du vainqueur et faisons des affaires avec lui.

Il aurait fallu passer à l'action, dès la formation des premiers *maquis,* sans attendre les Anglais, comme en Yougoslavie...

— C'était bien mon avis... Mais encore maintenant, ceux qui sont responsables des armes qui ont été parachutées depuis deux ans refusent de les distribuer... Savez-vous comment j'ai armé mes jeunes gens? En vidant d'autorité un dépôt de « l'Armée Secrète », dont un fermier m'avait indiqué l'emplacement. »

Le prêtre éclata de rire. Puis il entrouvrit sa soutane et montra la crosse d'un pistolet, un colt grand modèle, coincé sous l'aisselle.

Cependant Marat expliqua le but de son voyage. Le train spécial de Von X. passera cette nuit même dans la vallée de la Saône, venant d'Allemagne, via Dijon, et continuant vers l'Espagne, via Lyon et Montpellier. Londres était prévenu; mais les Anglais auraient-ils le temps de faire agir leurs agents? Marat venait donc avertir le prêtre, comme ils en étaient convenus au cours d'un précédent voyage. Il le prenait de court. Mais la direction de la S.N.C.F., dont il tenait l'horaire du train, n'avait été informée que la veille de la date précise du voyage — dont il était question depuis quinze jours, mais de manière imprécise. Les autorités allemandes n'avaient pas parlé de Von X., mais seulement d'un train spécial, wagons Pullman, qui nécessiterait une surveillance toute particulière; c'était par divers recoupements que les hauts fonctionnaires avaient identifié le voyageur. Marat avait recoupé l'information par une autre voie; elle présentait donc un caractère de quasi-certitude. Enfin un complice posté à la gare de Chalon et abouché à divers cheminots devait le prévenir si survenait un changement de dernière heure :

« Il m'enverra de toute façon un agent de liaison cet après-midi... Si nous réussissons, les conséquences politiques peuvent être considérables... Il n'est pas sûr qu'on nous en soit reconnaissant... Je ne veux pas vous entraîner à l'aveuglette.... Nous devons prendre nos responsabilités. Réfléchissez...

— C'est tout réfléchi », répondit le curé.

Debout, penché sur la carte d'état-major qu'il regardait au travers de sa grosse loupe, il faisait déjà son plan de campagne...

Ils discutèrent longtemps chaque détail. Etiamble et R. sont sur la rive gauche de la Saône, la voie ferrée suit la rive droite. Ils décidèrent que le prêtre poserait personnellement les bombes sur la voie, accompagné seulement de « ses » jeunes gens; ils passeraient le fleuve en barque, juste en face de l'endroit de l'attentat projeté. Le maquis de la forêt voisine ne serait mobilisé que pour faire la couverture et resterait sur la rive gauche. Deux fusils mitrailleurs seraient suffisants pour protéger le retour des barques.

« Inutile de mobiliser de gros contingents, ce qui reviendrait à alerter l'ennemi qui dispose certainement de mouchards dans la région. Il suffit que la traversée de la Saône soit assurée aller et retour. Nous aurons le temps de faire retraite dans la forêt avant que la garnison de Mâcon puisse envoyer des effectifs suffisants pour nous barrer la route... »

Marat aurait voulu accompagner le prêtre.

« Non, répondit fermement celui-ci. Mes jeunes gens ne vous connaissent pas. Ou bien vous les intimiderez. Ou bien ils voudront « faire les Jacques » pour vous donner bonne opinion de leur courage. Je ne les aurais plus en main... »

Marat déjeuna au presbytère.

« Au fait, dit le curé, j'ai une nouvelle paroissienne. Elle m'a été envoyée par votre ami de Toulouse; je lui ai fait prendre pension chez les Favre, vous les connaissez...

« J'ai vaguement compris, continua-t-il, qu'il y avait eu des coups durs dans l'organisation dont elle fait partie... Mais elle ne m'a presque rien dit... Oh! pas bavarde du tout... toujours enfermée dans sa chambre... Une belle fille pourtant, comme j'en ai rarement vu...

— A ce point-là?

— Vous ne la connaissez pas? Alors vous la verrez. Si elle n'était pas si triste, elle tournerait la tête de tous mes jeunes gens... »

II

Marat passa l'après-midi chez lui. Il avait loué, dès 42, lorsqu'il commençait à « faire de la résistance », une maison de maître accotée à une ferme, un *château* selon la terminologie de la région, retraite isolée où il allait se reposer périodiquement et où il lui arrivait de cacher des camarades particulièrement compromis.

La terrasse dominait un paysage de champs et de prairies, à peine accidenté mais vivement animé par les peupliers, les chênes, les bouquets de saules des innombrables haies qui coupent en tous sens cette région de la Bresse, de telle sorte qu'un aviateur croit survoler une forêt. Pays d'embuscades par excellence, c'était la région idéale pour la guérilla qui commençait. Mais Marat, lorsqu'il avait loué son « château », avait surtout apprécié le calme d'un pays sans envolées. La montagne l'exaltait : au-dessus de mille mètres, il brûlait, mais faute d'emploi pour sa ferveur, il l'épuisait en de longues courses; il aimait par-dessus tout les crêtes dénudées où ne poussent que les mousses et les saxifrages; il avait une fois découvert entre deux pierres les œufs opalins de la perdrix des neiges; il descendait brisé et fiévreux. En Bresse, au contraire, il pouvait dormir, flâner, lire. Il lui était arrivé d'y passer plusieurs semaines, seul dans sa grande maison, une femme du voisinage faisant son ménage et préparant ses repas.

Il ouvrit les volets de toutes les pièces, s'attarda comme il l'avait souvent fait l'année précédente, à considérer le même peuplier au travers de plusieurs fenêtres, le voyant, selon le cadre dans lequel il s'insérait, grandir, rapetisser, s'élancer, se ramasser, se perdre dans l'ordonnance des peupliers voisins, ou au contraire se développer dans une majestueuse solitude : ces divers aspects du même arbre avaient été l'an passé l'origine de maintes réflexions sur l'importance du cadre, du découpage, en peinture, puis sur les relations impliquées par les épithètes : imposant, majestueux, sublime, mignon, petit, petiot, mesquin, et en fin de compte sur la notion d'échelle dans la perception du monde; là encore il avait trouvé un tremplin contre les fausses évidences pascaliennes, ébauchant une critique du fameux développement sur les deux infinis.

Il parcourut les chambres dont il n'avait pas modifié l'ameublement : les lits Empire avec leurs gros édredons rouges, les armoires campagnardes aux panneaux de chêne ou de noyer massif, les commodes à dessus de marbre, la table de nuit avec le pot de chambre en faïence à fleurs, la grosse horloge à balancier de cuivre repoussé à figure de Gorgone. Une famille dont il ne savait rien avait vécu là. Il avait trouvé, au fond d'un tiroir, les lettres un peu guindées écrites en 1865 par un fils étudiant à Paris :

« Mon cher père, ma chère mère »... Depuis quelque dix-huit ans qu'il vit dans des « meublés », sordides ou fastueux selon les époques, il a souvent découvert des indices qui, par contraste, mettent en évidence sa condition de perpétuel passager : même au cœur des grandes villes, il est toujours cet hôte d'une île en apparence déserte, qui sursaute en découvrant les traces des vrais propriétaires du lieu.

Il rôda dans le jardin que les ronces envahissaient peu à peu; un vieux pommier était soutenu par une sorte de colonne maçonnée, maintenant couverte de mousse, témoin d'une sollicitude attentive : quelqu'un avait chéri cet arbre.

Il alla saluer le voisin, qui lui demanda des nouvelles de la guerre : les Anglais allaient-ils enfin débarquer? Puis l'emmena vite à l'écurie voir le poulain qui venait de naître; les enfants suivirent et s'empressèrent autour du jeune animal, encore fragile sur ses jambes, mais dont chaque mouvement était déjà gracieux, un don merveilleux, l'événement de l'année; dans la stalle voisine, la jument s'agitait, hennissait, nerveuse, l'œil inquiet, le poil lisse et brillant, superbe.

Un après-midi de loisir. Un léger vent du sud poussait dans le ciel des bancs de petits nuages pommelés qui rendaient la lumière plus délicate. Marat s'étendit sur une chaise longue près du vieux pommier et se laissa aller à imaginer l'aménagement du jardin, la transformation de la forêt vierge en parc à l'anglaise, en verger normand, en jardin de curé...

Quand il ouvrit les yeux, il aperçut deux jeunes filles. Il ne les avait pas vues venir. Elles appuyèrent leurs vélos contre le portail à claire-voie, poussèrent la porte piétonne. Elles eurent une hésitation devant le sentier envahi par la végétation folle. Elles regardèrent le jardin, la maison entre les arbres jamais taillés. La brune dit quelque chose à la blonde qui rit. Elles avancèrent à petits pas. Un chat passa entre leurs jambes et elles s'arrêtèrent : la blonde rit encore; elles reprirent leur marche, sur la pointe des pieds. La porte de la maison était entrebâillée :

« L'homme est sûrement là, dit la brune.

— Seigneur de ce château, bouffonna la blonde, deux humbles messagères...

— Ermite de cette brousse, interrompit la brune, deux anges...

— Deux démons...

— Hello! » fit Marat...

Elles sursautèrent et le découvrirent aussitôt, étendu sous le pommier, tout près.

La brune s'avança résolument.

« Monsieur, dit-elle, nous venons de la part de votre oncle chercher des haricots pour planter...

— Les haricots nains, répondit Marat, sont dans le grenier et les grimpants dans la cave. »

Il chercha les yeux de la jeune fille et les rencontra. Le regard était droit.

« Vous savez bien votre leçon, dit-il.

— Vous aussi », répondit-elle hardiment.

Ils se sourirent.

La blonde s'approcha à son tour. Marat se

leva, la salua d'une rapide inclinaison du buste et, les précédant toutes deux, se dirigea vers la maison.

« Vous venez de Chalon? demanda-t-il.

— Oui, répondit la brune, nous sommes parties à deux heures...

— A vélo, dit la blonde, c'est une bonne course...

— Germain, reprit la brune, nous a chargées d'un message...

— Nous avons, interrompit la blonde, eu du mal à vous trouver. Germain nous a dit que vous habitiez le château de R. Nous cherchions des tours, un pont-levis...

— Vous êtes déçue », dit Marat.

De celle-ci aussi il trouva tout de suite les yeux; ils étaient plus tendres. comme embués, des yeux bleu-vert, la pupille à peine plus foncée que la prunelle, très sensible, s'élargissant à l'ombre la plus légère, se contractant au moindre rayon. Les yeux de la brune étaient marron : un marron, comme il arrive parfois dans la race française, aussi pur qu'une couleur élémentaire, net, sans mélange, doté du plus vif éclat, « intelligent ».

Marat sentit la fatigue du voyage disparaître brusquement. Il se fût volontiers jeté sur-le-champ dans n'importe quelle entreprise en compagnie des deux jeunes filles. Il se sentit leur âge : dix-huit? vingt ans? Il le leur demanda.

« Vingt-deux, répondit la brune.

— Vingt-quatre, bientôt vingt-cinq », dit plus bas la blonde.

Il fut surpris : il les avait prises pour des adolescentes, c'étaient des femmes. A Paris la confusion n'eût pas été possible, l'histoire d'une femme s'y partage en époques aussi distinctes que les ères géologiques, elles peuvent tricher sur l'âge mais pas sur l'ère.

« Germain, reprit la brune, nous a chargées de vous dire, premièrement... »

Elle compta sur ses doigts.

« ... que la gare de Chalon a été informée du passage pour cette nuit du train qui vous intéresse. Deuxièmement, que la garde des voies sera exceptionnellement assurée par des troupes allemandes. Troisièmement, les troupes chargées de cette garde sont prélevées, de Chalon à Tournus, sur la garnison de Chalon, de Tournus à Mâcon, sur celle de Mâcon; elles viendront par la route...

— Bien, dit Marat.

— J'ai l'horaire du train entre Chalon et Lyon », dit la blonde.

Elle glissa la main sous son corsage et en tira une mince feuille de papier soigneusement pliée.

« Travaillez-vous régulièrement pour nous? demanda Marat.

— Oui, répondit la brune, je suis courrier hebdomadaire entre Dijon et Toulouse, via Lyon.

— Moi, dit la blonde, je suis le courrier personnel de Germain. J'assure à vélo ses liaisons dans la région.

— Autrefois, reprit la brune, je vivais à Poitiers. C'est dans cette ville qu'habitent mes parents. Déjà je travaillais pour la Résistance, mais un milicien m'a dénoncée et la Gestapo m'a arrêtée. J'ai joué la petite fille qui ne comprend rien. Il n'y avait pas de preuve contre moi : j'avais eu le temps de manger le message que je portais. Ils m'ont relâchée après deux jours d'interrogatoire. Le patron m'a donné l'ordre de changer d'air...

— Moi aussi, dit la blonde, j'ai été arrêtée. Prise dans une ferme occupée par le maquis et cernée par la Milice. Six mois à la prison de Besançon...

— Nous sommes toutes les deux des « repris de justice ».

Elles rirent gentiment.

« Il y a du thé dans le placard de la cuisine, dit Marat. Et aussi des gâteaux secs... Voulez-vous faire les maîtresses de maison?

Nous allons goûter ensemble. Puis vous irez porter ma réponse à Germain... »

Ils parlèrent longuement. Elles se trouvaient être l'une et l'autre filles de cheminots. Avant de devenir professionnelles de la conspiration, la blonde travaillait dans les postes, la brune dans l'administration préfectorale. Au cours de la conversation elle parla en passant de son « ami » — sans fausse honte, sans non plus l'affectation de paraître affranchie; il était facile de deviner que comme beaucoup de jeunes filles et de femmes fonctionnaires, elle se comportait dans le domaine de l'amour avec beaucoup de simplicité et de dignité.

La secrétaire-dactylo, la vendeuse de grand magasin, pensait Marat, *dépendent de l'arbitraire du patron ou du chef de rayon. La femme fonctionnaire, par contre, est protégée par son statut, elle est assurée de « gagner sa vie » par son travail; les caprices de son chef de bureau n'ont qu'une influence très limitée sur son destin; il lui est permis, tout comme à un homme, de considérer l'amour comme un plaisir; elle peut prendre un amant, elle n'est pas nécessairement prise, elle est l'égale de son partenaire, il la respecte puisqu'il ne l'achète pas... Les institutrices, les postières,* pensa Marat, *font l'amour avec autant de sim-*

plicité que les duchesses. Toute la classe intermédiaire couche pour trouver un mari ou pour obtenir de l'avancement pour le mari.

Il interrogea sans fin les deux petites duchesses. Pensaient-elles à se marier? Elles se regardèrent et éclatèrent de rire. Elles semblaient surtout préoccupées d'échapper à la médiocrité de la province, elles avaient gardé très vivace l'horreur des adolescents pour les existences faites de cycles qui se répètent : la vie du paysan qui attend le retour de la moisson, de la paysanne qui fait une grossesse chaque année. A son précédent voyage, Marat avait dit joyeusement à une jeune voisine :

« J'ai trouvé des pervenches en fleur : voici le printemps.

— Oui, avait-elle répondu, et ensuite viendra le temps des foins, puis de la moisson, puis les vendanges, puis ce sera l'hiver; et de nouveau le printemps... »

Elle paraissait accablée à cette idée.

Il avait été frappé que ce retour des saisons qui le réjouissait comme une fête pût aussi bien terrifier par sa monotonie — comme un cercle infernal dont on a perdu tout espoir de s'échapper.

Les deux jeunes filles cependant lui confiaient leurs espoirs. Elles attendaient de la

« victoire » elles ne savaient pas exactement quelle libération, quelle possibilité de s'employer complètement, de donner toute leur mesure. Cela se mêlait confusément à l'espoir d'aller à Paris, qui représente pour les provinciaux, maintenant aussi bien que du temps de Balzac, l'endroit où les talents de toute espèce peuvent trouver carrière. Marat, tout en les écoutant, tremblait pour elles et pour tous ceux et celles qui attendaient trop de la « victoire ».

Elles croyaient au bonheur et espéraient confusément que les événements proches leur permettraient de le conquérir. Elles attendaient beaucoup plus de leur travail dans un monde où les pauvres pourraient enfin donner leur mesure que de n'importe quel mari. Marat les sentait très proches de lui; la seule différence était qu'il pût définir la révolution où il plaçait tout son espoir. Mais il serait si facile de les éveiller sur ce point; elles combattaient déjà aux côtés des communistes; elles avaient déjà la démarche, le langage, les manières, le « style » des militants; avec quelque éducation politique le rien de bovarysme qui les entachait se fondrait dans la foi révolutionnaire.

La conversation fut très animée, quoique Marat fût tenu à un effort continuel pour s'adapter au vocabulaire de ses deux invitées. Elles se comprenaient à demi-mot; un clin d'œil, une allusion évoquaient mille conversations, tout un monde de souvenirs; il avait l'impression d'être en face de complices qui disposaient d'un langage secret; c'était à la fois irritant et — comme les complices étaient deux belles jeunes filles — plein de charme. La vie, la mort, la liberté, l'amour : ils en étaient tout de suite arrivés aux grands thèmes. Il n'y a qu'avec les femmes qu'on va ainsi directement à l'essentiel; les conversations des hommes s'égarent d'abord du côté des gazogènes, des poulets à la crème et de la tactique politique.

La blonde servit le thé, la brune disposa les gâteaux sur des assiettes heureusement choisies. Quand il fut l'heure de partir, Marat leur transmit les consignes pour Germain : elles en prirent note avec attention mais sans affectation, sans même l'affectation de la simplicité, exactement comme il seyait; il s'agissait pourtant d'explosifs, de mouvements de troupes, d'un attentat d'une haute portée politique, de tout un ordre de choses dont les jeunes filles n'ont pas coutume de s'occuper.

Au moment du départ, Marat leur baisa la main — parce que cela lui faisait plaisir de presser leur main contre ses lèvres et aussi de s'incliner devant elles; et ce fut certainement ainsi qu'elles l'entendirent.

Il rencontra une dernière fois les beaux yeux, les bleus embués et les marron pour lesquels semblait faite l'épithète « éveillé ». Il crut sentir dans les yeux marron un assentiment à une question que son regard à lui avait sans doute posée. Il se sentit heureux.

« Adieu, dirent les yeux bleus.

— A bientôt, dit-il.

— A bientôt », dirent les yeux marron.

Il suivit du regard, jusqu'au bout de l'allée, les silhouettes dansantes qui s'illuminaient au passage de chaque trou de soleil entre les branches des grands chênes. Les deux vigoureuses jeunes filles, sur le chemin creusé de trous et d'ornières, menaient leurs vélos comme des chevaux au galop.

III

Dans l'arrondissement de Bourg-en-Bresse, l'étendue moyenne de la propriété rurale est légèrement inférieure à dix hectares; c'est donc, pour la France même, une région de très petite propriété. L'esprit communal est peu développé; la commune, le « chef-lieu », ne groupe autour de l'église et de la mairie qu'un petit nombre d'habitations : l'auberge, l'épicerie, les demeures des artisans : menuisier, forgeron, maréchal-ferrant, réparateur de cycles, garagiste, entrepreneur de battage. La plupart des cultivateurs, propriétaires ou fermiers, vivent dans des bâtiments construits au centre du petit domaine qu'ils exploitent; il en résulte une dispersion extrême des habitations : de chaque ferme une autre ferme est visible, mais elle est rarement distante de moins de quelques centaines de mètres; le Bressan n'a pas de « voisin » au sens rigoureux du mot.

Il n'y a pas cinquante ans, chacun de ces domaines avait son four à pain, rouissait son chanvre, filait sa laine, ne vendait, n'achetait ou n'échangeait presque aucun produit, vivait enfin dans une autarcie presque complète. Chaque chef de famille était une sorte de roi patriarcal. Cette autonomie économique avait été favorable au développement des fortes personnalités. Les conséquences en sont encore sensibles. Marat était extrêmement frappé de l'importance de l' « équation personnelle » dans les réactions de ses voisins à l'égard des événements en cours. Chacun d'eux était un « personnage » doté d'une individualité très marquée, d'une « conception du monde » nettement différente de celle de tous les autres. Mais ce serait lc sujet d'un autre roman.

Entre les deux guerres, la multiplication des services d'autocars, le ramassage à domicile des produits de la ferme, la création de coopératives ou soi-disant coopératives laitières, l'acquisition d'autos par les propriétaires les plus aisés bouleversèrent complètement l'économie de la région. Comme dans beaucoup de pays arriérés, les étapes intermédiaires furent sautées : la concentration des activités permises par la facilité des communications ne se fit pas au profit des communes, mais des gros bourgs qui tendirent à devenir des villes, dont les campagnes auraient été des banlieues. Le paysan, qui naguère s'habillait de la laine de ses moutons, acheta aux Etats-Unis et en Roumanie le maïs, aux Indes néerlandaises les tourteaux, avec lesquels il engraissa des volailles sélectionnées qu'il expédia sur le marché de Londres. Parallèlement, il se prolétarisa, car ce ne fut pas lui qui profita de la hausse des produits agricoles, mais le marchand de volailles qui disposait de capitaux pour monter des installations frigorifiques, le coquetier qui créa des services automobiles rapides entre la Bresse et les grandes villes, les meuniers qui spéculèrent sur les grains, etc. Le roi patriarcal devint ouvrier en sautant le stade du « bouseux ».

Chez les Favre, le père, géant antique aux longues moustaches rousses, le buste protégé par le traditionnel tablier fait d'une peau de veau en cuir brut, et le fils aîné en bleu de mécanicien, affairé au réglage de ses moteurs, vif et intelligent comme un ouvrier ajusteur, régnaient côte à côte. La mère portait en toutes saisons la coiffe bressane, mais la fille aînée portait l'hiver des chapeaux de feutre et des tailleurs de beau lainage; elle allait l'été en robe légère et tête nue comme les Parisiennes en vacances : la famille avait sauté le stade des chapeaux à voilette de la modiste « parisienne » d'Etiamble, comme elle avait sauté le mode de production habituel de la petite propriété rurale.

L'occupation avait ramené la Bresse au stade du « robinsonnisme », mais on savait bien que ce n'était que provisoire; la plupart des fermiers consacraient les bénéfices exceptionnels du marché noir à l'amélioration de l'outillage mécanique de leur exploitation : écrémeuses électriques, eau courante à l'étable, abreuvoirs automatiques, faucheuses-ramasseuses, moissonneuses-lieuses.

Tandis que la masse des paysans geignait des réquisitions et s'efforçait d'y échapper par des ruses timides, les plus éveillés organisèrent la « résistance ». Favre père ravitailla le maquis, les fils Favre recueillirent les armes parachutées. Favre mère, qui était un peu sorcière, jeta des sorts aux miliciens, les filles Favre recopièrent des tracts.

La ferme des Favre se dresse aux confins de la commune de R., à l'orée de la forêt de V. Maison d'habitation, granges, écurie, étables et bâtiments annexes sont disposés régulièrement, à l'ancienne mode bressane, autour d'une cour intérieure carrée. La route « vicinale », qui aboutit à la porte cochère, se prolonge au-delà en un chemin de terre creusé de profondes ornières qui s'enfonce bientôt dans la forêt. Du colombier carré qui flanque la ferme, on aperçoit, à l'ouest, au-delà d'un prolongement de la forêt sur le flanc du plateau bressan, la vallée de la Saône et les monts du Mâconnais. Avec une jumelle, on distingue aisément les trains qui courent le long du fleuve, sur la grande ligne Paris-Lyon-Méditerranée.

La plaine, d'une largeur de cinq à dix kilomètres, qui s'étend entre la Saône et le plateau, diffère en tout de la région bressane. Les villages, peu nombreux, habités par les « gens de Saône », pêcheurs et braconniers, lieux de passage des « bohémiens », des « petraux », dont l'idiome a fortement marqué le patois local, sont groupés près du fleuve. On peut marcher pendant des heures sans rencontrer une habitation. Très peu de cultures. Une immense prairie d'un seul tenant, la « Prairie », s'étend sur toute l'étendue de la plaine, parcourue par de grands troupeaux qui groupent tout le bétail des pays riverains, sous la garde d'un seul berger, payé en commun, proportionnellement au nombre des bêtes que chaque propriétaire lui confie.

De chez les Favre, des sentiers à travers bois permettent de gagner la Prairie — en quelques minutes pour un cycliste qui ne craint pas la raideur de la pente, en moins d'une demi-heure pour un piéton. C'est pourquoi le curé avait choisi la maison Favre comme lieu de rassemblement pour l'expédition projetée. Deux jeunes hommes s'étaient occupés dans l'après-midi d'amener des barques au point le plus proche de la rive de la Saône.

IV

LORSQUE Marat pénétra dans la salle commune, les Favre et leurs « commis » achevaient de souper, assis sur deux bancs parallèles, de chaque côté de la longue table qui occupait tout le centre de la pièce. La fille aînée, Yvonne, apporta une chaise et dressa un couvert au bout de la table. En silence, car, comme chaque soir, on écoutait la radio.

L'émission soviétique de vingt heures s'achevait. Le père commanda :

« Yvonne, la Suisse, sur les ondes moyennes... »

La jeune fille se leva et manœuvra l'appareil posé sur le buffet, juste derrière elle. Le poste grésilla. La voix du speaker s'éleva, mêlée à la rumeur de l'orchestre d'un poste voisin.

« Cherche sur les ondes courtes », dit le père.

Yvonne fit de nouveau tourner les boutons de réglage. La voix resurgit, plus nette, puis s'éteignit. La jeune fille se pencha sur le poste, lui donna de petites tapes amicales, le flatta comme d'un cheval la cuisse, le caressa comme d'un chat la nuque. La voix revint, cette fois haute et nette. Yvonne enjamba le banc et se remit à table.

Marat fut enchanté. Plusieurs fois déjà, au cours de précédentes visites chez les Favre, il avait vu Yvonne aux prises avec l'appareil comme avec un animal pas tout à fait domestiqué. C'était elle qui était préposée à son maniement. Une sorte d'entente, un lien secret, semblait s'être créé entre la jeune fille et le mécanisme compliqué qui donnait corps à toutes les voix du monde. Ainsi, le poste de radio participait à la vie de la ferme, était devenu comme une créature vivante, un personnage.

Chaque famille possédait maintenant un poste, et l'habitude était prise d'écouter les « informations » pendant le souper. De Londres, de New York, de Paris, de Moscou, des spécialistes expliquaient, chaque soir, ce qui s'était passé pendant la journée. Ainsi, le vaste univers prenait corps pour le paysan qui n'était jamais sorti de son département; chaque événement retentissait en lui : nouveauté dont les conséquences sont encore incalculables. A plusieurs reprises déjà, Marat avait constaté avec joie que même les plus incultes aimaient entendre raconter le même événement par des voix différentes; on donnait généralement crédit au speaker de Londres, mais on écoutait également Vichy et Genève. Puis on discutait. On essayait de découvrir, par-delà les versions opposées, la vérité. Ainsi se forme l'esprit critique. Marat était de ceux qui croient sans restriction aux bienfaits de l'esprit critique et qui se refusent à admettre qu'on doive le réserver à une « élite ».

Marat, cependant, parcourait du regard les visages attentifs et les identifiait un à un. Son regard s'arrêta, près d'Yvonne, sur une jeune fille qu'il n'avait encore jamais vue. C'était évidemment Annie, la fiancée disparue de Frédéric, l'étrangère dont lui avait parlé le curé.

.. ..

Marat regarda Annie. Ses traits sont d'une rare finesse. Le nez, la bouche, le menton, les sourcils, les tempes sont d'un dessin net, comme dans les estampes japonaises. La bouche petite, le nez menu avec le dos droit et l'extrémité arrondie, le menton qui prolonge et parachève l'ovale des joues, donnent une impression d'extrême délicatesse. Le cou. long et flexible, rend sa pleine signification au mot « porter » : il *porte,* avec une grâce infinie, le visage. La peau est blanche et presque transparente; sa finesse se manifeste tout particulièrement aux tempes, dont elle laisse voir le tendre réseau de veines bleutées. Le front est droit, haut, d'un dessin précis. Les cheveux, blond cendré, très abondants, d'une extrême finesse, ondulés en larges vagues, encadrent le visage avec exactitude, puis, à la hauteur de la nuque, s'épandent fougueusement et tombent jusque sur les épaules. Le visage d'Annie frappe par sa perfection : c'est un ouvrage fini, achevé, auquel on n'imagine rien pouvoir ajouter ni retrancher.

La taille, le corsage, les jambes répondent à la perfection du visage. Chaque geste se développe avec grâce. Chaque mouvement révèle, sous une blouse en soie naturelle ivoire imperceptiblement raide, un peu cassante, le jeu de deux seins menus, ronds, durs, doucement articulés sur le buste. Annie est une rare et précieuse réussite de la nature.

Une femme lui reprocherait peut-être sa taille au-dessous de la moyenne, son aspect fragile, la minceur de ses lèvres, des hanches trop étroites, la cambrure pas assez marquée des reins. Un artiste dirait que les jambes manquent de lyrisme, que les poignets sont plus minces que fins, que les mains n'ont pas d'expression, que le regard est sans flamme. Mais qu'elle se tourne vers lui : un mouvement exquis se développe du buste au cou et à la nuque, la paupière se lève doucement sur un œil bleu-violet-mauve, comme l'aube d'un matin d'été sur une sierra, un sourire *s'élève* sur le visage comme sur un lac le frisson qu'une brise légère éveille à l'improviste — et toute critique est oubliée.

.. ..

Les informations suisses terminées, le père dit, avant que personne n'eût élevé la voix :

« Yvonne, Londres, dans les 30 mètres... C'est l'heure... »

La jeune fille caressa de nouveau l'appareil, renouvela ses passes, et la voix d'un nouveau speaker s'éleva.

Le curé arriva, salua l'assemblée d'un geste circulaire, fit « chtt! », — il connaissait les rites de la maison, — empêcha Yvonne de se lever en posant la main sur son épaule, alla lui-même chercher une chaise, s'assit près de Marat.

« Tout est prêt, lui dit-il à voix basse, mes jeunes gens se rassembleront ici dans le cours de la soirée, le maquis sera dans la Prairie dès une heure du matin, les explosifs doivent déjà être sur les barques... »

Marat approuva de la tête.

L'audition des radios s'acheva en même temps que le souper. Un grand bruit de voix s'éleva dans la salle. Les conversations s'entrecroisèrent au-dessus de la table; il était question d'allées et venues d'avions au cours des nuits de pleine lune, de voisins soupçonnés d'avoir des accointances avec la Milice, d'un prisonnier russe évadé qui avait passé la nuit précédente dans la grange, de l'annonce par le syndic d'une nouvelle réquisition de chevaux, du truquage des papiers de vétérinaire pour transformer un poulain en jument pleine, de l'exploit récent du maquis voisin qui avait enlevé le bétail réquisitionné après que les Allemands l'eussent payé, de fermiers dévalisés par le « faux maquis ». Annie lisait, assise en oblique sur le banc, les jambes croisées et les mains posées sur le genou, totalement étrangère, semblait-il, à l'animation générale. Dès qu'il put quitter le curé et le père Favre, Marat vint s'asseoir près d'elle. Elle ne parut pas s'apercevoir de sa venue. Il attendit un moment, puis se penchant vers elle :

« Je suis chargé, dit-il, de vous transmettre les amitiés de Frédéric... »

La jeune fille sursauta et se tourna tout d'une pièce vers lui.

« Comment, s'écria-t-elle, sait-il que je suis ici? » Puis aussitôt :

« Qui êtes-vous? »

Marat regarda le beau visage se vider de sang, devenir blanc. Seules les oreilles restèrent roses; par contraste, elles parurent extraordinairement colorées, rouge vif.

« Frédéric, dit-il, ne sait pas que vous êtes ici et je ne le lui révélerais que si vous le désirez...

— Je vous remercie », dit sèchement la jeune fille.

Elle enjamba le banc, marcha jusqu'à la porte, fit demi-tour, revint jusqu'à Marat. Debout devant lui, elle le regarda lentement, des pieds jusqu'à la tête et de la tête jusqu'aux pieds.

« Alors, vous aussi », dit-elle...

Marat garda les yeux baissés sur une cigarette qu'il était en train de rouler. Il utilisait une boîte d'un mécanisme spécial; il fallait disposer le tabac dans un moule, placer la feuille de papier dans un cadre, la mouiller sur le bord, etc. Il en avait pour un moment. Comme il ne relevait pas l'exclamation :

« Je vous avais pris, dit-elle, pour un *ravitailleur*... oui, enfin, que vous veniez ici pour acheter du beurre, des œufs... que vous veniez ici pour des raisons vraies... »

Elle appuya sur le mot vrai.

Marat tassait le tabac dans le moule.

« Il sera dit, continua-t-elle, que, même ici, je ne rencontrerai pas un seul être normal. Vous aviez pourtant l'air un peu moins fou que les autres... que ce curé d'opérette... que ces apprentis chouans... que ce pauvre Frédéric... »

Elle parlait bas pour ne pas être entendue des autres. Le père Favre ne faisait pas attention à eux; il était habitué, par ces temps de conspiration, à ce que des inconnus vinssent chez lui et s'entretinssent à voix basse sans s'occuper de lui. Marat fit claquer le couvercle de la boîte, la cigarette jaillit par la fente. Mais le papier était mal collé et le tabac se répandit sur le banc. Il le poussa, de la main, dans la boîte, s'appliquant à ne rien perdre. La jeune fille, silencieusement, le regardait faire. Il ne se pressait pas. Visiblement, elle s'exaspérait.

« Alors, reprit-elle, vous êtes, vous aussi, un conspirateur. Vous voulez changer la face du monde... »

Elle se mit à rire.

« ... vous estimez, comme les autres, comme Frédé, comme ses amis, que tout le monde doit se mettre en quatre pour vous faire plaisir... parce que c'est pour la cause... Allons, laissez votre boîte tranquille, dites-moi tout de suite ce qu'on attend de moi... J'étais trop tranquille, enfin spectatrice, je pouvais rire en regardant les autres se prendre au sérieux, ça ne pouvait pas durer. Avez-vous des tracts à me faire porter?... Une valise?... de la littérature ou de la dynamite? Je préfère de la dynamite, c'est moins ridicule... »

Marat posa la boîte sur la table.

« J'avais, dit-il, à vous transmettre les amitiés de Frédéric qui a appris par hasard que j'avais affaire dans la région où vous vous... reposiez. C'est fait. C'est tout. Je suis à votre disposition si vous avez un message à lui transmettre... »

La jeune fille fronça les sourcils. Le triple pli barrant soudain le haut front, si pur, si lisse, gêna Marat comme quelque chose d'insolite, comme une intimité involontairement dévoilée.

« Asseyez-vous », pria-t-il.

Il la prit par le bras et l'attira sur le banc. Elle se laissa d'abord faire, puis se dégagea d'une brusque secousse. Elle s'assit mais s'écarta un peu.

Marat reprit la boîte et recommença avec application la confection de la cigarette ratée.

Les femmes desservaient la table. Deux domestiques, assis près de la cheminée, tressaient un panier d'osier. Le vieux Favre astiquait une paire de jumelles. Des jeunes gens entraient et sortaient. La salle était vaste comme dans les fermes de l'ancien temps, et chacun y trouvait place pour ses travaux ou sa rêverie particulière. Par la porte-fenêtre ouverte sur le jardin, pénétra soudain le chant du rossignol.

« J'ai compris, dit soudain la jeune fille. On vous a chargé de me convaincre que je ne dois pas abandonner Frédéric juste au moment où il se trouve traqué par la police, loin de ses camarades, seul à Paris où il ne connaît personne... vous ménagez vos effets, vous me laissez m'énerver... tout à l'heure, vous allez me dire que je n'ai pas le droit de pousser au désespoir un militant de la valeur de Frédéric, qu'en le sacrifiant à ma tranquillité je fais du tort au Parti... vous allez me laisser entendre qu'après tout c'est de ma faute si la police le recherche... »

Elle continua, très bas :

« ... que c'est de ma faute, si mon père est un mouchard... »

Elle fronça de nouveau les sourcils et détourna la tête :

« Eh bien, reprit-elle en relevant le front,

j'ai longuement réfléchi, depuis que je suis ici je ne cesse de réfléchir... »

Marat acheva brusquement la cigarette en faisant claquer la boîte. Il se leva :

« Non, dit-il, je ne suis pas chargé de vous donner des remords... Ça ne me regarde pas. »

Elle rougit cette fois. Il ne la quittait pas des yeux.

« Si vous n'avez plus rien à me dire, s'écria-t-elle, pourquoi me regardez-vous ainsi?

— Parce que vous êtes belle, dit-il.

— Adieu », dit-elle.

Il la rappela :

« J'oubliais. Frédéric m'a remis un mot pour vous... »

Elle prit la lettre sans rien dire, regarda l'enveloppe, la tourna, vit qu'elle n'était pas cachetée, jeta sur Marat un regard furieux, fut tout de suite au bas de l'escalier qui conduisait aux chambres, ses talons claquèrent sur les marches puis sur le palier du couloir; on entendit une porte se fermer.

Yvonne apporta des bouteilles de vin blanc. Le père Favre emplit les verres. On commença à boire.

Marat connaissait le rythme des veillées bressanes : vin jusqu'à minuit; à minuit, jambon et lard, tartes et matefaims; ensuite, le café, auquel succèdent de longues rasades de marc; à deux heures du matin, toute l'assemblée est ivre. les voisins s'en vont et les garçons reconduisent les filles jusqu'à leur porte en s'attardant le long des haies; la veillée, équivalent campagnard des boîtes de nuit, est au même titre une survivance des rites orgiaques.

Mais la veillée de ce soir-là était une veillée d'armes. N'étaient invités que les jeunes hommes qui devaient participer à l'expédition sur la voie ferrée; ils arrivaient l'un après l'autre, posant leur mitraillette contre le mur, près de la porte d'entrée; Yvonne apportait aussitôt un nouveau verre, mais on prenait garde de ne pas trop boire, afin de rester lucide. Pas d'autres filles que celles de la maison, on ne pensait pas à l'amour, le visage des femmes restait soucieux, l'un ou l'autre des jeunes gens assis autour de la grande table serait peut-être mort lorsque viendrait l'aube.

Vers onze heures trente. Annie réapparut. Marat fut surpris qu'elle eût changé sa blouse ivoire pour un pull-over au col roulé qui lui donnait une allure sportive. Elle s'assit à l'écart. sans mot dire, et se remit à lire, le livre posé sur ses genoux. Sa tête penchée, on ne voyait plus que l'opulente chevelure gris cendré dans laquelle jouait la lumière.

Au bout de la table, le fils Favre jouait à la

belote avec trois de ses camarades. Au centre, le curé et Marat racontaient tour à tour des anecdotes sur la Résistance.

.. ..

Vers minuit, quand la mère découpa la tarte, Jeanne, la fille cadette, dix-sept ans, se trouvait sur une chaise, un peu en arrière du curé, assis sur le banc. Le plat circula. Le curé, se tournant à demi, le tendit à Jeanne.

« Comment? Non?... à ton âge! Tu vas manger de cette tarte.

— Je n'ai pas faim.

— Je veux que tu en manges!

— Je n'en mangerai pas!

— Tu en mangeras! »

Le curé enjamba le banc, pour faire face à Jeanne. Il la fixait avec des yeux rieurs. Il tendait toujours le plat.

Jeanne pinça les lèvres d'un air mutin et croisa les bras.

« Je tiendrai le plat devant toi, jusqu'à ce que tu te décides à prendre un morceau de tarte...

— Ça ne me dérange pas...

— Je suis patient.

— Vous vous fatiguerez avant moi. »

Les jambes écartées, le coude appuyé sur le genou, il se cala bien en face d'elle. Il la regardait dans les yeux. Elle fermait à demi les paupières, souriait à moitié.

« Allons, Jeanne, intervint la mère, prends un morceau de tarte, pour faire plaisir à M. le curé.

— Mais je n'ai pas faim...

— Laissez-la, dit le curé, je veux que ce soit à moi qu'elle cède... »

Les garçons plaisantèrent :

« Cédera... cédera pas... voyez la sainte-nitouche, la mijaurée... »

L'homme et la fillette restaient muets, face à face. Les conversations s'interrompaient peu à peu. Un certain malaise prenait corps.

« Ça suffit! protesta le père. Jeanne, cesse cette comédie!

— Non, dit le curé, je veux que ce soit à moi qu'elle cède.

— Vous pouvez toujours attendre », dit Jeanne.

Elle ne souriait plus.

Le curé s'approcha et les deux adversaires se touchèrent du genou. Le silence devint total. Le malaise grandit.

Annie avait cessé de lire. Elle se leva et se mit à marcher d'un bout de la salle à l'autre. Le père vida un verre d'un seul coup. Un jeune homme dit : « Merde alors. » La mère tisonna le foyer de la cuisinière.

« Enfin, c'est ridicule », s'écria Annie.

Elle s'avança et essaya d'arracher le plat des mains du curé :

« Moi, dit-elle, je la mangerais bien tout entière cette tarte...

— Laissez-nous », protesta sèchement le curé.

Annie recula en haussant les épaules. Le malaise fut à son comble. Quelqu'un rompit le silence en réclamant à boire. Jeanne sursauta en entendant la voix. Elle était crispée. Elle serrait très fort ses bras croisés. Ses joues étaient rouges. On l'entendit haleter.

« Allons, mon petit », fit doucement le curé.

A ce murmure, elle ouvrit démesurément les paupières. Sans que ses yeux eussent quitté les yeux de l'homme, elle prit un morceau de tarte et mordit dedans.

Puis elle se leva, se détourna.

« C'est idiot », fit-elle.

Annie, dans son tour de salle, se trouvait justement à la hauteur de Marat. Il s'adressa à elle à mi-voix :

« Il doit toutes les avoir, dit-il.

— Vous êtes aussi idiot qu'eux », répondit-elle.

Elle retourna à son livre.

.. ..

A une heure du matin, le curé donna le signal du départ. Les jeunes gens se levèrent, tout d'un bloc.

Marat insista de nouveau pour participer à l'expédition. Le curé maintint son opposition. Toutes les règles de l'illégalité plaidaient en sa faveur : cloisonnement des organisations, stricte division du travail entre le renseignement et l'action, le commandement et l'exécution. L'insistance de Marat aurait fini par paraître singulière, comme s'il avait voulu pénétrer les rouages du corps franc.

« Je ne vais tout de même pas aller me coucher et dormir, protesta-t-il.

— Attendez ici, proposa le père Favre, nous serons les premiers à avoir des nouvelles. »

Enfin, le curé lui proposa de descendre par le bois jusqu'à la Prairie. A quinze cents mètres de la Saône s'élève un mamelon qui domine toute la région où se déroulera l'opération. Le prêtre l'y prendra au retour. Il lui donna le mot de passe, pour le cas où il se heurterait à un des groupes du maquis qui patrouillaient sur la rive gauche.

« Etes-vous armé?

— J'ai un colt. »

Annie, qui était de nouveau disparue, revint chaussée de brodequins de montagne et une canne ferrée à la main.

« Je vous accompagne, dit-elle.

— Pourquoi pas? répondit Marat.

— Vous connaissez le chemin? s'inquiéta le père Favre.

— Je l'ai fait plusieurs fois. A tout à l'heure, je m'invite pour le petit déjeuner. »

Ils partirent aussitôt. A deux cents mètres de la ferme, Marat prit Annie par le bras et la poussa vers un buisson; arrivés tout contre, ils découvrirent l'amorce d'un sentier qui descendait entre les arbres. Un peu plus loin, un sifflement les fit se jeter dans le taillis; le curé et sa troupe, en file indienne, lancés à vélo sur la pente, les dépassèrent silencieusement en les frôlant. De nouveau, il n'y eut plus que les bruits des nuits de printemps : le coassement des rainettes, le grincement des grillons, le huchement d'une chouette, le chant des rossignols.

Puis, dans le lointain, le roulement d'un train sur la grande ligne.

V

« SAVEZ-VOUS que je trouve tout cela ridicule? » dit Annie.

Ils marchent côte à côte, dans la Prairie, sur une piste vaguement marquée par les ornières des chars de foin de l'année précédente. Ils ont très peu parlé depuis leur départ de la ferme. Marat a prévenu des accidents du chemin, nommé les animaux dont les cris peuplent la nuit. Annie a interrogé : « Est-ce la chouette qui fait hou-hou? » « Qu'est-ce que cette lumière à notre gauche? »

« Qu'est-ce que vous trouvez ridicule? demande Marat.

— Tout cela », dit-elle...

Et d'un ton narquois, feignant de compter sur ses doigts :

« ... l'attentat contre le train, les mots de passe, le « cloisonnement », les « liaisons », les gaullistes, la Résistance, la Pas-Résistance... Le Parti, oui, même le Parti... et puis nous tous, le curé, ses jeunes gens, Frédéric, vous, moi quand je suis avec vous... enfin toute cette histoire qui n'en finit pas et qui ne mène à rien...

— Toute cette histoire, répéta Marat... je vous suis mal... je ne vois pas où vous voulez en venir...

— Oui, tout ce jeu que vous faites semblant, les uns et les autres, de prendre au sérieux... Car enfin, vous jouez... j'imagine que vous, vous êtes assez cynique pour l'avouer... en petit comité... Le curé joue au chef de bande : le Roi des Montagnes, Edmond About lui a tourné la tête, il choisit mal ses auteurs... poser des bombes au clair de lune, faire dérailler un train, c'est évidemment un jeu passionnant... même pour un curé. Frédéric s'excite d'une autre manière : il joue à la Révolution, c'est lui l'Incorruptible, il s'imagine Robespierre comme les gosses s'imaginent chauffeurs de locomotive; en fin de compte il joue au même jeu que le curé, tous les jeux de garçons se ressemblent, il s'agit toujours de bousiller le canapé du salon, le train de von X... ou le monde bourgeois. »

Elle s'interrompt un instant pour souffler ou pour attendre un mot d'approbation.

Elle n'est pas mécontente de la formule, pense Marat.

« Frédé, reprend-elle, remplace les problèmes tactiques par les débats intérieurs, la carte d'état-major par le « dictionnaire des cas de conscience » (à la manière marxiste); choisir entre l'amour et la révolution, ah! le beau débat que voilà, de quoi parler toute une nuit avec les copains... et, bien entendu, c'est l'amour qui est jeté par-dessus bord... tiens j'y pense, des deux ce n'est pas le curé, c'est Frédé qui est le jésuite...

— Y compris le vœu de chasteté.

— Ah! vous êtes au courant... Et vous, au fait, à quoi jouez-vous?... Vous devez jouer à faire jouer les autres, le sale gosse qui pousse ses petits camarades à mettre des hannetons dans le tiroir du maître et qui regarde en ricanant la réaction produite... Vous aviez bien ménagé votre effet tout à l'heure : à brûle-pourpoint dans mon oreille : « Je suis chargé de vous transmettre les amitiés de Frédéric... » et moi qui ai dû rougir comme une gourde...

— Non, vous avez pâli...

— Hypocrite. Derrière votre maudite machine à cigarettes vous guettiez l'effet produit. Vous aviez l'air de bien vous amuser. Ne seriez-vous pas metteur en scène, dans le « civil »... ou fabricant de mélos?

— Halte-là! ce n'est pas moi qui fabrique

des mélos. Le père livre l'amant de sa fille, la fille doit choisir entre l'amour paternel, l'amour de la Patrie et l'amour tout court... le scénario n'est pas de moi, je n'ai fait que me mettre dans le ton, on n'aborde pas Chimène dans les mêmes termes qu'une « agrégative » de philosophie...

— Et tout cela vous fait rire... Vous êtes un infect individu.

— Vous savez, je suis trop ignorant du « détail humain » pour être véritablement ému... on ne m'a raconté que le thème de votre histoire, le synopsis, comme on dit maintenant...

— Vous voyez, vous êtes forcé d'employer des mots de théâtre. Je vous dis que nous jouons... comme de sales gosses... ou de sales cabots. Attention! vous connaissez le proverbe : il ne faut pas jouer avec le feu, jeu de main, jeu de vilain. Frédéric et moi, nous avons tellement joué avec le feu qu'un peu plus il était pris, torturé, fusillé... et il est encore loin d'être en sécurité; mon pauvre père a été amené à faire une saloperie qui doit sacrément l'empêcher de dormir; et moi, si je n'étais pas, comme dit maman, une sans-cœur, je devrais passer le reste de ma vie à pleurer; je ne vaux guère mieux. Drôle de jeu.

— Il y a un autre proverbe qui dit : Qui perd gagne...

— Faites donc de l'esprit. Je ne me sentirais pas le cœur léger si je venais d'envoyer de pauvres garçons — qui jouent à la guerre avec de vrais fusils — faire sauter un train — un train dans lequel des hommes que vous n'avez jamais vus et dont, somme toute, vous ne savez rien, sont en train de dormir paisiblement. Vous ne pensez pas que ces jeunes gens peuvent être tués, tout près de nous, dans cinq minutes, pendant que nous serons en train de bavarder au clair de lune? Avez-vous déjà vu le cadavre d'un jeune homme, avec un tout petit trou dans la tête? Moi, je l'ai vu : c'est bête, la mort d'un jeune homme, impardonnablement bête. Le petit trou dans la tête est sans commune mesure possible avec l'amusement que leur procurera le train qui sautera et la satisfaction d'amour-propre que vous en tirerez. On ne peut pas peser ces choses-là, mettre sur un plateau un attentat contre un ministre, une chose comme on en lit dans les manuels d'histoire, loin de nous, abstraite en quelque sorte, et sur l'autre plateau la chose la plus irrémédiablement concrète : la mort d'un homme. On n'a pas le droit de jouer avec la mort. J'ai beaucoup réfléchi depuis que je suis ici... »

Annie parle sans éclat de voix, sans véhémence, sur un ton bas et monotone, comme si elle se confessait.

Elle se dépêche, pense Marat, de déballer les idées que depuis huit jours, elle tourne et retourne dans sa solitude. Elle a sauté sur l'occasion de parler devant quelqu'un de son milieu, de son langage. Elle doit avoir déjà vingt fois dit ces mots, devant des auditoires imaginaires, pendant que Mme Favre préparait les gaudes et que le fils Favre s'excitait en essayant de regarder par la fente de son corsage...

Soudain, sans qu'ils l'aient vu venir, un homme se trouve devant eux, au milieu de la piste :

« Halte-là! » crie-t-il en braquant une mitraillette.

Il siffle et de nouvelles silhouettes surgissent, de jeunes gens vêtus de tuniques militaires sans les boutons réglementaires et de toutes les espèces de vieux vêtements que l'on met pour aller aux champs, coiffés de bérets et de casquettes, musette au côté, mitraillette ou fusil sur l'épaule, bandes de cartouches attachées autour du buste par des ficelles ou des lanières de toile.

« La Manche, dit Marat d'une voix forte, est plus large que la Seine... »

L'homme abaisse sa mitraillette.

« Qu'est-ce que vous faites dans la Prairie à cette heure-ci? demande-t-il.

— Ça doit ressembler à ce que vous y faites vous-mêmes.

— Où allez-vous?

— Par là! »

Marat désigne l'horizon occidental d'un geste large.

« Enfin, puisque vous avez le mot de passe, je dois vous laisser aller... »

Les jeunes gens s'approchent l'un après l'autre pour regarder Annie. Ils parlent à voix basse. Plusieurs rient.

« Vous pouvez faire de mauvaises rencontres, dit encore l'homme.

— Vous nous protégerez », répond Marat.

Il prend le bras d'Annie et l'entraîne. Ils entendent la voix qui bougonne :

« Drôle d'endroit pour faire du plat à sa bonne amie... »

Les silhouettes s'évanouissent dans la nuit.

« Qu'est-ce que je vous disais! s'écrie Annie, en voilà encore qui jouent : la Police de la Prairie; s'ils étaient à cheval, ce serait tout à fait du Fenimore Cooper. Pauvres gosses! Si votre fichue expédition tourne mal, ils auront tout à l'heure toute la garnison de Mâcon sur le dos; ils ne pourront pas crier pouce, dire que ça « compte pour du beurre », que ce n'est plus du jeu : ce sacré jeu-là, quand on l'a déclenché on ne peut plus l'arrêter...

« Vous rappelez-vous l'histoire idiote qui courait les rues, il y a deux ans? C'est à bord d'un voilier encalminé, en plein océan; calme plat, ennui sans bornes; un passager organise un jeu, je ne sais plus quoi, ça aboutit à mettre le feu aux poudres, le navire saute et il ne reste plus sur l'océan qu'une poutre à la dérive, sur laquelle, miraculeusement sauvé, le perroquet du bord répète inlassablement : « Pour un jeu de con, c'est un jeu de con. » Mon cher camarade, voilà la morale de notre histoire.

— Joli, dit Marat... Tout ce que vous venez de dire — si joliment — ne prouve qu'une chose, c'est qu'à l'origine la « Résistance » n'a répondu à aucun besoin profond, n'a été qu'un jeu... pour vous... et, sans doute, pour pas mal de petits bourgeois et bourgeoises de France; quand ça devient dangereux, vous criez pouce... Mais je voudrais bien savoir ce qui, à vos yeux, n'est pas un jeu?

— La vie, la vie toute simple...

— Comprends pas. Si jeu il y a, le jeu aussi fait partie de la vie... ou la vie du jeu...

— Ah! vous êtes un sophiste... comme Frédéric, comme tous ses amis. Vous avez trop lu, dirait ma mère. Moi aussi j'ai trop lu. Nous sommes pourris. Tout est beaucoup plus simple que nous ne l'imaginons. Demandez un peu à Mme Favre ce qui est sérieux et ce qui ne l'est pas : elle vous le dira tout de suite.

— Parlons-en! Comme extravagants, je ne connais pas mieux que les paysans. Mon voisin joue (pour employer vos termes) à élever des chevaux; il s'entête à ne pas voir que son domaine, terre à blé et à pommes de terre, ne convient pas à l'élevage; il se couvre de dettes, il hypothèque son bien, il ruine ses enfants, tant pis, il a chanté toute la journée parce que sa jument a fait un poulain. J'en connais cent de la même espèce, des rêveurs éveillés, si la nature n'arrangeait pas les choses, ce serait la famine deux ans sur trois...

— Semer le blé, cuire le pain, presser le vin, faire des enfants, les élever, travailler pour nourrir sa famille, voilà qui n'est pas du jeu, qui est vrai, qui donne un sens à la vie...

— Est-ce possible? Voilà que vous parlez comme ce pauvre Giono... ou ce vieux salaud de Maréchal... J'attendais mieux d'une agrégative de philo, un peu plus d'esprit critique...

— Mais justement, je me moque de la philo. D'ailleurs, je ne veux plus discuter avec vous. Vous aurez toujours raison. Frédé m'a eue de cette manière : il finissait par me convaincre bien que je sente, au fond de moi, exactement le contraire de ce qu'il me faisait admettre. Quand je pense que j'ai passé des nuits à coller des tracts sur les murs. Quelle rigolade! Ce que je m'en fous de la société future, de l'avenir du prolétariat! de l'édification du socialisme! D'ailleurs, vous aussi, vous vous en foutez... ça se voit tout de suite, rien qu'à votre manière d'entrer chez les gens, à votre sourire, à votre nœud de cravate...

— Vous vous trompez, Annie. Si nous faisons mieux connaissance, vous vous apercevrez que « l'édification du socialisme » est la seule et unique tâche que je prenne au sérieux... ça a l'air un peu con de le dire comme ça... mais c'est vous qui m'y obligez...

— Tant pis pour vous. Pour moi ce sont des mots. Depuis que je suis chez les Favre, j'ai fait le point, je sais maintenant très exactement ce qui, pour moi, est réel et ce qui n'est que du vent...

— Il y a un progrès; vous venez de dire : « pour moi », vous pourriez sans doute ajouter : « pour les intellectuelles petites bourgeoises de mon genre »...

— Vous êtes méchant, mais je m'en fous. Comme si, d'ailleurs, vous n'étiez pas aussi un « intellectuel petit bourgeois ». Enfin je sais maintenant exactement ce que je veux et ce que je ne veux pas.

— Dites, vous en mourez d'envie...

— Je veux pouvoir me réjouir d'avoir de jolis cheveux et être de bonne humeur lorsqu'il fait beau, sans arrière-pensée ni remords, même si les Russes ont perdu une bataille.

« Etre aimée par un garçon qui me plaise et lorsque mon amoureux m'aura fait plaisir, rire toute la journée, sans penser au testament de Lénine.

« Mettre une jolie robe pour lui plaire davantage, sans me demander si ma couturière n'aurait pas plus de droits que moi à porter cette robe.

« Aller à l'occasion, sans en faire un cas de conscience, dans un grand restaurant, avec le maître d'hôtel en habit, des fleurs, de la musique, du champagne.

« Plus tard, me marier et avoir des enfants, comme Mme Favre.

« Epouser un homme qui gagne assez d'argent pour que nous ayons une salle de bains, une bonne, une auto.

« Une auto, pourquoi pas? Frédé trouverait cela ridicule. Mais pourquoi n'aurions-nous pas une auto? Pourquoi laisser toujours les plaisirs aux autres sous prétexte qu'on est plus intelligent qu'eux?

« Danser, Frédéric ne sait pas danser, il trouve que c'est perdre son temps, que c'est hypocrite, que c'est pour frôler, une manière de faire l'amour sans le faire, qu'est-ce qu'il en sait, le pauvre Frédéric? Une manière de tuer le temps, c'est le temps qui nous tue, nous n'avons pas un instant à perdre, nous autres communistes, un truc pour montrer ses robes, ses fesses, de l'exhibitionnisme social et sexuel, etc. Chaque fois qu'il apprenait que je devais aller danser, il me chargeait, juste à ce moment-là, de charrier des valises pleines de tracts, pas moyen de changer le rendez-vous, les camarades qui devaient recevoir les tracts attendaient au lieu dit, on n'allait tout de même pas les déranger deux fois pour que je puisse danser avec des imbéciles de jeunes bourgeois zazous... Eh bien, je veux déranger la terre entière si j'ai envie de danser, et surtout *je ne veux plus* jouer ce jeu que vous jouez tous. Si j'avais été prise avec mes tracts, je serais au cachot jusqu'à la fin de la guerre, jusqu'à la fin de ma jeunesse, on est vieille quand on sort de prison.

« Je ne veux plus qu'un camarade puisse me demander : « As-tu réfléchi à ce que tu

« dirais si la Gestapo te torturait, si on te
« grillait la pointe des seins, si on t'enfonçait
« des clous sous les ongles?... »

« Je ne veux pas être enfermée, je ne veux pas être battue, je ne veux même pas avoir à me cacher, je ne veux pas être tuée, même en chantant la *Marseillaise* ou l'*Internationale,* je ne veux plus voir de cadavres de jeunes hommes. J'ai peur maintenant, je ne veux plus avoir peur. Adieu, la Résistance, adieu, le Parti! Est-ce vrai qu'il y a une guerre quelque part? Je défends qu'on me réponde. Les humains jouent une pièce absurde pleine de sang et de cris arrachés par la souffrance, un mélodrame sans queue ni tête; moi, je n'en suis pas. Je tire ma révérence. Ni vue, ni connue. Une jeune fille passe...

— Vraiment, interrompt Marat. Auriez-vous par hasard oublié ce que nous sommes en train de faire?

— Nous nous promenons dans la prairie, au clair de lune, lune d'avril, lune des rossignols. Je fais des confidences sensationnelles à un monsieur que je ne connais pas : oh! qu'il n'en tire pas vanité, il n'est qu'un prétexte. Qu'est-ce que nous faisons? Nous regardons les reflets de la lune dans la Saône, tenez, la voilà, la Saône, je ne pensais pas que nous fussions si près d'elle, nous avons diablement marché, nous faisons du sport, du footing, c'est bien le mot? »

Annie se tait car un grondement, un roulement vient de surgir sur la droite et grossit rapidement. On distingue bientôt le halètement d'une locomotive. Le grondement s'amplifie. Un éclair rouge dans la nuit. Une détonation sourde, pas très forte. Le roulement se casse en cascade comme une grande maison qui s'écroule et le fracas prolongé des matériaux qui rebondissent. Un silence. Puis le bruit de la vapeur qui fuse par une fente de la chaudière. Annie et Marat sont trop loin pour entendre les cris et les gémissements.

« Alors, dit Annie, vous êtes content?

— Pas encore. Je ne suis pas sûr que ce soit le bon train. »

.. ..

Annie et Marat reviennent lentement sur leurs pas. Des coups de feu clairsemés éclatent par intermittence sur l'autre rive de la Saône.

« Alors, c'est tout? demande Annie.

— Je crois que oui. J'ai toujours entendu ceux qui avaient participé à des batailles dire qu'ils n'avaient rien vu. Vous vous rappelez d'ailleurs... de Fabrice à Waterloo...

— Littérature! »

Comme ils vont côte à côte, les bras ballants, la main de Marat rencontre celle d'Annie. Il prend un doigt, elle ne le retire pas. Maintenant, ils marchent en se tenant par la main, comme deux enfants. Dans le clair de lune, il ne distingue de la tête d'Annie que la chevelure aux larges ondulations.

.. ..

« Pourquoi Frédéric est-il communiste? demande Marat.

— Pour les mêmes raisons qui, en d'autres temps, l'auraient fait entrer au couvent, parce que le Parti a une doctrine aussi précise qu'un dogme et exige de ses membres une discipline absolue.

« Frédéric a peur de la vie : c'est là l'essentiel, ce qui l'explique tout entier.

« Il a peur des femmes; nous autres femmes, nous sommes de la vie toute crue : c'est pourquoi il est puceau.

« Il ne lit jamais de « nouveautés », il ignore tout ce qui a été publié depuis 1880; parlez-lui de Gide, Claudel, Valéry, il répond : connais pas; quand il veut être grivois, il cite du Pétrone : c'est une manière d'échapper à notre temps; tout son effort tend à se *désincarner*. C'est pourquoi, entre toutes les carrières, il a choisi d'être professeur.

« Il se regarde du point de vue de Sirius. De là-haut, il n'est plus Frédé X., né en 1922. à Passy, de tel père et de telle mère, myope, asthmatique, les cheveux noirs, vingt-deux dents, licencié, etc. Il échappe aux déterminations concrètes, il n'est plus qu'un homme, l'homme éternel. Homme, il doit se conduire de telle manière que tout autre homme à sa place..., etc.; ça le conduit à l'idéal de justice de la société communiste...

— Ce n'est pas du marxisme, plutôt une sorte de kantisme...

— Bien sûr. La lutte des classes le choque : c'est un sujet qu'il évite; il saute tout de suite à la société sans classe, celle que nous réaliserons. Du point de vue de Sirius, c'est comme si elle était déjà réalisée. Citez-lui la fameuse formule de Lénine : « Le communisme, c'est le pouvoir des Soviets, plus « l'électrification de tout le pays ». il éludera le débat, qu'est-ce que l'électrification peut bien changer au destin de l'Homme Eternel?

— Mais rien ne l'obligeait à entrer au Parti...

— Si, sa vocation : sa vocation de parfait militant. Il est né militant. Il a reçu je ne sais plus combien de fois les félicitations de notre responsable régional qui était pourtant chiche de compliments. Il consacre tout son temps, toute sa pensée, la totalité de son attention à l'action pour le parti, il ne garde pas une heure pour lui, il sacrifie *a priori* toute vie personnelle; avec cela, exigeant pour ses subordonnés comme pour lui-même, les talonnant sans répit, les harcelant, ils ne peuvent pas protester, il donne l'exemple. Le résultat est nécessairement exemplaire; son groupe est toujours un groupe de choc, on le propose comme modèle dans toute la région. On ne peut même pas reprocher à Frédé ses déviations idéologiques : dès qu'un responsable d'un rang supérieur, discutant amicalement, critique un de ses points de vue, il se rétracte; les camarades n'aiment pas beaucoup cela, mais que voulez-vous lui reprocher?

« Du communisme, c'est essentiellement la discipline qui l'a séduit. *Perinde ac cadaver* : le moyen le plus efficace d'échapper à la vie... sans jeu de mots.

— Le *joke* est bon...

— Car la vie, n'est-ce pas? dans son essence, dans ce qu'elle a de foncièrement angoissant, peut être définie comme la *liberté de choisir*...

— Mais le communiste ne renonce, en une certaine mesure, à la liberté du choix, ne se soumet à une discipline que parce que celle-ci est nécessaire à l'efficacité de l'action et qu'au stade actuel de la lutte, l'efficacité doit tout primer. Le but final n'en reste pas moins la liberté individuelle la plus totale; nous reprochons précisément à la démocratie bourgeoise de n'accorder au non-possédant qu'une apparence de liberté, nous luttons pour la liberté... Même au stade actuel, vous savez tout le prix que les communistes attachent à la libre critique à l'intérieur du Parti...

— Frédé, au contraire, fait profession de foi communiste pour pouvoir mettre l'esprit critique sous le boisseau, il a choisi une fois pour toutes, il a la conscience en paix pour toujours. Quand se pose un problème il se réfère au dogme, l'angoisse ne trouve plus prise que dans l'interprétation du dogme...

— Frédé s'est trompé de porte : il aurait dû se faire catholique. Il trouverait chez les curés tout ce qu'il cherche chez nous... et qui n'y est pas, il faudra bien qu'il s'en aperçoive un jour... à ce moment-là, il pourra même faire de sa chasteté vertu : « la chasteté dont l'odeur plaît à Dieu », j'ai lu cela quelque part, Dieu aime les odeurs rances, c'est curieux comme l'évocation du catholicisme me rend instantanément grossier... Je crains que le cas de Frédé ne soit celui de beaucoup d'intellectuels bourgeois passés au communisme entre les deux guerres, à l'époque où les conversions étaient à la mode : conversions au catholicisme ou au communisme. « A la mode », c'est-à-dire que les contradictions du monde bourgeois agonisant étaient devenues si poignantes, si intolérables qu'il fallait absolument trouver un moyen quelconque d'évasion : ce fut aussi l'époque de la drogue, de la poésie pure, des croisières autour du monde et d'une renaissance des sciences occultes...

« Mais le militant ouvrier qui se trouve un beau matin avec la responsabilité d'une grève sur les bras n'a pas la tentation de chercher dans le communisme un paradis artificiel; il maintient la ligne; en général, les Frédéric s'excluent d'eux-mêmes; ils retournent chez les curés qui leur tendent volontiers les bras, les curés ont un faible pour les défroqués du communisme... »

Des coups de feu éclatent sur la rive *gauche* de la Saône, c'est-à-dire sur la rive où se trouvent Marat et Annie, vers le sud, en direction d'Etiamble. D'abord clairsemés, puis par rafales, à hauteur, semble-t-il, de la route qui longe le bas du plateau. Une mitrailleuse aboie spasmodiquement.

« Qu'est-ce que ça signifie? demande Annie.

— Je ne comprends pas. La garnison de Mâcon ne peut pas être déjà dans les parages;

il n'est même pas probable qu'elle soit alertée. Un guet-apens est par ailleurs invraisemblable; si nous avions été mouchardés, les Allemands auraient d'abord veillé à empêcher l'attentat; que le train ait sauté — et nous l'avons *vu* sauter — prouve que le secret a été conservé. Il ne peut donc s'agir que d'une rencontre fortuite entre une patrouille allemande et nos éléments de protection.

— Qu'allons-nous faire?

— L'escarmouche doit être brève, il ne peut y avoir que peu d'effectifs engagés de part et d'autre. Nous n'avons qu'à poursuivre notre route tranquillement. Nous aurons atteint le bois avant l'aube.

— Je l'avais bien dit : jeu de main, jeu de vilain... »

. . . .

L'air fraîchit. Il est trois heures du matin, heure allemande, le jour ne se lèvera que dans deux heures. Annie frissonne dans son tailleur.

La fusillade qui s'était promptement interrompue reprend soudain, mais cette fois en amont, à l'opposé d'Etiamble et beaucoup plus près d'Annie et de Marat. Ils entendent aussi un bruit de moteur à côté de la route. Plusieurs explosions se succèdent : sans doute des grenades. Puis des éclairs surgissent d'un bosquet dont la silhouette se détache dans la nuit, à une centaine de mètres seulement, semble-t-il.

« Quittons la piste », dit Marat.

Il n'a pas lâché la main d'Annie. Il l'entraîne à l'opposé du bosquet. Ils courent, ils trébuchent dans les fossés d'irrigation, l'herbe d'avril leur vient jusqu'à la ceinture.

Du côté de la route, une arme automatique entre en action. Une autre lui répond, au nord de la Prairie, semble-t-il. Des coups de feu isolés éclatent çà et là.

« Couchons-nous », dit Marat.

Ils se couchent côte à côte, le bosquet disparaît. ils ne voient plus que les herbes qui frôlent leur visage, le ciel de pleine lune lui-même n'apparaît plus que par intermittence à travers le treillis serré des graminées.

« J'ai sommeil, dit Marat.

— Ça me semble tout indiqué...

— Je suis claqué. J'ai passé la nuit précédente dans le train, debout presque tout le temps... »

Il sort un tube de son gousset et avale plusieurs tablettes d'ortédrine. C'est un doping dont on fit grand usage dans les milieux de Résistance; toute une légende s'était créée à l'entour; on disait que les troupes d'assaut allemandes en usaient avant les attaques.

« Dans une heure, dit Marat, je serai prêt à participer à la bataille...

— Il ne manquerait plus que ça... »

Il offre des tablettes à Annie.

« Non, dit-elle, j'ai horreur des drogues... »

Il y a de longs moments de silence. Puis la fusillade reprend, se déplace vers le nord, revient, s'éloigne de nouveau, meurt et renaît.

Marat somnole, avec de brusques reprises de conscience quand Annie fait une remarque ou quand un coup de feu claque plus près.

« Quelle histoire idiote, dit Annie.

— Complètement idiot, répondit-il.

— J'ai horreur de cela, dit-elle.

— Moi aussi », répond-il.

Il regarde l'heure au cadran lumineux de son bracelet-montre. Il calcule dans combien de temps l'ortédrine agira. Il guette l'effet de la drogue; généralement l'allégement commence par les jambes, puis comme un vent léger qui chasse les brumes matinales, monte en lui, se répand progressivement dans tout le corps, libère enfin les paupières, dissipe le rideau opaque qui pesait sur le front. Il ajourne à ce moment-là la décision à prendre.

« Nous ne pourrons pas rester éternellement couchés dans cette herbe, dit Annie.

— Il finira bien par se passer quelque chose », répond-il.

Pendant un moment, il se voit, dormant dans l'herbe, avec une graminée qui lui chatouille le front, il voudrait que *lui* se réveille pour écarter l'herbe : il se rêve.

Dès que la fusillade s'arrête, la Prairie semble infiniment calme et paisible. Impossible d'imaginer des blessés, des morts, des hommes aux aguets...

« C'est absurde, répète Annie.

— Complètement absurde. »

.. ..

Maintenant, chaque fois que la fusillade renaît, c'est plus au nord et les détonations paraissent de plus en plus lointaines.

Marat et Annie ont repris la marche vers le bois mais ils avancent dans l'herbe haute, parallèlement à la piste.

« Comprenez-moi, exige Annie, cette nuit, cette semaine, les mois que nous venons de vivre sont absurdes comme un cauchemar, absurdes jusqu'à l'angoisse. Pourquoi dois-je aider cet homme et tuer cet autre? Pourquoi celui-là est-il mon camarade et celui-ci mon ennemi? A quoi tient-il que ce ne soit pas l'inverse? Et enfin : telle jeune fille que je connais et qui n'est pas tellement différente de moi — le même milieu social, les mêmes études, une manière analogue de s'habiller, de se coiffer, de se maquiller — est milicienne : l'inverse est-il vraiment inconcevable? Je veux dire : est-il absolument inconcevable qu'en 1941, quand ni l'une ni l'autre n'était encore engagée, compromise, au moment du choix, elle soit devenue communiste et moi milicienne? Que je puisse me poser la question suffit à rendre absurde toute la vie que je mène depuis deux ans; ne demeure plus qu'un jeu sanglant, intolérablement gratuit. »

Marat proteste avec véhémence. Mille causes conscientes ou inconscientes ont concouru au choix d'Annie; supposer qu'elle aurait pu faire un autre choix c'est supposer qu'elle aurait pu naître hottentote : évidemment, mais ce ne serait plus elle; ce genre de questions relève d'un « usage illégitime de la Raison Pure ».

Mais Annie s'entête. Peut-être pose-t-elle mal la question mais son angoisse, son dégoût sont réels. Elle cherche à les interpréter. Elle essaie une expression, puis une autre. Elle tâtonne. Elle voudrait que son compagnon l'aide à trouver l'explication libératrice.

Maintenant elle met en doute l'efficacité de

la Révolution : l'homme exploitera toujours l'homme, à une classe de profiteurs s'en substituera une autre, etc.

« Attention! s'écrie Marat, vous portez de l'eau au moulin de l'ennemi. Vous êtes en train d'énoncer un de ses plus puissants arguments : si en effet Auguste succède nécessairement à César, pourquoi tuer César? César a le plus gros intérêt à nous persuader que tout effort pour améliorer notre condition est vain, qu'il y aura toujours un César. *Vanitas vanitatum et omnia vanitas :* la plus efficace des formules de dressage.

« Dans chaque village de France, dit encore Marat, les hommes se partagent en deux partis irréconciliables : les rouges et les blancs, la gauche et la droite. Il ne faut ni rire ni blâmer. On retrouverait aisément cet antagonisme à travers toute l'histoire de l'homme. Il est plein de sens. »

Il raconte alors des scènes auxquelles il a assisté le matin même, à la gare de Mâcon : des policiers arrêtant de jeunes paysans réfractaires, le chauffeur d'un car surchargé jouant au tyran, terrorisant « ses » voyageurs, des paysans décontenancés, sans défense.

« L'homme de gauche, explique-t-il, n'aurait pas considéré les vexations de la police et du chauffeur comme une fatalité inéluctable, inhérente à la condition du paysan qui voyage : son premier mouvement est toujours de protester, d'ameuter la foule, de la persuader de ses droits, de l'*éveiller,* de l'engager à la résistance; l'homme de gauche est celui qui, lorsque l'impôt est trop lourd, conçoit qu'il est possible de ne pas le payer, suscite des réfractaires et les groupe, de toute éternité il complote contre le tyran.

« L'homme de droite au contraire proclame au nom de l'ordre qu'il ne faut rien changer au désordre existant. Dans le cas de ce matin, il aurait ajouté que les paysans ne doivent pas oublier qu'ils appartiennent à un peuple vaincu, qu'ils doivent supporter patiemment les conséquences de leur défaite, qu'elles sont, somme toute, un juste châtiment de leurs fautes passées — par exemple d'avoir élu en 1936 la Chambre du Front populaire : l'homme de droite n'oublie jamais le péché originel.

« L'antagonisme foncier, irréductible des deux attitudes se manifeste dans tous les domaines.

« L'homme de gauche croit au chemin de fer, à l'avion, à la T. S. F., au vaccin qui jugulera la maladie inguérissable, à la greffe qui rendra la jeunesse, à l'égalité de la femme et de l'homme, à l'entente internationale qui empêchera les guerres. L'homme de gauche croit à l'homme et ne conçoit pas de limites *a priori* au pouvoir de l'homme.

« L'homme de droite croit en Dieu, à la fatalité des lois économiques, à l'enfer, à la syphilis inguérissable, à l'éternel féminin, à la malédiction qui pèse sur le peuple juif, à la guerre inévitable, qu'il y aura toujours « des riches et des pauvres », que le Maréchal est respectable et que Hitler est invincible. Thiers disant que le premier chemin de fer était un joujou pour amuser les Parisiens et que bientôt on n'en parlerait plus, se comportait typiquement en homme de droite.

« Ah! s'écrie encore Marat, malgré les cravates à système des radicaux, malgré les lorgnons de la Maison de la Culture, malgré les mesquineries, les potins, les petites jalousies, la médiocrité fatale de ceux qui ont toujours été obligés de « compter » parce qu'ils étaient pauvres, comme je me sens « homme de gauche »!

— Ah! s'écrie Annie, comme l' « homme de gauche » me fatigue! Tenez-vous vraiment à ce que nous fassions la mille et deuxième révolution de l'histoire? Etes-vous bien sûr que les précédentes aient amélioré la « condition humaine »? — que l'ouvrier à la chaîne soit plus heureux que l'esclave romain, qui faisait partie de la famille, qui travaillait comme il pouvait, quand il pouvait, sans qu'on mesurât ses gestes, son souffle...

— Je connais la chanson, interrompt Marat, les « chiens de garde » des classes possédantes la remettent à la mode chaque fois qu'une menace de révolution est dans l'air... »

Il s'étend sur ce point. Il estime que c'est à dessein que les penseurs officiels du régime semblent ne pas s'apercevoir que la condition humaine est complètement changée par les progrès récents des techniques. L'électricité, après la machine à vapeur, multiplie à l'infini les possibilités de production : tel est le point capital. Jusqu'à maintenant, ce fut la pauvreté qui conditionna les rapports humains, la lutte pour la possession des rares richesses sélectionnait les maîtres, les vaincus projetaient leurs désirs dans l'au-delà, se rabattaient sur Dieu. L'abondance supprimera la plupart des « problèmes éternels ». Nous ne sommes même pas capables d'imaginer ce que sera l'homme de demain, l'homme qui n'aura pas connu la pauvreté. L'humanité entre dans une ère nouvelle, nous nous trouvons au tournant décisif de son histoire.

« Les pauvres, dit-il, sont méchants, sournois et vicieux. Le pauvre est sale. La faim rend cruel. Les Aztèques ne savaient pratiquer qu'une culture : celle du maïs; la hantise de la famine — inévitable chaque fois que la récolte de maïs était déficitaire — engendra les sacrifices humains et les automutilations : une civilisation de l'épouvante. Nous ne paraîtrons pas moins dégoûtants à l'homme de 2044, l'homme de l'abondance. Il sera stupéfait de notre cruauté, de notre bêtise, de notre saleté, de nos superstitions. Nos cérémonies le plongeront dans l'étonnement : je pense par exemple à Churchill et à Roosevelt, responsables de deux gigantesques empires, chefs d'une guerre bien réelle, debout et nu-tête sur le pont du *Potomac,* en train de chanter sans rire un vieux cantique protestant. »

Parallèlement Marat pense :

Nous sommes seuls dans la nuit, en pleine campagne. Tout à l'heure je tenais sa main dans la mienne. Je lui parle de la civilisation aztèque et de l'homme de 2044, c'est le comble du ridicule... Annie est-elle pucelle? Je n'en ai pas l'impression, elle devait coucher avec l'étudiant en médecine qu'elle « fréquentait » avant de connaître Frédéric... S'attend-elle à ce que je joue les séducteurs, à ce que je livre assaut? A certains moments de la nuit je l'ai cru... Son visage ne m'excite pas, les traits fins n'invitent pas à la sensualité, ses lèvres sont trop minces... mais j'ai envie de toucher ses seins... Je me suis lancé dans une autre voie : il y a maintenant des quantités de choses que j'ai envie de dire, l'ortédrine agit à fond, elle augmente le tonus *d'une manière générale mais on peut en aiguiller l'effet, au choix, vers tel ou tel domaine, effort musculaire ou effort intellectuel, etc.; je l'ai branché sur la faculté d'élocution... Le pull-over moule les seins plus exactement que la blouse de soie mais produit cependant un effet moins troublant, il n'y a plus l'impression du crissement de la pointe dressée sur l'étoffe un peu rèche...*

Cet ordre de pensées court parallèlement aux paroles dites, s'effaçant à maintes reprises comme les torrents qui disparaissent dans des « trous », reparaissant dès que l'intérêt de la discussion faiblit. Annie de son côté suit le discours de Marat; elle répond :

« Soit, dit-elle. Mais pourquoi ajouter du sang à tant de sang déjà versé? Attendons en paix que les techniques nouvelles aient créé l'abondance qui donnera naissance à l'homme nouveau...

— Il n'y a pas de fatalité historique, répond Marat. Il ne faut pas croire que les crises capitalistes engendreront nécessairement l'Etat socialiste. Le torrent ne produit de l'électricité que si l'homme l'y contraint. Les capitalistes ont en main tous les outils de l'abondance : ils les utilisent à faire la guerre; parlera-t-on alors de l'inéluctable nécessité de la guerre? Ce serait également faux. L'homme, pour la première fois dans son histoire, tient en main la possibilité de son bonheur. Mais il faut qu'il le réalise. Et nous pouvons échouer si nous sommes maladroits ou veules...

« En juin 36, j'ai rendu visite aux employés du *Louvre* qui « occupaient » leur magasin. Ils étaient ahuris de joie. Pas du tout à l'idée des congés payés ou d'une augmentation de salaires. Mais l'acte d'audace inouï qu'ils venaient d'accomplir (imaginez ce que représente pour un « calicot » une grève avec occupation) leur faisait entrevoir pour la première fois que l'ordre des choses qui les contraignait à travailler toute la journée, toute la vie, pour un salaire dérisoire, à trembler devant le chef de rayon, etc., n'était pas le seul ordre possible, qu'il leur appartenait de le modifier, qu'eux aussi pouvaient espérer le *bonheur*. Ils venaient de découvrir la *possibilité du bonheur :* ils en étaient comme ivres. « La « République française déclare au monde « entier que le bonheur est possible », dit (à peu près) Saint-Just, du haut de la tribune de la Convention. « Le bonheur est pos-« sible », c'est le message de toutes les révolutions, l'explosif le plus puissant qu'on inventera jamais... »

Un frisson parcourt Marat : le froid des fins de nuit mais aussi un peu de fièvre; la contradiction l'a obligé à une exaltante remise en question, il se perçoit sensible, nerveux, les mots lui viennent aisément, il a un degré de chaleur où l'expression prend un tour oratoire.

« Annie, s'écrie-t-il, je vous déclare solennellement que le bonheur est possible. Nous touchons au fond de la nuit, c'est aussi le bout de la nuit. Les heures qui précèdent l'aube sont les plus pénibles. On a froid, un sale goût dans la bouche, le goût du dégoût. Nous sommes dans le temps du dégoût, le « temps du mépris », le temps du sang versé sans gloire, le temps où les héros meurent dans des lieux ignobles, au son d'injures ordurières, en recevant des gifles, des coups de pied dans les couilles. Mais il ne faut pas s'endormir pendant l'heure qui précède l'aube. Ceux qui auront dormi pendant la nuit de la honte ne connaîtront pas le jour de gloire... »

.. ..

A l'orient, le ciel commence à pâlir. Marat et Annie gravissent lentement le sentier qui, à travers bois, mène à la ferme des Favre. La fusillade a cessé. Ils n'ont rencontré ni le curé ni ses jeunes gens : sans doute ceux-ci ont-ils pris un autre chemin. Ils poursuivent sans trêve leur dialogue, s'efforçant de mettre à jour les mobiles de leur action qui se déroule dans un monde dur, muet, plein de menaces et de frayeur, sans tendresse humaine.

Annie ne parle plus du « jeu »; la théorie du jeu, c'était une manière entre autres d'approcher le secret inexprimé qu'elle porte en elle et qui la pousse sur des chemins mystérieux. Maintenant, déjà, elle cherche une autre approximation. La vérité est fugitive, il faut essayer bien des pièges avant de la capter.

« En septembre 1938, raconte Marat, la C. G. T. donna l'ordre d'une grève générale de vingt-quatre heures que les patrons et le gouvernement décidèrent de briser : ce fut une épreuve de force. Je fréquentais à cette époque un ouvrier ajusteur des usines Hispano-Suiza, Pierre C... La veille de la grève, le directeur fit le tour des ateliers. Il connaissait Pierre dont il avait eu l'occasion d'apprécier l'habileté technique et la conscience professionnelle. Il s'approcha de lui :

« — Eh bien, lui dit-il, j'espère que *vous,* « vous viendrez demain...

« — Non, patron, répondit Pierre, ma mo- « rale à moi, c'est de ne pas venir demain... »

— Pourquoi me racontez-vous cela?

— Parce que les communistes que vous fréquentez sont pour la plupart des étudiants qui ont adhéré au Parti par « opinion », par choix d'une doctrine entre plusieurs autres; leur démarche comporte évidemment quelque chose de gratuit; c'est pourquoi vous avez parfois l'impression d'un jeu. Je voulais vous montrer qu'il en est tout autrement pour les travailleurs.

« Le travailleur est généralement contraint, pour « gagner sa vie », de se consacrer à une tâche qui ne répond à aucune nécessité intime, à aucune vocation; contraint d'échanger son travail contre un salaire, de vendre à un autre homme son temps, sa vie. C'est une *humiliation* sans bornes (ce serait essentiellement différent si l'usine appartenait aux travailleurs, s'il travaillait pour lui). Il est difficile pour qui n'a pas été salarié, n'a pas travaillé *dans le seul but* de « passer à la caisse », de comprendre cette humiliation. Enfin essayez. Pour un homme de cœur c'est une humiliation *impardonnable*. Sentez-le en femme : le salarié se trouve dans la situation d'une putain, comme elle, il se vend.

« Manœuvre qui se résigne à rester manœuvre, c'est une *pauvre putain*.

« Ouvrier qui veut « s'en sortir, qui rampe, lèche ou ruse, pour devenir contremaître (ou chef de rayon, chef de bureau, épicier en gros), on dit : le bon ouvrier, le bon employé, un ménage de bons petits travailleurs, on les cite en modèles : ce sont de *sales putains*.

« Mais qu'il devienne militant, tout est changé. L'usine, le bureau, le magasin n'est plus un bordel, c'est un champ de bataille. Pendant les heures de travail, il prépare, il mène son combat. Ses camarades ne sont plus des compagnons de chaîne mais des frères d'armes. Du seul fait qu'il lutte contre son patron, il est son égal, il lui parle d'homme à homme. La seule manière de sauver sa dignité qui s'offre au travailleur, c'est de militer. Le mot de Pierre, « c'est ma morale à moi », m'a davantage appris que dix traités d'économie politique.

— Depuis combien de temps êtes-vous inscrit au Parti? demande Annie.

— Je ne suis pas inscrit au Parti », répond Marat.

.. ..

« C'est mon drame personnel, explique Marat.

« Vous en deviniez quelque chose tout à l'heure, quand vous parliez de ma manière d'entrer chez les gens, de mon sourire... Etre communiste, c'est aussi, par-delà la doctrine et le combat, tout un comportement, une manière d'être et de sentir, une configuration intime. Je me bats aux côtés des communistes, j'adhère sans réserve à leur doctrine, je fais tout ce que je peux pour le Parti, plus peut-être que beaucoup de militants... mais je n'ai pas le *style* communiste...

« ... Je suis fils de bourgeois. Je lutte contre ma classe de toutes mes forces, mais j'ai hérité de ses vices, j'aime son luxe, ses plaisirs. Beaucoup de choses que le militant ne soupçonne même pas tiennent une grande place dans ma vie...

« ... Il est probable qu'un de ces jours j'adhérerai officiellement au Parti. Je serai un bon militant parce que j'en aurai décidé ainsi. Mais coude à coude avec les camarades, je crains d'être encore seul. Il y a des hommes qui naissent au mauvais moment, trop tôt ou trop tard...

« ... Vous vous êtes déjà trouvée en vacances à la campagne : les paysans travaillent dans les champs, les bergers gardent les troupeaux, les femmes préparent la soupe. Vous vous demandez tout à coup : « Pourquoi suis-« je là? » Vous n'avez rien à y faire. Vous êtes en vacances : vacante. Vous êtes un personnage facultatif que le peintre a ajouté gratuitement sur le tableau, un promeneur, rien qu'un promeneur. Je me promènerai dans le Parti, comme je me suis promené dans le monde bourgeois, aimant le paysage au lieu de le haïr, mais promeneur quand même, le *promeneur solitaire*...

— Comme nous nous *promenions* tout à l'heure au milieu de la bataille...

— Quand on se promène au milieu d'un champ de bataille, on risque de recevoir une balle perdue. La balle perdue, c'est la fin logique et dérisoire du *promeneur solitaire*... »

.. ..

Le curé était revenu chez les Favre. Ils l'interrogèrent anxieusement.

« Oui, le train a sauté... Etait-ce bien le train spécial de von X? L'illustre voyageur a-t-il été tué? On n'en sait rien, on l'apprendra plus tard, par les cheminots... Pourquoi la fusillade sur la rive gauche? Ce n'est pas encore éclairci, on ne le saura peut-être jamais, sans doute une patrouille allemande qui s'est heurtée, par hasard, aux maquisards... Quel résultat? Pas de résultat à proprement parler, l'issue d'une bataille est toujours douteuse, ce n'est que plus tard qu'on décide qu'elle fut victoire ou défaite, les Allemands ont poursuivi leur route vers l'amont, les maquisards vers l'aval... Des victimes? Nous ne nous sommes pas encore comptés, les combattants se sont dispersés dans la nuit, le fils Favre vient de rentrer... Satisfait? Bien sûr, l'objectif est atteint, il ne faut pas en demander davantage pour l'instant, il faut attendre patiemment que toute la lumière se fasse...

— Ainsi, dit doucement Marat à Annie, les promeneurs continuent à chercher à tâtons leur chemin dans la nuit. »

QUATRIÈME JOURNÉE

(qui se situe en avril 1944,
à une dizaine de jours
de la « troisième journée »)

« Elle est sûre du lendemain, elle peut se permettre d'être économe. »

I

D'ETIAMBLE, Marat gagna Lyon, puis Montpellier et Toulouse, où il rencontra divers conjurés. Il ne revint à Paris qu'une dizaine de jours après l'attentat. Un matin, il surprit Mademoiselle encore au lit.

« On vous a beaucoup demandé », dit-elle.

Elle nomma Rodrigue et Chloé qui, depuis plusieurs jours venaient, chaque matin, voir s'il n'était pas revenu. Elle parla aussi d'une « dame » qu'elle n'avait jamais vue auparavant et qui avait demandé Marat à plusieurs reprises.

Il fut extrêmement surpris : il avait toujours pris grand soin qu'on ne connût pas son adresse — ne faisant d'exception que pour Rodrigue et Chloé auxquels il avait fait jurer la discrétion la plus absolue; chaque fois qu'il rentrait chez lui, il faisait quelque détour pour vérifier s'il n'était pas suivi; il estimait à juste titre que sa sécurité dépendait pour une grande part du secret de son domicile. Il se fit décrire la visiteuse : « Une grande dame brune... une femme comme il faut... » « très aimable... » « une amie d'enfance », disait-elle.

Il pensa à Mathilde. Comment était-elle parvenue à découvrir son adresse? Il allait devoir chercher une nouvelle retraite. Il éprouva un vif sentiment de contrariété; il s'entendait si bien avec Mademoiselle.

Rodrigue vint vers les neuf heures et s'enquit d'abord du résultat de l'attentat; la presse n'en avait pas parlé.

« L'explosif, raconta Marat, était extrêmement puissant et avait mis en pièces le fourgon qui précédait le Pullman; celui-ci s'était écrasé contre le talus; l'équipe de secours en avait retiré des morts et des blessés.

— Von X en était-il?

— Impossible de le savoir. Les autorités d'occupation gardent encore maintenant le plus grand silence sur toute l'affaire. Fait inexplicable, aucune sanction n'a été prise, aucune expédition punitive organisée. Sidoine a-t-il appris quelque chose?

— Je l'ai encore vu hier. La direction de la S.N.C.F. n'a eu connaissance de l'attentat qu'indirectement, par la mobilisation de la grue sur roues du dépôt de Chalon; mais tous les rapports des services intéressés ont été interceptés par les Allemands. Sidoine est évidemment très anxieux de connaître le résultat; c'est « son » affaire, son attentat, son action d'éclat, « le plus beau jour de sa vie »...

— Et 2012? »

(C'était un de leurs agents auprès des autorités d'occupation.)

« Son dernier rapport mentionne divers bruits qui ont couru, la semaine dernière : von X grièvement blessé dans un accident de chemin de fer, soigné dans une clinique des environs de Lyon, von X échappant à un attentat parce que remplacé au moment de partir pour l'Espagne, par un de ses adjoints : von X à Lisbonne. Le seul fait précis, c'est que la présence de von X n'a été officiellement signalée nulle part, depuis une dizaine de jours.

— Les radios étrangères?

— 2521 (du poste d'écoute de la présidence du Conseil) ne nous a rien rapporté d'intéressant à ce sujet. »

.. ..

Marat alla et vint plusieurs fois, du lit à la fenêtre. C'est toujours la même chose : les événements qu'il déclenche rebondissent dans la nuit; quelquefois, un écho lui revient : un bombardement aérien sur un objectif qu'il a signalé, une polémique de la radio anglaise fondée sur des documents qu'il a transmis; le plus souvent, il n'entend plus parler de rien; même quand il s'est occupé d'action directe, fondant par exemple de petits groupes de résistance, il s'est tout de suite trouvé dans la nuit : le responsable désigné lui disait avoir recruté dix, vingt, cinquante partisans, il ne les voyait jamais, c'eût été contraire aux règles de sécurité, l'autre pouvait aussi bien les avoir inventés de toutes pièces, par vantardise ou pour toucher des subsides, étaient-ce bien eux qui avaient fait le sabotage dont leur chef revendiquait le mérite? Il arrivait que plusieurs organisations se fissent gloire d'un même succès. Il n'a jamais l'impression *d'aboutir*. Tout se passe généralement comme dans ces rêves où l'on monte un escalier, on se dépêche, on s'essouffle, on halète, les jambes s'épuisent à l'escalade, on est toujours sur la même marche.

.. ..

« Une dame qui n'est pas Chloé est venue me demander ici à plusieurs reprises. Tu ne vois pas qui? »

Rodrigue hésite.

« Non, dit-il, je ne vois pas. »

Marat a remarqué la brève hésitation :

« Tu es bien sûr de n'avoir donné mon adresse à personne?

— Je te le jure.

— Tu sais l'importance que j'y attache.

— Tu peux être absolument tranquille, en ce qui me concerne »

.. ..

« J'ai vu le patron hier, dit Rodrigue, il est venu au rendez-vous que j'avais avec son courrier, il voudrait te rencontrer.

— Rien de spécial?

— Il m'a remis le budget du mois. Je ne l'ai pas apporté parce que je n'étais pas sûr que tu fusses rentré. A ta disposition... Dis-moi, il n'y a pas de frais spéciaux ce mois-ci, nous sommes plutôt à l'aise, nous pourrions donner quelque chose au C. A. C. F. M. (Comité d'Aide aux Corps Francs du Maquis). »

Silence de Marat.

« J'ai calculé, reprend Rodrigue, il y a un battement de vingt mille à trente mille. Tu sais qu'ils ont besoin d'argent. Et l'argent qu'on leur donne rend, il ne s'évapore pas en « notes de frais »...

— Oui, ça fait du bruit...

— On pourrait leur donner trente mille... ou au moins vingt mille...

— Comment as-tu fait tes calculs?

— J'ai rédigé un projet. »

Il sort de sa poche un papier couvert de chiffres. Marat l'examine.

« Tu n'es pas large pour moi...

— Ce n'est pas assez?

— Non. Ça paie à peine mes frais de voyage... Je voyage en première classe...

— Moi, en troisième.

— Moi aussi, quand j'étais étudiant. Mais voici plus de quinze ans que je voyage en première... quand il n'y a pas de sleeping sur la ligne. Je continue...

— Enfin, il restera bien quelque chose pour le C. A. C. F. M.?

— Je ne crois pas. Si nous avons un excédent, je l'emploierai à développer le service, je viens précisément d'amorcer plusieurs choses à Toulouse... Je suis toujours d'accord pour donner un coup de main aux corps francs, je leur passe des renseignements chaque fois que je le peux... L'argent, c'est autre chose... Ce serait reconnaître qu'ils sont plus capables que nous de l'utiliser avec efficacité, dans ce cas autant passer la main et nous retirer à la campagne.

— Alors, rien?

— Non.

— Ah! Bon. »

.. ..

Marat reprend sa promenade du lit à la fenêtre. Rodrigue se tait, fait semblant de lire.

« Tu boudes? demande Marat.

— Non. C'est toi qui sembles furieux.

— Je suis agacé par ton obstination à « donner aux bonnes œuvres »...

— Il ne s'agit pas de « bonnes œuvres ». Tu es de mauvaise foi...

— Je n'y peux rien : les « cotisations » me rappellent les quêtes. Je suis prêt à tout sacrifier pour la cause que je défends. même ma vie. Mais je me refuse au plus petit sacrifice si j'ai l'impression qu'on me demande de prouver ma « bonne volonté ». Ça me dégoûte comme d'aller à confesse, c'est du même ordre que les « pénitences », le cilice des moines, tout l'arsenal ordurier du masochisme chrétien... Je suis furieux contre toi quand je te vois tout fier, tout satisfait de toi-même parce que tu as fait un don au C. A. C. F. M. ou ailleurs. Tu me fais l'effet d'un bon élève, d'un bon fils, d'un bon chrétien, j'ai envie de te foutre des claques...

— Tu parles comme un anarcho. Au fond, tu en es encore au stade de la révolte individuelle : c'est de ta génération. Moi je suis discipliné. Le premier devoir du militant, a dit Lénine, c'est de cotiser.

— C'est vrai pour un parti qui recrute ses

membres parmi les salariés. C'est encore vrai pour une cellule d'entreprise. C'est périmé pour des organismes centraux... Il est absurde que dans une communauté moderne, chaque membre se prive pour alimenter la caisse commune. Quelques-uns, les mieux doués, les mieux placés, doivent être désignés pour « faire de l'argent » comme d'autres le sont pour « faire les coups de main », « faire » les tracts, etc. : c'est la division du travail.

— « Faire de l'argent », qu'est-ce que ça signifie?

— Le régime capitaliste est typiquement un système anarchique au sein duquel on peut découvrir des *trucs* pour *faire de l'argent* sans travailler. Il est parfaitement légitime d'utiliser ces *trucs* pour trouver les fonds nécessaires à la lutte contre le régime.

— Je voudrais bien connaître un de tes *trucs*...

— Un salarié qui ne dispose d'aucun capital, un étudiant qui n'a jamais fréquenté le monde des affaires est incapable, par définition, de profiter des facilités du régime. Il n'en est pas de même d'une grande organisation qui dispose d'un immense réseau de complicités. Je veux dire que pour une vaste organisation clandestine, une opération sur les changes — qui se ramène à deux coups de téléphone — peut *rapporter* davantage que les *cotisations* de tous ses membres pendant une année. C'est un exemple entre mille.

— Ce serait se conduire à la manière des capitalistes...

— Il est logique, légitime, louable, d'utiliser contre eux les contradictions de leur régime... »

Rodrigue est toujours assis sur le lit, taciturne, boudeur, renfrogné.

Marat poursuit sa promenade autour de la chambre.

« Même dans nos milieux, dit soudain Marat, on ne parle pas franchement, simplement, naturellement, des questions d'argent. J'ai vu souvent de jeunes militants qui avaient *besoin* d'argent pour leur travail, ne pas le demander par crainte de passer pour des mercenaires. J'y vois seulement la persistance, à l'égard de l'argent, d'une sorte de superstition héritée de l'esprit bourgeois, la survivance, intolérable chez des révolutionnaires, du sentiment de sacré, associé à la possession des richesses.

« Avoir honte de demander de l'argent, c'est aussi odieux que d'avoir honte d'être excité en présence d'une jolie fille. Ce sont au même titre des reliquats de morale bourgeoise dont nous devrions être débarrassés.

« La *délicatesse* est l'astuce bourgeoise à

laquelle les meilleurs d'entre nous se laissent le plus facilement prendre. Un de nos amis, un universitaire, se trouvait récemment dans le plus grand embarras d'argent; or il fréquente un homme excessivement riche :

« — Tape-le, dis-je.

« — Non, répondit-il, il supposerait que « je ne lui témoigne de l'amitié qu'à cause de « sa richesse. »

« Et il fit un emprunt à un de ses camarades, aussi pauvre que lui et qui se priva pour lui venir en aide. C'est un sot. Au surplus, je trouve inadmissible qu'il ait pris de l'argent au pauvre pour ne pas paraître « manquer de délicatesse » aux yeux du riche.

« Comment mieux prouver son amitié qu'en donnant son argent à l'ami dont toute la vie est gâchée parce qu'il est pauvre? Le riche qui laisse un ami dans l'embarras, pour faire la preuve qu'on ne le fréquente pas à cause de sa fortune, est un salaud. En fait toute amitié est, par définition, impossible entre le riche et le pauvre : le premier soupçonnera toujours le second d'être un tapeur et celui-ci d'être un égoïste et un avare. S'il y avait véritable amitié, le riche ne serait plus riche ou le pauvre ne serait plus pauvre.

« Je me suis juré, une fois pour toutes, de ne pas être *délicat* avec les riches. C'est un serment difficile à tenir, car il est agréable d'être loué par les puissants... »

Rodrigue laisse Marat monologuer.

.. ..

« Rarement, dit encore Marat, je me suis senti aussi équilibré, aussi heureux qu'en ce moment : c'est que je n'ai pas de soucis d'argent, c'est encore davantage de savoir que, même riche, je ferais tout ce que je fais actuellement, j'aurais la même activité, je consacrerais le même nombre d'heures, avec la même intensité, au même travail. Pour la première fois de ma vie je ne suis pas un salarié.

« En fait, je ne sépare pas mon budget personnel du budget du service. Je n'ai pas de *traitement,* pas de budget personnel, je ne sais pas ce que je dépense « pour moi ». Je vis dans une petite chambre à trois cents francs par mois, non parce que je suis pauvre, mais parce que, pour mon travail de conspirateur, c'est plus commode que de vivre dans un appartement luxueux. Le Comité d'Alger ne me paie pas, il m'entretient : il n'y a aucune commune mesure entre le travail que je fais pour la Résistance, le risque d'être torturé, tué ou emprisonné auquel je m'expose consciemment et l'argent que je reçois; la somme qu'on m'alloue chaque mois n'est pas calculée par rapport aux services rendus ou aux risques encourus, mais de telle manière que je puisse faire fonctionner le service sans être contrarié par des soucis d'argent; ce n'est pas un salaire, mais un levier, un moyen d'action. Je n'ai rien à envier à un milliardaire.

« Tout serait gâché, si je devais faire des *économies* — que ce soit pour l'avenir ou pour tel ou tel comité. Il importe, pour que mon bonheur persiste, que la totalité de l'argent que je reçois soit dépensée pour assurer la vie du service et ma vie propre qui ne sont qu'une seule et même vie. Ce n'est qu'ainsi que je puis rester libre à l'égard de l'argent... »

.. ..

« As-tu vu Annie? demande Rodrigue.

— Nous avons passé ensemble une nuit extravagante.

— Tu as passé une nuit avec Annie?

— Nous avons passé la nuit de l'attentat à rôder autour « du lieu du crime ».

— Ah! bon... Est-elle restée là-bas?

— Elle doit être à Paris depuis hier, nous avons rendez-vous cet après-midi.

— Tu as réussi à la convaincre de venir rejoindre le pauvre Frédé?

— Je ne me suis pas occupé de Frédéric. Je ne suis pas chargé de lui faire perdre son pucelage. Annie vient à Paris pour travailler avec nous : je l'ai engagée comme agent de liaison; tiens, voilà une nouvelle charge pour notre budget.

— Les copains de Toulouse racontent qu'elle est partie en claquant les portes, jurant qu'on ne l'y reprendrait plus et qu'elle allait attendre la fin de la guerre à la campagne. « en tricotant des bas, comme c'est « le rôle des femmes »...

— C'est ce qu'elle m'a expliqué, vingt-quatre heures durant : à la vingt-cinquième heure, elle m'a demandé s'il n'y aurait pas une place pour elle dans notre service.

— Les femmes ne savent pas ce qu'elles veulent.

— Mais si. Elle sait très bien qu'elle en a marre des histoires de Frédé et de sa famille. Elle avait eu le tort d'expliquer par des causes générales une lassitude d'un ordre très particulier. Elle avait réagi dans son domaine, comme les intellectuels qui attribuent au malheur de la conscience l'inquiétude très légitime des fins de mois pénibles... Enfin, c'est une fille sérieuse, pondérée, réfléchie, elle n'a pas du tout l'air conspiratrice, on croirait une jeune fille de « famille » qui va rejoindre sa mère au thé de Mme la Présidente, exactement ce qu'il nous faut pour porter nos courriers. Elle te secondera, tu as trop de travail...

— Alors, je deviens le responsable d'Annie?

— Exactement.

— Ça, c'est formidable! »

.. ..

« Dis-moi, reprend Rodrigue, excuse-moi, c'est encore à propos du budget... J'aurais besoin d'une bicyclette... Ça me ferait gagner du temps... Je pourrais circuler même pendant les alertes...

— Combien?

— On m'a indiqué une occasion à six mille...

— Dac. »

.. ..

« Sais-tu si Chloé passera ici dans la matinée? Je voudrais qu'elle m'arrange en vitesse une rencontre avec Caracalla.

— Je ne sais pas. Je ne l'ai pas vue depuis plusieurs jours.

— Brouillés?

— Non. Pourquoi me brouillerais-je avec elle? C'est une brave fille...

— Une brave fille? Elle tombe de haut : avant mon départ, si j'ai bonne mémoire, elle venait de te faire comprendre ce qu'est l'*allure :* une femme qui *a de l'allure,* un poème *de grande allure,* un *style alluré.* J'aime qu'ainsi d'un rapport brusquement et par hasard perçu entre un objet concret et un mot, résulte la prise de conscience d'une idée générale; c'est cet acte qui fait la réalité de l'idée. J'avais été ravi de te voir adopter cette méthode pour enrichir ton vocabulaire, c'est-à-dire ta « conception du monde ». Je ferai un jour un long poème sur les rencontres qui ont illuminé mon vocabulaire : la plante qui m'a éclairé l'élégance, l'aurore du 5 août 1932 sur la mer Rouge qui m'a enseigné le « lever du soleil », le sein de Rosine qui m'a appris la perfection du sein, la phrase de Staline qui m'a révélé la grandeur, etc.

— J'avais eu une fausse illumination, provoquée par une chasteté inconsidérément prolongée. Chloé n'enrichira jamais ma conception du monde que du concept de « bonne fille »...

— Elle est bonne fille et bien d'autres choses; j'ai, par exemple, été plus d'une fois surpris par son intelligence rapide et tout instinctive des êtres et des situations, son aisance à se mouvoir dans les milieux les plus divers, parmi les événements les plus imprévus, tout en restant elle-même; elle ne fait jamais de gaffe et cependant elle ne provoque pas l'impression pénible qui résulte de la trop rapide adaptation des Levantins. Elle s'adapte tout en gardant sa fierté : c'est un phénomène essentiellement parisien : Chloé est à l'opposé de la provinciale, elle ne peut être née que dans une grande capitale...

— Oui, un ancien mannequin devenu conspiratrice par amour...

— Rodrigue donne dans les femmes du monde? »

.. ..

Ils s'assoient de chaque côté de la table, stylo en main. Rodrigue met Marat au courant de la marche du service pendant son absence, Marat fait le plan de bataille de la semaine qui vient.

A plusieurs reprises, il a l'impression que Rodrigue est plus réticent qu'avant son voyage, qu'il est prêt à regimber aux ordres reçus, qu'il met un point d'honneur à proposer des solutions différentes des siennes. Il réserve toutefois son jugement, il sait qu'à chacun de ses retours à Paris, il éprouve une sensation analogue, le sentiment confus qu'on s'est détaché de lui, qu'on lui cache quelque chose, qu'il n'a plus de contact direct avec ses camarades, qu'il est devenu un étranger, que son retour dérange; déjà du temps de ses amours avec B., chaque retour était suivi d'un tâtonnement anxieux, comme celui d'un escrimeur qui cherche le contact. Il se refuse à tenir compte de son malaise, ne voulant pas fonder un jugement sur un sentiment confus, une angoisse, un état défectueux du plexus solaire.

II

VERS onze heures survient Chloé. Elle porte, sous un léger manteau de demi-saison, une robe neuve faite d'un « foulard » à pois qui joue sur la gorge.

« Comme tu es belle! » dit Marat.

Il l'embrasse légèrement sur la bouche, comme chaque fois qu'ils se retrouvent au retour d'un voyage. Pour l'attirer à lui, il a posé la main sur sa hanche et il s'attarde à froisser le tissu.

« La belle robe, dit-il, une robe bien troublante, on a envie de la chiffonner... »

En se séparant de Chloé, il passe la paume de la main, tendue, bien à plat, les doigts serrés et raides, le pouce écarté, sur la pointe d'un sein qui saille sous le foulard.

Rodrigue fronce les sourcils. Il n'aime pas la familiarité de Marat avec les femmes — et en particulier avec Chloé. Il lui reprocha naguère « ses manières odieuses d'homme à femmes », que les vrais militants avaient autrement de « netteté », qu'il semblait sorti d'un roman de Marcel Prévost, qu'il le « dégoûtait », toute une scène, une explosion longtemps contenue où Marat avait discerné un peu de jalousie, mais aussi un sentiment exact de son appartenance à un milieu, à une époque déjà périmée. Tant pis : *I am what I am*.

« Toi, au moins, dit Chloé, tu fais attention aux robes, tu récompenses les femmes du mal qu'elles se donnent...

— Oui, dit Marat, la première fois que je t'ai vue, tu portais une blouse en soie bleu myosotis...

— Ma blouse bleue de l'an 38!

— ... et une jupe plissée en satin noir. Ça faisait à la fois jeune fille et putain de Marseille, un chaud-froid comme les gâteaux au chocolat de chez Penny.

— Toi!... Il faut qu'un jour nous couchions ensemble, tu dois être amusant au lit... »

Elle jette un regard sur Rodrigue, qui relit les notes prises.

« Allons, dit Marat, ne le provoque pas. Tu l'énerves déjà bien assez par ta seule présence...

— Penses-tu... M. Rodrigue n'a plus d'yeux que pour Mathilde.

— Quoi? Tu as vu Mathilde?

— Oui, dit Rodrigue, je l'ai rencontrée par hasard aux « Deux Magots », elle m'a reconnu. « Ah! Ah! a-t-elle dit, voilà le sbire « de François. » Elle m'a invité à dîner, je l'ai invitée le lendemain, nous nous sommes revus deux ou trois fois...

— Tu vois, dit Chloé...

— Pourquoi ne m'en as-tu pas parlé?

— Ne suis-je pas libre? répond Rodrigue. C'était en dehors des heures de service.

— Qu'est-ce qui se passe? s'étonne Marat, je te trouve bien agressif, ce matin...

— Tu ne comprends donc pas, s'écrie Chloé, que Mathilde lui a monté la tête... Elle lui a démontré que, sous prétexte de travail, tu te mêlais de sa vie privée, que tu aimes jouer les tyrans, que tu as besoin d'avoir une cour de jeunes gens, qu'il faisait tout le travail dont tu tirais gloire, etc. Ah! je l'entends...

— Toi, tu es trop contente...

— J'ai passé des heures charmantes avec Mathilde, insiste Rodrigue, je n'ai jamais rencontré de femme aussi spirituelle. Elle connaît tout Paris, elle raconte mille anecdotes, elle est méchante juste assez pour être drôle, elle m'apprend beaucoup de choses. Je ne comprends pas pourquoi on est si dur avec elle...

— Je ne t'ai pas attendu pour découvrir Mathilde...

— Adieu! s'écrie Chloé, je vous laisse chanter ensemble les louanges de Mathilde.

— Je lui ai présenté Frédé, qui l'apprécie beaucoup, continue Rodrigue. Elle doit lui faire connaître des acteurs de la Comédie-Française, voilà des années qu'il en meurt d'envie. Nous dînons chez elle ce soir...

— Attends-moi, dit Marat à Chloé, je descends avec toi, j'ai une course à faire... »

Ils laissèrent Rodrigue qui devait mettre au net le travail de la matinée.

Quand ils furent dans la rue :

« Où vas-tu? demanda Chloé.

— Chez Mathilde... évidemment », répondit Marat.

Il sourit tristement, un peu piteusement, en haussant les sourcils.

III

Mathilde vint lui ouvrir, dans une vieille robe de chambre tachée en maintes places. Elle releva une mèche de cheveux qui lui tombait sur les yeux. Elle avait les paupières bouffies, des traînées noirâtres sous les yeux, du rouge au coin des lèvres, elle s'était certainement endormie sans s'être démaquillée, le coup de sonnette venait de la réveiller.

« Oh! François, comme c'est gentil de venir me voir dès ton retour! Je suis passée plusieurs fois chez toi ces jours-ci.

— Je sais... Rodrigue t'a donné mon adresse... »

Elle le regarda, réfléchit un instant.

« Non, dit-elle. C'est le fait du hasard. Je l'ai rencontré qui sortait d'une maison de la rue des Abbesses, nous avons fait quelques pas ensemble, il m'a dit qu'il était en retard parce qu'il était monté chez toi pour prendre des papiers oubliés, j'en ai conclu, tu saisis...

Un autre jour, je suis allée voir si tu étais rentré, parce que je tenais absolument à te parler dès ton retour... J'espère que ça ne t'ennuie pas que je connaisse ton adresse? »

Il haussa les épaules.

Elle le fit entrer dans le salon.

« Assieds-toi, lis, fume, il y a des cigarettes dans le coffret, je suis à toi tout de suite... »

Il parcourut la pièce, faisant le tour des objets familiers. Un bureau Louis XV, un vase de Sèvres avaient disparu : des dettes de poker. Il sursauta par contre devant une aquarelle de Gustave Doré, précieusement encadrée dans le style romantique, luxe nouveau dans l'appartement. Il y avait des fleurs dans tous les vases, de grosses roses de serre, des orchidées. Marat leva les sourcils, cherchant d'autres indices. Le coffret était plein de Lucky Strike : venues en contrebande d'Espagne, elles coûtaient, ce printemps-là, à Paris, sept cent cinquante francs la boîte de cinquante.

Mathilde revint, coiffée, le maquillage refait.

« Oui, dit-elle, j'ai été idiote l'autre fois avec ton amie Chloé, je m'excuserai auprès d'elle. Je suis d'une susceptibilité absurde... trop nerveuse depuis l'arrestation de Dani... »

Elle s'étendit sur ce point. Elle buvait trop,

mais elle ne parvenait à s'endormir que lorsqu'elle était ivre...

Marat regardait la robe de chambre : des trous bordés de noir, brûlures de cigarettes (comme, dans leur *Kief,* laissant le mégot tomber de leurs doigts détendus, en font les fumeurs d'opium). Des taches brunes attirèrent son attention, il huma l'air de la pièce.

« Tu as trouvé de l'opium? demanda-t-il.

— Pourquoi? »

Elle offrit ses yeux :

« ... Je n'ai pas les « petites pupilles »...

(L'opium rétrécit les pupilles, les réduit à un point, même dans l'ombre : c'est un des symptômes à quoi l'on reconnaît le fumeur encore sous l'effet de la drogue.)

Marat regarda attentivement les yeux de Mathilde.

« Non, dit-il, mais j'avais l'impression... »

Elle hésita un instant, puis :

« On ne peut rien te cacher. J'ai fumé deux ou trois fois, ces temps-ci... mais pas cette nuit. Un ami qui revient de Marseille m'a rapporté un peu de drogue.

— Elle est horriblement chère en ce moment : on m'a parlé de cent quarante mille francs le kilo!

— Je ne demande pas le prix des cadeaux que me font mes amis...

— On te fait de jolis cadeaux... »

Il désigna du menton le Gustave Doré.

« Tout le monde ne me considère pas encore comme une vieille femme... »

Elle enchaîna aussitôt :

« Si ça t'amuse de tirer quelques pipes, j'organiserai ça pour un de ces soirs... »

Elle s'étendit sur le plaisir qu'elle avait eu à retrouver l'opium; le calme. la maîtrise d'elle-même qu'elle y avait gagnés.

Il la laissait parler, répondant par des monosyllabes.

« Maintenant, continua-t-elle, je suis capable de m'occuper sérieusement, efficacement de la libération de Dani... Je voudrais rencontrer Caracalla, tu avais raison, nous aurions dû commencer par nous concerter, il n'est pas trop tard, je me suis conduite comme une sotte, fais-lui mes excuses, explique-lui, tâche de m'obtenir un rendez-vous... »

Marat acquiesça.

Puis elle parla de Dani, de ce qu'elle avait appris de la condition des détenus à Fresnes, des colis qu'elle avait préparés, du mal qu'il devait avoir à s'adapter à la vie de prisonnier, « dans le fond, il est veule, incapable de réagir, il doit s'abandonner au désespoir ».

« As-tu entrepris quelque chose?

— J'ai un vaste plan...

— Quel plan? As-tu commencé des démarches?

— C'est mon secret... secret de femme... tu jugeras au résultat...

— Et Robert? demanda Marat.

— Quel Robert?

— Un homme avec lequel tu es allée, il y a une quinzaine de jours, dans le « clandestin » de la rue Lincoln... tu as déjeuné avec lui le surlendemain, au *Honeymoon*... »

Il sourit.

« Tu joues les détectives? Sherlock Holmes après Guillaume Tell... Tu changes souvent de visage en ce moment... Mais il n'y a pas là de mystère digne de tes nouveaux talents : Robert est un copain qui fait du marché noir...

— Et du trafic d'armes!

— Qu'est-ce que c'est que cette histoire? Tes indicateurs lisent trop de romans policiers; ce pauvre Robert est bien trop froussard pour faire du trafic d'armes; il est déjà persuadé qu'il risque sa vie en vendant des savonnettes. »

Marat retourna au Gustave Doré, le décrocha, l'approcha de la fenêtre. Il y eut un long silence.

« Tu as fait des béguins, dit-il enfin.

— Qui?

— Tu le sais bien!

— Ah! oui... tes deux poulains, Rodrigue et Frédéric...

— Je t'avoue que malgré mes talents sherlock-holmesques je n'ai pas encore compris où tu voulais en venir avec eux...

— Ils sont jeunes, ils m'amusent, ils me distraient... C'est tout.

— Je ne vois pas quel plaisir tu trouves en leur compagnie : deux gosses qui ne s'intéressent à rien de ce qui te touche, qui ne jouent pas au poker, qui n'ont aucun de tes vices, qui ne les soupçonnent même pas...

— Ils sont frais : ça me change de toi.

— Tu te dépenses pour eux : tout le grand jeu, d'après ce que j'ai compris : vingt ans de vie parisienne, mon ami l'ambassadeur, le Président me disait, Sorel avait un chapeau chou... C'est insensé comme les jeunes révolutionnaires se laissent facilement prendre à de vieilles ficelles...

— Est-ce une scène de jalousie?

— Bien sûr...

— Oh! je ne veux pas dire que tu sois jaloux de moi, une vieille femme qui tire de vieilles ficelles. Mais Rodrigue, hein? l'adolescent qui cherche sa voie, la pureté du jeune militant... j'ai l'impression que tu as joué le grand jeu avant moi...

— Tu me dégoutes...

— Tu tiens à ton prestige à ses yeux, tu ménages tes effets, tu soignes ta légende... il t'a trouvé un surnom qui te convient à merveille...

— Ah! oui...

— ...Monsieur Plus-rien-ne-m'étonne-le-ciel-m'est-déjà-tombé-sur-la-tête-dans-un-bordel-de-Tombouctou-en-1789.

— Assez, Mathilde, ne jouons pas ce jeu, tu connais mes trucs, je connais les tiens, nous perdons notre temps. Tu sais pourquoi je suis venu ici ce matin...

— Pour me faire une scène de jalousie au sujet de Rodrigue.

— Je viens de te dire que je connais tes trucs. Tu ne me mettras pas en colère. Je veux savoir ce que tu veux faire de ces garçons.

— Puisque tu connais mes trucs, devine...

— Ecoute-moi bien : je suis sûr que tu es en train de manigancer quelque chose, je ne sais pas quoi, mais ça ne doit pas être très propre. Fais bien attention : je ne te permets de jouer ni avec Rodrigue, ni avec moi, ni avec nos amis; je saurai me défendre et les défendre... »

Il raccrocha le tableau, s'approcha d'elle.

« Tout est grave en ce moment, continua-t-il. N'oublie pas que je peux être aussi dur que tu es capable d'être salope...

— Tu as peur que je te soulève tes gigolos?

— Je veux savoir ce que tu manigances.

— Tu me menaces?

— Oui. »

Elle se dresse. Elle est très pâle. Ils se trouvent face à face.

« Je suis tes conseils : j'utilise mes moyens de femme pour sauver mon Dani.

— Dis-moi comment.

— Tu le verras. »

Elle fait demi-tour, marche jusqu'au mur, revient vers Marat, pose ses mains sur ses épaules, ébauche un sourire.

« Ecoute-moi, François. Ecoute-moi... je te demande de me faire confiance... accorde-moi quinze jours... pendant quinze jours laisse-moi faire ce que je veux sans me poser de questions... tu sais que je joue une partie capitale, toute ma vie... tout ce qui me reste de vie... C'est accordé?

— Non.

— Mais tu m'as déjà promis de demander un rendez-vous pour moi à Caracalla... ça tient?

— Je ne sais pas, je vais réfléchir... »

Mathilde lâche l'épaule de Marat, recule d'un pas, se raidit.

« J'aurai le rendez-vous par Rodrigue », lance-t-elle.

Marat la prend par le poignet.

« Toi, dit-il d'une voix *blanche,* si tu me fais une saleté, je te descendrai... »

Marat poussa Mathilde qui trébucha, perdit l'équilibre, tomba en s'accrochant à un fauteuil. Il sortit sans se retourner. La porte claqua.

IV

Au début de l'après-midi, Marat devait rencontrer Rodrigue pour le charger d'un message. Rodrigue vint à bicyclette.

« Déjà? s'étonna Marat.

— Je l'ai volée, dit Rodrigue. Je l'avais repérée depuis longtemps dans le garage de l'Ecole des Sciences Po, c'est très mal surveillé; elle doit appartenir à quelque zazou de Passy, tant pis pour lui!

— Mais je t'ai dit ce matin que tu pouvais prendre sur le budget du service l'achat d'une bicyclette.

— Dac, j'ai pris l'argent mais j'ai volé la bicyclette, ainsi je pourrai faire un don au C. A. C. F. M...

— Tu es un petit con... »

Au bout d'un instant Marat ajouta :

« Il faut que je m'occupe de te trouver un remplaçant et qu'il entre en fonction le plus vite possible; sinon, toutes les liaisons du service vont être un de ces jours coupées, parce que tu te seras fait arrêter... en volant des sucres d'orge. Je suis idiot d'avoir pris un adjoint qui n'a pas l'âge de raison. »

V

A SIX heures, Marat avait déjà parcouru Paris en tous sens pour renouer les contacts interrompus pendant son voyage. Il retrouva Annie dans un salon de thé, à l'Ixe-Opéra; le rendez-vous avait été pris, dix jours plus tôt, à R. Dès la porte, il reconnut dans l'ombre du fond de la salle les beaux cheveux blond cendré.

Annie n'apportait pas grandes nouvelles. On ignorait toujours, à Mâcon et à Chalon, quels avaient été les voyageurs du train spécial. Des bruits contradictoires continuaient à courir. Un haut personnage, grièvement blessé dans un accident, serait soigné dans une clinique de Lyon — mais impossible de savoir son nom. Un camarade du jeune Favre, le fils d'un fermier voisin, avait été tué au cours de l'escarmouche dans la Prairie; une foule immense, venue d'Etiamble et de tous les villages voisins, avait suivi son enterrement; de forts contingents du maquis avaient gardé tous les accès de R. pour empêcher les Allemands de saisir par surprise les patriotes qui assistaient aux obsèques; mais les Allemands n'avaient pas bougé...

Annie parlait d'une voix posée et nette, se bornant à énoncer les faits, sans faire de commentaires.

Elle était arrivée à Paris la veille, était descendue rue de Bourgogne, chez une de ses tantes, une fervente gaulliste, qu'elle avait mise au courant de son activité, sans toutefois lui donner de précisions, juste assez pour qu'elle ne mît pas obstacle à ses déplacements, à ses éventuels « découchages ».

« Je suis donc aussi libre qu'on peut l'être. Quand commencerai-je à travailler?

— Rodrigue vous présentera demain à quelques-uns de nos agents de Paris. Mais ce soir, vous êtes encore en vacances et je vous garde à dîner avec moi...

— Mais, dit-elle, j'ai déjà promis à Frédéric.

— Je croyais qu'il était... occupé ce soir.

— Oui, je sais, dit-elle en riant, une femme du monde qui doit le présenter à des actrices; il est très emballé; mais dès qu'il a appris, à midi, je ne sais comment, sans doute par vous, que j'étais arrivée, il a couru chez ma tante et a insisté pour que je passe ma première soirée à Paris avec lui. Je n'ai pas voulu lui faire tout de suite de la peine... j'en aurai assez souvent l'occasion, j'imagine. Il s'est aussitôt excusé auprès de Mathilde... vous voyez, je sais déjà son nom, il en parle beaucoup... c'est une de vos grandes amies?

— Ce fut une grande amie... il y a dix ans. Nous nous sommes un peu perdus de vue depuis... »

Marat se leva.

« Alors, dit-il, à demain. Je vous verrai en même temps que Rodrigue. Rendez-vous, voulez-vous? à dix heures, devant la Madeleine...

« Au revoir, Annie... »

Il était seul place de l'Opéra. L'horloge de la Kommandantur marquait six heures et demie. Il fit quelques mètres en direction de la gare Saint-Lazare; revint sur ses pas, fit quelques mètres vers la Madeleine, revint sur ses pas, tourna autour du kiosque à journaux devant le Café de la Paix, traversa la place, s'engagea sur le boulevard des Italiens. Il marchait lentement, dévisageant machinalement les femmes, c'était une vieille habitude dans ce quartier où mille fois il avait « chassé », mais aucune ne le fit se retourner. Il traversa le carrefour Richelieu-Drouot, prit le trottoir de droite, dépassa la rue Montmartre.

Les dactylos, les cousettes, sous-alimentées, épuisées par les longues marches, les attentes des autobus de banlieue, les alertes nocturnes, avaient les yeux bouffis, la peau grise sous le maquillage. La plupart portaient les cheveux longs flottant sur les épaules, comme le voulait la mode, mais faute d'aller assez souvent chez le coiffeur, paraissaient coiffées à la hâte, sans soin. Les robes défraîchies, les étoffes de basse qualité, fripées, ajoutaient à l'impression de négligé. Paris se laissait aller. Le ciel était gris et il faisait froid; il n'y eut pas de printemps en 1944 : à quelques rares belles journées près, un grand vent du nord glacial ne cessa de souffler du début de mars à la fin de mai.

En approchant de la porte Saint-Denis, Marat pensa aux grands bordels voisins mais les images ne se lièrent pas, les cuisses, les seins, les bouches retombaient désarticulés, dès que son attention se relâchait. Il se concentra vainement sur quelques souvenirs toujours efficaces, deux ou trois étonnantes réussites érotiques qui avaient marqué dans sa vie, il ne fut pas ému.

Brusquement, il rebroussa chemin. Il était plus de sept heures quand il se retrouva au carrefour Montmartre. Il resta là flottant; il se sentit fatigué, envie de s'asseoir, mais aucun café n'était accueillant. Le faubourg Montmartre vers les boîtes de Pigalle ou la solitude de sa chambre, la rue Montmartre vers la rive gauche, le boulevard Montmartre vers les quartiers de l'ouest ouvraient à sa soirée des destins divers. Mais rien ne l'appela ici plutôt que là. Il huma l'air, imagina la succession des rues et les places, les quartiers, les demeures : Paris resta muet. Il eut vaguement la tentation de suivre dans un hôtel de passe la première fille rencontrée; s'étendre sur un lit, surtout, l'attirait; il repoussa l'image, sachant que dès l'acte accompli, il se retrouverait en présence de la soirée vide, seulement un peu plus fatigué, pas assez pour s'endormir tout de suite.

Enfin il entra dans un café, alla tout droit à la cabine téléphonique. Elvire était chez elle.

« Je ne savais pas que vous étiez à Paris...

— Je suis arrivé ce matin.

— Venez vite, le dîner est prêt. »

VI

« TOUJOURS le retour à la terre? s'enquit Elvire.

— Plus que jamais! affirma Marat.

— Qu'est-ce que vous pouvez bien faire de vos journées? Moi, je déteste la campagne.

— Un peu de botanique, un vieux goût retrouvé, je vous enverrai de mes orchidées *nature,* je relis les classiques, je travaille à l'éducation sentimentale de mes jeunes voisines...

— Elles doivent sentir la vache...

— Enfin, le temps passe...

— Le maquis ne vous emmerde pas trop? demanda Nicolas.

— On en entend beaucoup parler, mais on ne le voit jamais, c'est un mythe... dans ma région du moins. »

Avant la guerre, Elvire et Marat travaillaient dans le même journal. Le même sourire à l'égard des camarades qui « faisaient carrière », s'enorgueillissaient d'une signature

« à la une », de l'amitié d'un personnage en vue, un sentiment deviné identique du dérisoire de leur métier, un égal cynisme à l'égard des choses du sexe et, en général, de la morale courante, enfin un goût partagé pour une certaine littérature, une certaine poésie (il existe une franc-maçonnerie, une internationale des fervents de Rimbaud et de Lautréamont, des amateurs de Melville) les avaient rapprochés et liés, sans que se formât toutefois une véritable amitié, trop égoïstes et légers qu'ils étaient l'un et l'autre pour en assumer le poids. Après juin 40, Elvire avait épousé, à la surprise générale, Nicolas M., un garçon d'une culture bien inférieure à la sienne, mais qui s'avéra un habile trafiquant, amassa en quelques mois un capital de plusieurs millions, puis se lança dans les grosses affaires avec les commissions d'achat de l'armée d'occupation : début 43, il s'était provisoirement retiré des affaires, attendant de l'arrivée des Américains l'occasion de multiplier la fortune gagnée avec les Allemands.

Elvire et Nicolas achevaient de s'installer dans un grand appartement, à la Muette. Nicolas s'était mystérieusement procuré tout ce qui était devenu introuvable à Paris : un Frigidaire grand comme une armoire, des poêles anglais avec des systèmes compliqués pour la récupération de la chaleur, des tapis de haute laine, des caisses de champagne et de whisky authentiques, des fûts de vin blanc de Touraine, des jambons, des mottes de beurre — et à la cave : des tonnes d'anthracite, des accumulateurs et des piles « pour avoir de la lumière après le débarquement, quand l'électricité sera coupée », des sacs de pommes de terre, des provisions de toute sorte. Il mettait son amour-propre à maintenir en dépit des circonstances un train de vie analogue à celui d'un riche bourgeois d'avant guerre et à prévoir et parer par avance aux nouvelles restrictions, afin de parvenir jusqu'à la paix sans avoir un seul jour déchu. C'était ainsi qu'il s'affirmait au-dessus du destin commun. Jusqu'au dernier jour on aurait du pain blanc sur sa table.

Elvire s'associait au jeu pour des raisons, somme toute, analogues, la gloriole de s'être assujetti l'homme le plus fort, avec, en plus, la satisfaction cynique, d'autant plus piquante qu'amorale, de vivre plus confortablement sans travailler et au milieu de la misère générale, qu'en travaillant au temps de la prospérité. Ils étaient l'un et l'autre fort contents de soi-même. Leur hospitalité était au demeurant fort agréable.

Outre Marat qui n'était connu dans ce milieu que sous son nom légal, François Lamballe, il y avait ce soir-là plusieurs familiers d'Elvire et Nicolas : Maguy la Rousse qui, à la déclaration de guerre, atteignait la trentaine sur les confins du journalisme et de la prostitution, son amitié avec un diplomate nazi en avait fait une personnalité recherchée du Paris de l'an 40, mais voici six mois que l'on boudait ses cocktails du vendredi; Jean-Jean le Wolfram, ex-capitaine aviateur, as de la guerre 1914-1918, deux mariages retentissants entre 1920 et 1930, un banco de cinq millions à Deauville en 1920, chèques sans provision et trafics sans gloire de 1930 à 1935, disparu du ciel parisien de 1935 à 1940, l'amitié d'un colonel espagnol devenu président d'une société métallurgique l'avait hissé soudain au premier plan, c'était au printemps 1944, l'un des rares Français qui obtenaient aussi souvent qu'ils le voulaient le visa de sortie par la frontière des Pyrénées, il arrivait de Lisbonne; Nanie, ex-secrétaire d'Elvire, bientôt quarante ans, soignée, effacée, discrète, au courant de tout, la seule dans la maison à ne pas être ivre après minuit : elle s'était rendue indispensable pour obtenir les suppléments de gaz et d'électricité, etc.

En attendant le dîner dont Nanie surveillait les apprêts, on but, au choix, whisky venu d'Espagne ou pastis fabriqué à la maison.

Gros-Paul arriva comme on servait les hors-d'œuvre, déjà cramoisi des apéritifs bus dans divers bars, un journaliste assez adroit pour ne s'être pas trop « mouillé » avec les Allemands, vivant de diverses combinaisons d'illustrés et de radio. Marat venait d'apprendre qu'il avait récemment adhéré à un groupement de résistance, donnait quelques « papiers » à un bulletin clandestin, voie ouverte à une future décoration, cependant que de solides amitiés parmi les hauts fonctionnaires de la police, voire des services rendus — Marat le soupçonnait sans en avoir la preuve — le préservaient d'acheter trop cher ce qui lui permettrait plus tard d'afficher un héroïsme bon enfant.

« Vous semblez soucieux, dit Elvire à Marat.

— Non, mais j'ai, n'est-ce pas, l'air « emprunté »?... Une expression merveilleusement trouvée! être dans soi-même comme dans quelqu'un d'autre... je me sens depuis ce matin « gêné aux entournures » dans un moi de « confection ».

— Vous continuerez toute votre vie à jouer avec les mots... »

Marat comprit : « C'est sympathique, c'est de bon goût (comme nous entendons le goût) de jouer avec les mots, preuve de finesse, de sensibilité... j'aimais cela comme vous avant la guerre; mais il faut enfin cesser de jouer, sortir de l'enfance, devenir sérieux, c'est-à-dire, comme moi, se faire une situation sociale. » Mais il continua, pour son plaisir, tout à l'analyse de l'impression fâcheuse qui ne le quittait pas depuis son retour, ce matin, à Paris :

« Il y a ainsi des jours où l'on se sent inexplicablement en « état de disgrâce ». Jadis je guettais dès l'orée de la journée des signes auguraux : au carrefour le plus proche du garage, si j'étais brusquement bloqué par le signal passant à mon approche du vert au rouge, la journée s'annonçait néfaste; à l'inverse, le signal rouge passant au vert au moment précis où j'allais devoir freiner, mais avant que j'aie porté la main au frein, présageait que je serais en accord avec le monde, que je danserais en mesure. Aujourd'hui, je n'ai fait que danser à contretemps...

— Quand je danse à contretemps, c'est la musique qui a tort », interrompit Elvire.

Elle aussi poursuivait sa pensée, sans trop s'occuper de ce que disait son partenaire, n'en retenant que ce qui la confirmait dans sa satisfaction de soi-même, *à savoir,* pensa Marat, *que mes considérations sur la grâce et la disgrâce lui rappellent une époque révolue, le temps où, au sentiment de gêne provenant du manque d'argent, elle cherchait une explication poétique ou métaphysique... Je lui permets, croit-elle, d'évaluer le chemin parcouru. Comme moi, elle vivait avant guerre « au jour le jour », enfin au mois le mois de son salaire, strictement dépendante de son patron et, quoique avec un « standing » quelquefois apparemment analogue à celui du patron, toujours à la merci, tout comme une ouvrière, du chômage ou d'une maladie prolongée, toujours contrainte de demander des « avances », de faire des emprunts. Comme beaucoup d'intellectuels, elle affectait d'être « bohème », préférant se proclamer « fauchée » (comme les fils de famille) par suite de ses excès ou de son insouciance, qu'avouer qu'elle était pauvre parce qu'un salarié, quel que soit son traitement, gagne toujours un peu moins d'argent qu'il n'en a besoin. Maintenant elle a acquis une « fortune », elle est sûre du lendemain, elle n'a plus besoin d'être bohème, elle pourrait se permettre d'être économe; guettons le premier symptôme d'économie ménagère...*

« Il y a, continua-t-il, des jours où l'on prend inexplicablement les êtres à « rebrousse-poil »; ceux sur lesquels on compte le plus vous échappent soudain...

— Il ne faut jamais, répond Elvire, compter sur personne... »

Elle réfléchit un instant.

« Mais, dit-elle, si vous avez des ennuis, si quelqu'un vous a fait faux bond, dites-le-moi. Nous nous sommes assez souvent mutuellement rendu service... Nous en reparlerons tout à l'heure. Si vous avez besoin de quelques billets.... »

Cependant Jean-Jean le Wolfram raconte Lisbonne :

« ... tout le long des quais, des pétroliers américains et encore des pétroliers américains...

— Quoi donc, s'étonne Gros-Paul, le Portugal a-t-il tellement besoin d'essence?

— Nigaud... nigaud... » ricane Jean-Jean.

Puis, quand il croit avoir suffisamment attiré l'attention :

« Lisbonne, lance-t-il, est un port qui dessert plusieurs pays...

— Mais, dit Gros-Paul, je croyais que les Etats-Unis avaient mis l'embargo sur les livraisons de pétrole à destination de l'Espagne...

— Nigaud... nigaud... » ricane de nouveau Jean-Jean.

Puis après un moment :

« ... un port de transit vers la France et... l'Allemagne!

— Pas possible! s'exclame complaisamment Gros-Paul.

— Nigaud... nigaud... ça t'étonne, hein? Eh bien, je l'ai vu, de mes yeux vu : ce sont les Ricains qui ravitaillent l'Allemagne en essence! »

Et, vivement approuvé par Nicolas, il développe son thème favori : la lutte entre les démocraties et le fascisme? Un leurre pour les naïfs. La guerre? Un conte pour les peuples, ces petits enfants :

« ... d'abord, est-ce qu'on se bat? Montrez-moi un champ de bataille? (je ne parle pas évidemment du front russe, c'est une autre histoire)... Juste des bombardements strictement limités aux établissements qui n'ont pas voulu adhérer aux grandes ententes germano-anglo-américaines, parfaitement, la guerre, une combine, rien qu'une combine, croyez-moi... j'en sais quelque chose.

— Je suis toujours étonné, dit Marat à mi-voix à Elvire, de la naïveté des hommes d'affaires. Parce qu'ils doivent leur réussite à une astuce, ils ramènent toute la marche du monde à une série d'astuces. Ils ne voient que le petit côté des grands événements : la ficelle. Incapables de penser l'histoire. A la première révolution, les plus habiles d'entre eux se retrouveront ruinés, sans avoir même entrevu ce qui leur arrivait, tout juste bons, comme des princes russes, à faire des chauffeurs de taxi.

— Jean-Jean le Wolfram, réplique sèchement Elvire, ne me paraît rien moins que naïf... Il est en tout cas assez perspicace pour gagner en une semaine plus qu'un professeur de Faculté pendant toute sa vie. Le naïf, c'est plutôt l'intellectuel qui se nourrit de cafés-crème (sans café ni crème) en rêvant à la Ré-vo-lu-ti-on... »

Merde, je l'ai vexée. J'humilie les faiseurs d'argent juste au moment où, croit-elle, je vais la taper. Non seulement, est-elle en train de penser, il me tape, mais encore il me méprise parce que je suis tapable. Ou plutôt, car elle est fine, elle croit que je veux me venger de l'humiliation d'être contraint de la taper en l'humiliant dans sa dignité de tapable.

« Je me demande parfois, poursuit intrépidement Marat, si les grands hommes d'Etat des pays capitalistes ne sont pas, toutes proportions gardées, aussi naïfs que les petits requins d'affaires. Ce qui expliquerait les prodigieuses erreurs commises à tour de rôle par les dirigeants anglais, français et allemands, dans l'estimation des forces réelles de l'U. R. S. S. Leur formation, la forme de leur pensée, la nature même de leur être et les qualités qui les firent réussir dans leur pays leur interdisent de prendre conscience, de concevoir, de « réaliser » ce qui se passe dans le monde socialiste, les termes dans lesquels les problèmes s'y posent... Les Soviets n'ont pas, comme on l'a raconté, tenté de duper le monde entier en cachant leur force réelle sous une faiblesse apparente, ils ont, au contraire, donné le maximum de publicité aux chiffres réels de leur production et de leurs armements. Mais cela revenait à montrer des couleurs à des aveugles : leurs ennemis ont des yeux conformés de telle manière qu'ils ne peuvent pas voir ce qui se passe chez eux... Logiquement, la guerre n'a rien dû changer dans ce domaine et il est possible que les dirigeants anglo-saxons imaginent à l'heure actuelle que le problème qui se posera au lendemain de la guerre sera celui d'un partage de clientèle entre Washington, Londres et Moscou. Comme si l'U. R. S. S. était un Etat impérialiste qui avait besoin de débouchés...

— Je vois, interrompit Elvire, vous continuez à vouloir réformer le monde... Attention, mon pauvre François, nous n'avons plus l'âge de rêver. Entre vingt et trente ans, on peut taper les copains pour finir le mois, ça n'a pas d'importance. Entre trente et quarante, ça commence à devenir pénible. Audessus de quarante, c'est intolérable, pour soi encore plus que pour les autres. A quarante ans, si l'on a encore des vices, — et j'imagine que vous en aurez plus que jamais, — il faut être « capable de payer pour ses vices »... il *faut* être riche...

— ... le débarquement, dit Gros-Paul.

— Comment! s'exclame Jean-Jean, vous êtes journaliste et vous croyez au débarquement? Gardez vos bobards pour vos lecteurs...

— Hé! hé! proteste doucement Nicolas, Gros-Paul n'est peut-être pas si mal informé qu'il le paraît... Moi, j'ai l'impression que le débarquement aura lieu... Bien entendu en parfait accord avec les Fridolins, tout orchestré d'avance... il s'agit pour Londres de faire échec tout à la fois à Moscou et à Washington... Coup double, vous pigez? Le Ricain et le moujik, pfft! pfft! dans le sac... La City a encore quelques cordes à son arc, ce n'est pas pour rien qu'elle a inventé Hitler...

— Dans ce cas évidemment, concède Jean-Jean...

— Crois-moi, tu sais que je suis en relations d'affaires avec des officiers allemands tout ce qu'il y a de bien placés : les Boches évacuent déjà la Normandie, ils n'y laissent que les officiers dont Hitler a envie de se débarrasser; à Caen, il n'y a plus un canon, rien que des mitraillettes.

— Alors c'est tout nouveau... parce qu'à Lisbonne on m'a assuré de source très sûre que la paix était pratiquement signée.

— Pardi, intervient Maguy la Rousse, vous avez tous les deux raison, la paix est signée, on attend seulement le simulacre de débarquement pour la proclamer... Abetz m'a dit, pas plus tard que cet après-midi : « Ma petite « Maguy, cet été, nous dînerons ensemble à « Deauville, au Normandy... je te présenterai « à Bulitt, c'est un vieux cochon... »

— Cet été, juste le temps que les fabricants de matériel de guerre américain aient achevé d'amortir leur capital : c'est ce que j'avais calculé...

— Ha! ha! ha! rit Nicolas.

— Ha! ha! ha! rit Jean-Jean le Wolfram.

— Les pauvres bougres qui se font tuer, ricane Nicolas.

— Les pauvres cons, ricane Jean-Jean.

— Les pauvres cons, les pauv' cons, cons, cons », halète Gros-Paul, maintenant écarlate, qui ne parvient pas à déboutonner son gilet.

.. ..

Le dîner est terminé depuis longtemps. Il est deux heures du matin. Les domestiques sont couchés et c'est Nanie qui va périodiquement chercher à la cuisine les bouteilles qui rafraîchissent dans le Frigidaire géant. Peu importe que l'heure du couvre-feu soit depuis longtemps passée, puisque tous les invités d'Elvire ont des *Ausweiss* (celui de Marat est faux mais ressemble en tous points aux autres) : Jean-Jean le Wolfram a, de plus, un permis de circuler en automobile et de l'essence, il ramènera les autres dans sa voiture, à moins qu'ils ne veuillent coucher là. On a bu énormément.

Maguy la Rousse a déboutonné légèrement son corsage et se penche chaque fois qu'elle prend son verre, afin que Jean-Jean voie ses seins qui sont encore beaux.

Mais Jean-Jean se déplace massivement derrière Nanie, renversant les sièges sur son passage. C'est Nanie qui l'excite parce qu'elle a l'air d'une bonniche. Elle lui échappe adroitement chaque fois qu'il est sur le point de l'attraper dans un coin. Alors il se laisse tomber dans un fauteuil.

Gros-Paul essaie de voir le sein de Maguy. Là. Ça y est. En suivant Jean-Jean qui suivait Nanie, Maguy est venue s'asseoir près de lui. Le beau sein rond comme une pleine lune, blanc comme du lait, évidemment, le lait du sein, le sein du lait, le saint du sein. Maguy regarde vers Jean-Jean, le sein à l'air. Gros-Paul se soulève, il parvient à se soulever, il étend brusquement le bras, il pose, vlan! sa grosse main chaude et moite d'ivrogne, vlan! comme un seau d'eau tiède, vlan! sur le sein de Maguy.

Elle le repousse si fort qu'il va s'étaler sur le tapis.

« Salaud! » crie-t-elle.

Elle passe sa main sur sa gorge, comme pour l'essuyer. Elle reboutonne son corsage. Gros-Paul, par terre, ricane :

« Maguy, ton sein, ton son, ton seinson!... J'ai le feu, Maguy, v'là les pompiers : sein-son, sein-son, sein-son, sein-son...

— Salaud! » crie encore Maguy.

Marat, morose, se remémore la rébellion de Rodrigue et toutes les disgrâces de la journée. Elvire est assise à l'écart, à côté du poêle anglais à récupérateurs multiples. Près d'elle un guéridon, avec un verre et une bouteille, que Nanie a déjà plusieurs fois renouvelée. Elle boit lentement, silencieusement, posément... Elle regarde ses invités s'agiter. Elle jouit attentivement de l'ivresse du vin blanc qui monte si lentement qu'on ne prend pas conscience, on ne bouge pas, les pistons du monde sont bien huilés, on écoute le bruissement soyeux des machines, la mer est calme, la belle traversée sans histoire, on ne fait plus le point, il y a des jours et des jours qu'on n'a plus mesuré sur la carte le chemin parcouru, il y a belle lurette qu'on ne pense plus aux escales, on s'endort tout à coup, il n'y a pas eu de tempête, ivre-mort, le navire a sombré dans une mer d'huile sans que la passagère ait quitté sa chaise longue.

Il n'est pas impossible que Mathilde trahisse, pense Marat, *mais la trahison ne suffit pas à expliquer l'ensemble de ses réactions... De toute manière, je heurte des contradictions...*

Si Mathilde a livré Dani... pourquoi nous livrerait-elle à notre tour, pour sauver Dani?

Si Mathilde fait profession de livrer tout le monde, y compris Dani, pourquoi n'a-t-elle, précisément, livré que Dani, *qu'elle aime et qui n'est qu'un comparse, et non pas Caracalla ou moi ou tant d'autres, comme il lui eût été facile, en maintes occasions? Pourquoi a-t-elle refusé de voir Caracalla? Une « donneuse » aurait fait l'impossible pour entrer en contact avec lui...*

Mais si Mathilde n'a pas livré Dani, pourquoi tous ces embarras et ce refus de voir Caracalla?

Etc., etc., etc.

Marat a beaucoup bu, lui aussi, les questions ont perdu de leur tranchant, les événements de la journée se sont décolorés, ne le poignent plus, mais il demeure lucide, « une lucidité de somnambule », pense-t-il, et il s'applique patiemment à passer en revue tous les mots de Mathilde, toutes ses expressions, tout ce qu'on lui a rapporté d'elle depuis l'arrestation de Dani jusqu'à ce jour, il reste suspendu et attentif, il guette l'explication qui, d'une succession de gestes apparemment incohérents, fera un comportement logique.

Gros-Paul titube à travers la pièce.

« Le téléphone, demande-t-il, où est le téléphone?... Je vais faire une bonne blague. »

Il boule jusqu'à la cheminée sur laquelle est posé l'appareil, compose un numéro, le rate, recommence, enfin on entend le bruissement de la sonnerie.

« Allô, fait-il, allô... monsieur Georges, allô, allô, ici la Police Judiciaire... »

Nanie passe silencieusement dans le couloir pour couper le contact.

« Allô, continue Gros-Paul, je dis, ici la Police Judiciaire, allô, allô, allô...

— Le salaud, murmure Marat.

— Oui, dit Nicolas, je ne sais pas pourquoi Elvire le tolère. C'est un de ses amis, ça ne me regarde pas. Mais je sais que chaque fois qu'il vient ici, il fait le lendemain un rapport sur ce qu'il a entendu... ou cru entendre, car il est toujours complètement ivre...

— ... police, je dis police », bégaie Gros-Paul qui s'affale en bavant, près de la cheminée.

Nanie raccroche l'appareil. Gros-Paul s'endort sur le tapis.

Jean-Jean le Wolfram caresse enfin le sein de Maguy qui sourit dans le vide.

Elvire ne regarde plus ses invités. Elle penche un peu la tête. Elle a les yeux fermés.

Malgré l'heure, malgré l'alcool, elle a le teint rose et frais. Elle tient le coup. Elle est de bonne race. Je l'aime bien. Ses cheveux bouclés comme les bergers antiques... elle a l'air d'un jeune pâtre... Apollon jouant de la flûte... Mais non, c'est le profil de Simone.

Simone montait l'avenue de Laon, pour gagner le bureau où elle était dactylo, juste à l'heure où je partais pour le lycée, je n'ai jamais osé lui parler. Je pensais à elle, je pensais à elle, je pensais à elle, ce soir-là j'aurais tant voulu que le Polonais lui sautât dessus, j'aurais tapé sur le Polonais avec mon vélo, vlan! dans les jambes, ce n'était pas elle qui suivait le Polonais, idiot de Polonais... précipiter l'être aimé dans le malheur pour venir à son secours...

Marat sursaute, une sorte de clarté se fait en lui, les associations d'idées se précipitent vertigineusement, il arpente le salon, ses lèvres miment des mots que prononça Mathilde, il fait des gestes désordonnés... Il demande tout à coup :

« Quelle heure est-il?

— Cinq heures et demie, mon cher François, répond Elvire. Si vous avez des confidences à me faire, dépêchez-vous, car je ne vais plus tarder à être ivre morte...

— A bientôt, dit-il, le métro ouvre, excusez-moi, je file... »

Il courut chez Chloé.

CINQUIÈME JOURNÉE

(qui se situe fin avril 1944
le lendemain exactement
de la « quatrième Journée »)

« Le destin n'a pas de morale. »

I

Annie et Rodrigue étaient déjà arrivés et faisaient les cent pas au pied du monumental escalier de l'église de la Madeleine. Il était dix heures et deux minutes.

Marat pria Annie de l'attendre, en flânant aux boutiques du boulevard, pendant qu'il parlerait en particulier à Rodrigue. Elle ne s'offusqua pas d'un procédé habituel dans les milieux de Résistance où chacun ne devait être mis au courant que de ce qui concernait sa propre activité.

« Je vais te raconter une histoire, dit Marat à Rodrigue... Dani, que tu connais, tomba amoureux, il y a quelques mois, d'une jeune fille, une étudiante juive, qui devint sa maîtresse. Il continua d'habiter chez Mathilde mais il la prit en horreur. Il lui en voulait du mensonge auquel il se croyait obligé et la traitait fort mal. Il la battait...

— Mathilde battue...

— C'est elle-même qui me l'a raconté, mais ne sois pas trop surpris. Il est rare qu'il n'arrive jamais à un mari de battre sa femme. Chez les gens du monde, ça se voit moins que dans les ménages d'ouvriers, parce que les appartements sont plus grands. Tu battras sans doute ta femme, mais c'est une autre histoire. Un jour Mathilde découvrit qu'elle était trompée. Horrible scène. « C'est Vénus tout « entière à sa proie attachée »... menace de suicide, menace de meurtre, *menaces de dénonciation* de la petite juive qui vit sous de faux papiers...

— En es-tu sûr?

— La petite juive vint me voir, elle était terrifiée, elle me raconta que Mathilde était allée chez elle, l'avait tout à fait suppliée, puis sommée de lui rendre son amant... avait finalement menacé de la « donner »...

— Pourquoi ne nous as-tu pas mis en garde?

— Je n'ai pas, à l'époque, attaché d'importance à l'incident, j'ai cru davantage à des mots arrachés par le désespoir qu'à un chantage véritable...

— Evidemment...

— Dani, dans un moment de colère, avoua qu'il était décidé à épouser la jeune fille dès que la guerre serait terminée. Ce fut ce qui la sauva. Mathilde en effet ne se fait aucune illusion sur Dani : elle sait que c'est un maquereau. Or, la jeune fille est pauvre. « S'il « songe à l'épouser, réfléchit Mathilde, c'est « qu'il l'aime beaucoup plus profondément « que je ne croyais. S'il apprend que je l'ai « dénoncée, que je l'ai livrée aux Allemands, « il ne me pardonnera jamais. Je le perdrai « complètement. »

« Elle chercha autre chose.

« Il lui arrivait de rêver avec délices que son amant était emprisonné. Ainsi au moins était-il arraché à sa rivale, séparé d'elle par de lourdes portes, d'énormes serrures, des barreaux de fer. Toute femme jalouse rêve d'avoir un geôlier pour allié. Le rêve se transforma en raisonnement : si Dani était arrêté, il serait séparé de la jeune fille, l'amour passerait au second plan, amour qui vraisemblablement n'avait pas encore de racines assez profondes pour survivre à une longue séparation et aux épreuves de la captivité; le temps travaillerait pour la vieille maîtresse qui avait lié son amant à elle par de multiples habitudes.

« Et si, après un séjour en prison d'une longueur suffisante, Dani était libéré *grâce à l'intervention de Mathilde,* celle-ci lui aurait définitivement démontré qu'elle lui était indispensable, que bon gré mal gré il ne pouvait pas vivre sans elle. Certes, avec le temps, il regimberait, mais en le « sauvant » elle aurait encore accru l'ascendant en quelque sorte maternel qui existe nécessairement dans toute liaison entre une vieille femme et un jeune homme; il lui devait déjà tout, il lui devrait même la vie, précisément comme à une mère.

« D'où finalement le projet de provoquer secrètement son arrestation, puis de le faire libérer, de le « sauver » avec éclat. Des femmes du genre de Mathilde font de tels calculs en un clin d'œil; or elle eut des jours et des nuits pour réfléchir, tout le temps que Dani passait avec l'autre.

« Par la suite, nous fûmes tous dupes de l'apparente contradiction entre le rôle de dénonciatrice et celui de sauveteur. La sincérité évidente des efforts de Mathilde pour faire libérer Dani nous parut prouver qu'elle était innocente de son arrestation. J'eus un trait de lumière ce matin en me rappelant par hasard qu'à quatorze ans je souhaitais passionnément que la jeune fille que j'aimais fût plongée dans les pires dangers... afin de pouvoir surgir en protecteur, écraser ses ennemis, l'enlever sous leurs yeux; au besoin, j'aurais donné un coup de pouce pour provoquer le péril dont je l'aurais ensuite délivrée. Tout ce qui m'avait paru insolite dans l'attitude de Mathilde fut éclairé brusquement par ce souvenir.

« Pour que la machination de Mathilde réussît il fallait que le motif de l'arrestation de Dani ne fût pas trop grave. Sinon elle risquait de ne pas obtenir sa libération. Or Dani n'avait pas dit à Mathilde qu'il travaillait pour nous comme opérateur de radio. Il lui laissait croire qu'il corrigeait les épreuves d'une petite feuille de Résistance. Elle n'apprit la vérité *qu'après l'arrestation,* au cours d'une conversation avec moi, le jour où tu m'escortas, boulevard Saint-Germain.

— Pourquoi avait-il menti?

— Je pense qu'il ne voulait pas qu'elle sache qu'il gagnait de l'argent. Il était devenu rapidement chef du « centre d'antenne » qu'utilisait Caracalla et touchait de gros appointements. Il faisait des économies dans l'idée de se « mettre en ménage » avec la petite juive. Il craignait à juste titre les réactions de Mathilde....

« Celle-ci se renseigna sur les peines qu'il encourait comme « correcteur d'épreuves » et se persuada que — surtout si de hautes influences jouaient en sa faveur — il s'en tirerait, le cas échéant, avec *quelques mois de prison, c'est-à-dire exactement ce qu'elle souhaitait.*

« Mathilde, tu le sais, est fort liée avec un colonel allemand, un brave homme de Bavarois, grand lecteur de romans français, qui voit en elle le type achevé de la Parisienne femme du monde.

« Mais au fait, n'est-ce pas ce que tu crois, toi aussi? N'est-ce pas ce que tu m'as dit hier matin?

« Enfin ce Bavarois préside un conseil de guerre. Elle joua le grand jeu, quinze ans de vie de Paris, je vous présenterai à Sorel, etc., oui, comme avec Frédéric et toi, vous avez aussi votre place dans la machination... enfin, quand elle crut avoir le Bavarois bien en main, elle déclencha le mécanisme...

« Une lettre anonyme, ou quelque chose dans ce genre, Dani est arrêté, mis en prison, séparé de la juive. *Il ne reste plus qu'à le sauver.* Elle ne se presse pas : il faut qu'il ait le temps d'oublier la petite. Tout va bien.

« Tout va bien... jusqu'au jour où Mathilde apprend, par hasard — le hasard en l'occurrence fut moi — que Dani était chef radio, qu'il risquait la peine de mort, que la Gestapo tenait l'affaire, que même un colonel allemand, président d'un conseil de guerre, ne pouvait rien en faveur d'un radio de la Résistance.

« Affolement de Mathilde, ses contradictions, ses réticences. Elle accepte de voir Caracalla — qui trouve suspectes les conditions dans lesquelles son chef radio a été arrêté — parce qu'elle espère que Caracalla pourra quelque chose, un coup de force, elle ne sait quoi, pour sauver Dani; elle s'enfuit à la dernière minute parce qu'une maladresse de Chloé lui fait croire que Caracalla soupçonne la vérité. Elle court demander assistance au Bavarois qui l'éconduit gentiment : il ne veut pas entrer en conflit avec la Gestapo; il ne la garde même pas à déjeuner, lui qui, la veille, se serait estimé tellement « honoré » de l'avoir à sa table. Alors elle s'adresse à un personnage louche, un trafiquant d'armes que la Gestapo a arrêté, puis relâché sur parole, c'est-à-dire sous condition qu'il serve d'indicateur; la veille, elle est sortie avec lui, il a bu et dans l'ivresse il lui a à moitié raconté son histoire; elle lui confie son secret. L'indic flaire la belle affaire et s'offre comme intermédiaire. Des négociations s'engagent. La Gestapo consent, fait-elle dire, à libérer Dani, si on lui fournit en échange un gibier de qualité. Mathilde *m'offre d'abord* : c'est ce qui lui paraît le plus facile; la Gestapo ne marche pas, elle veut du solide et Mathilde ne sait pas ce que je fais, elle me considère comme un chef, mais elle ne sait pas de quoi, c'est vague. Alors elle offre Caracalla : Dani s'est vanté de le connaître, Chloé s'est flattée d'avoir sa confiance, elle a deviné son importance, elle connaît vaguement son titre, ses fonctions. Cette fois, les Boches sont excités. Est-ce bien vrai, au moins? Mathilde donne des précisions qu'on n'invente pas, rapporte ses discussions avec moi, son altercation avec Chloé, tout concorde, semble de bon aloi. Cette fois, ces messieurs se dérangent, ils pressent Mathilde, qui commence à sentir qu'elle ne domine plus la situation, que le courant l'emporte... mais, comme on dit, le vin est tiré...

« Maintenant, il faut le boire, c'est-à-dire tenir la promesse. La Gestapo exige que Mathilde rembobine le rancart avec Carac, manqué par sa faute : ce sera l'occasion d'un guet-apens. Pour cela on — c'est-à-dire elle et eux — pense à moi et à toi. On te file pour découvrir mon adresse; elle va plusieurs fois chez moi, mais *je ne suis pas à Paris.* Alors elle te rencontre *par hasard* aux Deux Magots *où elle sait que je donne habituellement des rendez-vous.* Elle te saute dessus, elle fait des frais pour te conquérir mais elle n'ose pas te demander tout de suite de rencontrer Caracalla, elle a peur d'éveiller ta méfiance. Là-dessus, je rentre à Paris. Avec moi elle peut y aller carrément puisque *c'est moi qui lui ai le premier conseillé de voir Carac;* donc elle insiste; je l'engueule, elle encaisse tout, elle file doux, *elle a des ordres.* Premier résultat : la Gestapo nous connaît toi et moi, et sans doute nous file.

— Sûrement pas. A tout hasard, je vérifie, après chaque rendez-vous, si je ne suis pas suivi. Je m'en serais aperçu...

— Mais tu ne t'es pas aperçu qu'on te suivait pour découvrir mon adresse...

— Merde, tu me fous les jetons...

— Rien à craindre pour l'instant. Nous constituons un fil précieux qu'on se garderait bien de couper. On ne nous arrêtera pas avant... au fait, pour quelle heure est fixée l'entrevue Mathilde-Carac?

— Demain matin, onze heures... Mais comment sais-tu?

— J'ai refusé hier à Mathilde de lui arranger une rencontre avec Carac, il était logique qu'elle te le demande et que, monté contre moi à cause des événements de la matinée, tu t'entremettes avec empressement. Je vois que ce fut vite fait...

— Je comprends... Mais comment as-tu découvert toute l'histoire... enfin tout ce que tu viens de me raconter?

— En réfléchissant.

— As-tu des preuves?

— Je n'ai appris absolument rien de plus que ce *que je savais déjà hier matin.* Je n'ai aucune preuve en particulier, mais beaucoup mieux que des preuves : tout ce qui me paraissait inexplicable, incohérent, illogique, invraisemblable, inhumain, *pas vrai* dans l'attitude de Mathilde, toutes les *anomalies* que nous avions constatées dans son comportement, s'explique en fonction de mon hypothèse. Si mon hypothèse expliquait *une* anomalie, ce ne serait qu'une hypothèse parmi une infinité d'autres hypothèses possibles. Si elle expliquait *deux* anomalies, elle mériterait déjà d'être prise en considération; mais comme elle explique *toutes* les anomalies, elle devient *infiniment* probable; ainsi l'exige *la théorie des probabilités,* « cette théorie à la« quelle le savoir humain, disait E. A. Poe, « doit ses plus glorieuses conquêtes et ses plus « belles découvertes ».

— Mais c'est terriblement grave d'accuser cette femme de vendre tout le monde — sans preuve, sur un calcul de probabilités, sans une seule preuve formelle...

— Il ne s'agit pas du Jugement Eternel de

Mathilde mais de la conduite que nous devons tenir dans les vingt-quatre heures qui viennent. *Tout se passe comme si* nous étions trahis. Nous devons donc *en tout nous comporter comme si...*

— Mais admets qu'elle soit innocente...

— Mais admets qu'elle soit coupable; veux-tu courir le risque de faire fusiller Carac? Veux-tu courir le risque d'une petite séance à la chambre de torture? N'y aurait-il qu'une faible petite chance qu'elle ait trahi, nous devrions nous comporter comme si...

— Dac, dac, j'ai compris...

— Vérification expérimentale sera faite de mon hypothèse lorsque demain, *après onze heures,* la Gestapo, furieuse d'avoir manqué Caracalla, que nous allons prévenir, viendra chez moi pour m'arrêter.

« En attendant, il s'agit de réduire la casse éventuelle au minimum. As-tu déjà transmis à Mathilde le rendez-vous avec Carac?

— Oui, je dînais hier soir chez elle...

— C'était ce que je pensais... As-tu un moyen de la « décommander »?

— Non. Elle est partie, je ne sais où, avec son « Monsieur Robert »; elle m'a dit qu'elle ne coucherait pas chez elle et irait tout droit au rendez-vous...

— Alors, il faut prévenir Carac de ne pas y aller. As-tu un moyen de le joindre?

— Comme d'habitude, par l'intermédiaire de Chloé... elle le voit deux ou trois fois par jour... je cours chez elle.

— Inutile... J'y ai pensé avant toi, j'y étais à six heures ce matin, sa bonne m'a dit qu'elle était partie pour quarante-huit heures. Je me suis en effet rappelé qu'elle devait aller en Sologne pour contrôler un parachutage.

— Merde! Chloé est notre seule liaison avec Carac...

— Cherchons....

— Evidemment, s'il arrivait quelque chose à Chloé, nous pourrions *à la longue* retrouver Carac. Nous sommes en contact avec des services qui sont en contact avec lui; nous leur demanderions, etc.

— Mais nous sommes pressés par le temps : il faut que Carac soit prévenu *avant demain matin onze heures.* »

Des problèmes de ce genre se posaient fréquemment dans les milieux de la Résistance, la règle étant que les conjurés ne se communiquent pas leur adresse personnelle; au cours de chaque entrevue, ils fixaient le lieu et l'heure de la prochaine entrevue avec, pour le cas d'empêchement, une série de *repêchages.* L'année précédente encore, chaque service disposait d'une « boîte à lettres », sympathisant de bonne volonté (ou même dans certains cas, véritable boîte à lettres commerciale) chez lequel étaient levés régulièrement les messages déposés par les autres services. Ce système facilitait les liaisons, les accélérait, évitait les pertes de contact; mais l'indiscrétion d'une seule des personnes connaissant la « boîte » suffisait à provoquer l'arrestation de toutes les autres, ce qui entraîna un si grand nombre de « chutes » que, dès la fin de 43, la plupart des services avaient condamné l'usage des « boîtes ». On les avait généralement remplacées par un rendez-vous hebdomadaire fixe, indéfiniment renouvelable, jouant automatiquement quand aucun des *repêchages* prévus n'avait fonctionné. Il arrivait ainsi que deux conjurés qui avaient une communication urgente à se faire, ne pussent se rencontrer qu'au bout de plusieurs semaines. Chaque « résistant » se trouvait finalement plus ou moins obsédé par la crainte qu'une série de malentendus ou de hasards défavorables ne le coupent irrémédiablement de son organisation.

Marat et Rodrigue dressèrent rapidement un plan de recherche. Rodrigue allait essayer de joindre Caracalla par l'intermédiaire des services, également en rapport avec lui, qu'il possédait un moyen de toucher dans la journée. Marat de son côté était décidé à hanter systématiquement les lieux où il savait que Caracalla donnait habituellement ses rendez-vous et à visiter, aux heures des repas, les restaurants où il lui était arrivé de manger avec lui.

Ils furent atterrés du peu de chances qu'ils avaient de l'atteindre dans le faible délai qui leur restait.

II

Les Parisiennes, ce printemps-là, s'affligeaient de la rareté et de la cherté des bas de soie. Le bas de soie ajoute à la jambe ce qu'ajoutent au paysage l'allée exactement tracée, le massif taillé, le gazon tondu : il stylise, parachève, parfait la nature. D'autres femmes s'accommodent, voire s'embellissent de quelque rusticité, mais la beauté de la Française n'a rien de sauvage; qu'elle se trouve sans fards, sans bas, ce sont ronces et orties dans le jardin de Le Nôtre. Les bas de soie doivent posséder deux qualités en apparence contradictoires : l'élasticité, qui implique un tissage serré, et la transparence; mais que la transparence soit obtenue par le relâchement des mailles ou, à l'inverse, l'élasticité aux dépens de la transparence, *l'effet* propre au bas de soie se trouve annulé, il ne reste plus que le ridicule d'avoir voulu ajouter à la nature. Beaucoup de Parisiennes préféraient donc, à porter des bas de soie de qualité médiocre, aller jambes nues. D'autres épilaient et teignaient leurs jambes, ce qui était une autre manière plus fruste, mais non dépourvue d'ingéniosité, de parfaire la nature.

Annie, ce matin-là, portait des 44 fins qu'elle avait dû payer fort cher. Or son tailleur commençait à briller aux coudes. Marat aima qu'elle eût sacrifié la fraîcheur du tailleur à la beauté des bas, beauté qui pour lui relevait encore davantage de la poésie que de l'élégance.

Ils descendaient côte à côte la rue Royale.

« Où allons-nous? demanda Annie.

— Nous promener...

— J'ai l'impression que c'est la grande spécialité de votre service...

— Aujourd'hui plus que jamais... »

Il lui expliqua succinctement la situation.

Ils atteignirent le terre-plein des Tuileries qui domine la place de la Concorde, devant le musée de l'Orangerie.

« Asseyons-nous, dit-il.

— Et Caracalla? » s'étonna-t-elle.

Elle était tout émue de ce qu'elle venait

d'entendre, saisie de la brièveté du délai, du poignant de la situation, prête aux plus dangereuses démarches.

« Espérons, dit-il, qu'un hasard favorable le dirigera de notre côté... Il lui est arrivé plusieurs fois de me donner rendez-vous ici... le paysage s'accorde avec lui... et avec le temps qu'il fait... »

Elle fut scandalisée :

« Pourquoi pas le parc Monceau ou le Père-Lachaise!...

— Il faut toujours laisser une porte ouverte à la chance : j'ouvre la porte, c'est ce que nous pouvons faire, nous en sommes là... »

Les fauteuils des jardins publics de Paris sont moins incommodes qu'ils ne paraissent. Le temps était exceptionnellement beau. La terrasse de l'Orangerie offre l'attrait des jardins suspendus : on s'y trouve sur la place de la Concorde et simultanément très loin d'elle, sur le mail d'une ville de province; les passants qui se hâtent sur le trottoir d'en bas semblent d'un autre monde. Annie et Marat éprouvèrent une sensation inattendue de « confort ».

« Frédéric, dit Annie, a fait hier soir une découverte : il ne m'aime plus, c'est moi qui l'aime...

— Ah! oui...

— Oh! entre autres choses... il a fait beaucoup de découvertes, tout au long de la soirée... c'était fatigant parce qu'il fallait beaucoup marcher : il ne peut analyser son cœur qu'en marchant. Nous sommes allés à pied de Montparnasse à Montmartre, aller et retour... »

Elle s'étendit sur le sujet, fit le récit détaillé de sa soirée avec Frédéric. Marat écoutait distraitement.

C'est une enfant, pensait-il, elle est flattée comme une enfant de l'importance que lui accorde Frédéric, elle éprouve un visible plaisir à me raconter les divagations amoureuses du grand benêt, elles la mettent en valeur... Les jeunes filles de la bourgeoisie restent enfants très longtemps, elles n'ont pas de responsabilités, pas le souci de gagner leur vie, elles restent enfants jusqu'à la première fausse couche; les voilà précipitées tout à coup dans le sort commun, la vie des femmes, le triste sort des femmes... Les deux « courrières » de Germain, la blonde, la brune, dans mon jardin, jugeraient Annie infiniment puérile, la dialectique de l'amour, la carte du Tendre revisée par le puceau Frédéric, la brune, la blonde riraient, pas certainement, elles ne comprendraient pas, puceau à vingt-deux ans, mettre en cause la morale, la métaphysique pour ne pas aller au bordel, la singularité de Frédéric leur imposerait peut-être une sorte de respect, c'est d'un autre monde... A l'inverse, c'est quand le jeu devient drame qu'Annie ne comprend plus, elle le dit bien : « Ce n'est plus du jeu », elle se révolte, l'irruption du réel la scandalise comme une indécence, le réel est mal élevé... Annie a toujours vécu chez son Papa, sa Maman, je suis sûr qu'elle croit au Bon Dieu, à la Sainte Famille... malgré tout, malgré la conspiration, les collages de tracts, les recherches de la police, l'héroïsme dont elle va peut-être faire preuve tout à l'heure (elle resta très calme, très convenable dans la Prairie en entendant siffler les balles), elle vit un drame sans le savoir, cela arrive aussi aux enfants, elle ne sait pas ce qu'elle fait, elle agit sans discernement, elle ne sait pas ce qu'elle est, elle n'a pas l'âge de raison... Caracalla aussi en est aux toutes premières questions. « Qu'est-ce que la Patrie? », lui aussi croit au Bon Dieu, à la Sainte Famille, il les accommode à la Maritain, mais c'est « du pareil au même », il n'a pas l'âge de raison... la plupart des hommes qui font cette guerre écrivent un texte qu'ils sont incapables de déchiffrer — mais ils croient recopier un vieux texte su par cœur — des soldats, des généraux, des hommes d'Etat, qui croient recommencer la guerre 1914-1918, *les déclarations anachroniques des ministres anglais et américains, des hommes éduqués, formés, mûris de telle manière qu'ils ne peuvent pas savoir ce qu'ils font, comprendre la signification des événements qui sont leur œuvre, des condamnés au somnambulisme, ainsi devaient être Louis XVI et ses ministres, ils n'ont pas l'âge de leur temps, ils ne sont pas à la hauteur de leur siècle... L'homme a poussé très vite au cours de ces cinquante dernières années; il fait sa crise de croissance, sa crise de conscience, sa maladie, comme on dit des jeunes chiens, drôle de sort de vivre la toute petite portion de la vie de l'homme qui m'est échue juste au moment où il fait sa maladie — d'être né au moment où l'humanité prend sa purge, pique son quarante de fièvre, sue, pue, pisse, crache, larmoie, dégueule, une vie de chien!*

« Oui, dit Annie, ce que craint surtout Frédéric, c'est la « liaison », la liaison qui lie : c'est pourquoi il voudrait se persuader qu'il n'est plus amoureux de moi...

— Au fait, dit Marat, croyez-vous en Dieu?

— Pourquoi?

— Je voudrais savoir...

— Philosophiquement, on peut en discuter à l'infini...

— Sans doute... mais là, entre nous, sincèrement, directement...

— C'est difficile à expliquer... évidemment je ne pratique pas... Mais pour être tout à fait sincère, eh bien, oui... je suis d'ailleurs persuadée qu'au fond tout le monde croit en Dieu, même ceux qui se disent athées... Depuis que l'homme...

— Ça suffit... Ecoutez : je vais vous chanter une petite chanson :

Les petites filles qui vont à la messe
Et qui mettent des coussins sous leurs genoux
Elles feraient mieux de se les mettre sous les
[fesses
Afin de mieux tirer leur coup
Alléluia, alléluia!

— Qu'est-ce qui vous prend?

— Rien, je suis de bonne humeur... »

Il haussa les épaules...

« Midi et demi... Annie, ma sœur Annie, ne vois-tu rien venir?

— Vous êtes complètement fou!

— Non, ma sœur, pas la moindre *caracelle* à l'horizon : voilà ce qu'il fallait répondre. Annie, soyez sérieuse pour deux : allez vite voir si Rodrigue de son côté a *caracallé* et venez me le dire, à deux heures, devant le bassin du Palais-Royal... »

III

La quête de Caracalla. Les restaurants. Chez Weber :

... *On mange mal. Ces grandes boîtes sont trop faciles à surveiller, trop symboliques pour que les surveillants puissent fermer les yeux, ce serait un défi trop ostentatoire à la loi : elles ne peuvent pas faire de marché noir. Les officiers allemands sagement alignés sur la banquette, ici vint tout le « boulevard », invention juive, l'esprit parisien, invention juive, chaque Allemand seul à sa table, avec sur sa tunique les rubans de couleur qui résument son aventure : la Norvège, l'Egypte, la Méditerranée. En avais-tu assez rêvé, étudiant de la Mitteleuropaische, des îles grecques, des citronniers, des Nombres d'Or? Et pour finir, la plaine russe avec les tournesols et les troupeaux d'oies gardés par la petite fille du franc-tireur partisan. Vous ne ver-*

rez jamais les minarets d'Astrakan ni le marché de Samarcande! Peut-on avoir l'air plus provincial qu'un officier de l'armée d'occupation? Les capitales d'Europe Centrale sont toutes des villes de province, les jeunes mariés vont passer leur lune de miel à Paris, « et puis c'est fini », dit tristement la jeune femme, fini pour toute la vie, et il ne te reste plus qu'à traduire Madame Bovary, *tu ranges les feuillets dans un sous-main de cuir repoussé qui ferme à clef, tu achetas le fermoir en argent à Nuremberg le jour de tes dix-huit ans. Noble Allemagne éternellement promise au malheur, il vous manque « the sense of humour ». Monsieur l'officier, vous êtes grave comme cocu, mais oui nous coucherons avec vos femmes, les Viennoises, les Praguoises, les Hongroises et les belles Allemandes qui montrent leurs seins en riant : « Französische. » « Sont-ils aussi beaux que ceux des Françaises? », « ils sont bien plus beaux, grande sotte », il était écrit de toute éternité que nous coucherions avec vos femmes, aussi vous êtes trop provinciaux. Ce fut pourtant beau le grand veneur Hermann Gœring chassant l'aurochs dans la forêt de Bialowicza et le burg du Führer au sommet d'un pic inaccessible avec un ascenseur à l'intérieur du rocher et l'aire de l'aigle conservée nature près de la fenêtre de la chambre à coucher d'où il méditait la ruée des blondes cohortes vers les caps de l'Hellade, les jeunes gens montant à l'assaut des lignes ennemies en chantant les chansons des reîtres, bras dessus bras dessous, l'amant soutenant l'(aimé) comme à la bataille de Salamine, les joues roses, le rire frais, le torse nu sous la chemise à manches courtes, vous méditez chez Weber sur le malheur allemand, le maître d'hôtel en a vu bien d'autres, c'est un vieux Parisien, vous n'aurez pas de viande, le mardi est un jour sans viande...*

Devant la terrasse du Weber,

... passent passent les jeunes filles en uniforme, mädchen en uniforme, gris bleu, gris souris, elles ont lu dans leur manuel d'histoire de l'art que la Madeleine avait vingt-quatre colonnes, elles vérifient s'il y a bien le compte. Pas maquillées, nettes, proprettes, l'air franc, elles ont fait bonne impression dans les milieux comme il faut, « les ouvrières de France pourraient en prendre de la graine, les méthodes hitlériennes ont du bon ». La Madeleine n'a pas perdu de colonne, le compte y est, mais est-ce bien Paris? Où sont les vitrines dont parlaient les magazines berlinois,

les mannequins, le chic, les vieux marcheurs, les jeunes fous? Paris est comme les putains françaises qui se laissent prendre mais qui réservent la bouche, vous l'avez violé mais vous ne connaîtrez jamais le goût de ses baisers.

... Rue Royale, cœur de cette ville qui entre toutes les villes qui composent Paris se nomme plus particulièrement Paris, faubourg Saint-Honoré, rue Boissy-d'Anglas, rue de Penthièvre, rue Caumartin, rue Saint-Florentin, rue Tronchet, rue Godot-de-Mauroy, les voies où naguère les moins avertis devenaient soudain sensibles à l'élégance. Lorsque d'un pays lointain je pensais à Paris c'était la rue Royale qui m'apparaissait. Allez, cherchez, flairez, vous avez « eu » Paris mais vous l'avez « raté... »

C'est près de la rue Tronchet

... qu'il m'emmena un soir manger des viandes saignantes qu'on conservait exprès pour lui. Ce n'est pas un restaurant, un bistrot à banquettes de moleskine noire, la salle du fond, près du téléphone, il téléphonait tout le temps pour savoir si Thucydide avait échappé au guet-apens de la traîtresse Rosine, un de ces bistrots qui n'ont pas apparemment de

raison d'être, il faut y venir souvent pour savoir que les employés de la banque voisine y prennent leur petit déjeuner, qu'un gros book y tient ses assises à la fin de la matinée et que les mannequins de la grande maison de couture du même immeuble viennent goûter dans la salle du fond, en passant par la porte de la cour, c'est la vie de Paris...

Chez Gendarme, Marché Saint-Honoré,

... les viandes sont les meilleures de Paris, les habitués ont les joues rouges comme des biftecks, c'est moi qui lui ai donné l'adresse, il faut se recommander de R. qui se jeta par la fenêtre quand on sonna à sa porte, il eut énormément d'os brisés, « Qui est là? » avait-il demandé, il entendit : « ... pour vérifier », il crut que c'était la Gestapo, il était juif, il mourut sans savoir que l'employé du gaz était venu pour vérifier le compteur. Caracalla ne connaissait pas le marché Saint-Honoré, puis il y donna rendez-vous au général parachuté envoyé d'Alger pour inspecter les F. F. I., celui qui, lorsqu'il fut pris, s'empoisonna; mais je lui montrai plus insolite encore, comme un champ de blé dans un appartement, le marché en plein air qui se tient tous les matins dans le passage entre la Taverne Royale et la rue Boissy-d'Anglas...

Chez Etienne, rue Boissy-d'Anglas,

... le patron prend les commandes, la patronne est à la caisse, c'est très cher, un jeune ménage qui débute dans le commerce, ils gagnent énormément d'argent, je les connais, ils habitent encore en meublé dans un petit hôtel particulier de la rue Vineuse, mais ils vont probablement l'acheter, ils seront propriétaires, ils pensent qu'ils gagneront encore beaucoup plus d'argent quand les Américains seront là. Mais il faudra ajouter un bar parce que les Américains se soûlent, la construction du bar est déjà commencée entre la cuisine et la caisse, ça fait bien des complications mais il faut prévoir l'avenir et faire des sacrifices à temps. Ils ont pris une nurse pour le baby, le matin elle donne des leçons d'anglais à Madame, c'est une vraie Anglaise qu'ils ont pu faire sortir du camp de concentration grâce à un colonel allemand qui a compris que les Parisiens devaient apprendre l'anglais pour pouvoir faire des affaires avec les Américains, entre gens intelligents on arrive toujours à s'entendre...

Chez Trompette, rue Troyon, tout près de l'Arc de Triomphe,

... c'est bon, il y a une grosse motte de beurre sur la table de cuisine. Aux bonnes clientes Trompette accorde le privilège de venir voir la motte de beurre, c'est un chauffeur de camion allemand qui l'apporte de Normandie. Il y a toutes sortes de clients, même les putains de la rue Troyon; un soir il y en eut une qui parla de novar, à d'autres tables on leva la tête et bientôt tous les clients se souriaient d'un air complice! Bien sûr, on sait tous ce que c'est, trois à quatre cents francs le repas sans vins vieux, les putains paient leurs additions, ce n'est pas un restaurant à michés, leur métier est celui où l'échelle des salaires s'adapte le plus rapidement au coût de la vie...

Dans le bar en face de chez Trompette,

... Caracalla va quelquefois prendre le café. On y sert du vrai café à cinquante francs la tasse. Je n'aime pas ce bar, je n'ai jamais pu supporter la familiarité des barmen, elle s'est aggravée avec la guerre, dans les bars de marché noir elle signifie une sorte d'égalité par complicité, il n'y a que les trafiquants du marché noir qui soient assez riches pour fréquenter régulièrement les bars de marché noir, clients ou serveurs la situation est inter-

changeable, c'est la foire aux larrons, le ton est de mauvais aloi, je me contracte à certain clin d'œil, c'est que je suis un homme de cœur, la guerre accroît nécessairement le peuple sans fierté des parasites des grandes capitales...

Chez Panurge, rue Desrenaudes,

... de la tenue, de la tradition. Des messieurs seuls, généralement de vieux messieurs, dépensent beaucoup d'argent pour leur déjeuner, ils discutent longuement avec le sommelier, ce n'est pas qu'ils se donnent une fête, ils viennent ici tous les jours et il leur arrive, quand ils ont mal à l'estomac, de ne boire que de l'eau de Vichy, ce sont de vieux messieurs très riches pour lesquels de nombreux ouvriers travaillent dans les usines qui sont bombardées; ils seront très très ennuyés quand nous ferons la révolution, ils auraient bien voulu que Hitler soit plus raisonnable, il était bien commode pour mater les communistes, on a eu tort de faire confiance à un peintre en bâtiments, ces gens-là, on s'aperçoit bien vite qu'ils ne savent pas tenir leur place, maintenant tout est à recommencer, il aurait mieux valu s'adresser à un maréchal, un maréchal ça sait obéir...

Au Gratin Dauphinois, en face le bordel réquisitionné par les Allemands, Marat demande :

« Vous n'avez pas vu M. Lelong? »

(C'est le « nom de restaurant » de Caracalla.)

« Il vient de partir », lui répondit-on.

Tout l'après-midi Marat hanta les jardins et les carrefours où Caracalla donnait habituellement ses rendez-vous. Il était cinq heures quand il atteignit le square de la tour Saint-Jacques.

La nuit précédente, chez Elvire, il n'avait pas dormi. Il marchait depuis l'aube. Sa découverte de la trahison de Mathilde l'avait violemment ému. Voulant visiter le plus grand nombre possible de restaurants pendant l'heure du déjeuner, il n'avait pas pris le temps de manger. Il eut brusquement très sommeil. Il gagna la rue des Lombards dont il connaissait bien les hôtels de passe et loua une chambre. Il s'étendit sans ouvrir le lit : comme il avait peu confiance dans la propreté du couvre-pied, il posa sa tête dans son bras replié; avant de s'endormir, il avala plusieurs tablettes d'ortédrine.

Il se réveilla un peu avant sept heures. La digestion étant plus longue pendant le som meil, l'ortédrine n'avait produit son plein effet, comme il l'avait prévu, qu'au bout de deux heures. Il se sentit allégé et combatif. Il aspergea son front et ses yeux d'eau froide. Il éclata de rire à la vue des gravures « parisiennes » qui ornaient la chambre. Il fit quelques mouvements de bras et respira plusieurs fois profondément. Les sirènes émirent un son prolongé : il y avait eu pendant son sommeil une alerte dont on annonçait la fin. Il pissa dans le lavabo. Dans la rue des Lombards, il sourit aux filles qui l'appelaient au passage.

IV

MARAT retrouva Annie et Rodrigue place du Châtelet, comme il avait été convenu.

« Rien, dit Rodrigue avec accablement.

— Je crois bien, dit Marat, qu'il ne nous reste plus à envisager que l'intervention en force... »

Il résuma de nouveau les données de la situation : Mathilde et Caracalla doivent se rencontrer le lendemain matin, à onze heures, sous l'Arc du Carrousel; il est très probable qu'à cette occasion la Gestapo, prévenue par Mathilde, dressera un guet-apens pour s'emparer de Caracalla; dans l'impossibilité de prévenir Caracalla *avant* qu'il se rende au Carrousel, il reste de le prévenir *au moment* où il arrivera, juste avant qu'il ne tombe dans les mains de l'ennemi — et en dernière analyse d'intervenir en armes pour empêcher l'ennemi de s'en emparer... Rodrigue fut chargé de rassembler quelques camarades armés — en choisissant de préférence ceux qui avaient déjà eu l'occasion de rencontrer Caracalla. Ils seront postés sur les diverses voies d'accès aboutissant au Carrousel. Rodrigue et Marat surveilleront personnellement les guichets du Louvre. Si Caracalla, par malchance, passe quand même, un camarade sûr, posté près de l'Arc, alertera les autres par un signal convenu, tout le groupe se rabattra alors vers le Carrousel et attaquera la Gestapo... Marat et Rodrigue prirent rendez-vous dans les parages dès dix heures. pour avoir le temps de mettre minutieusement au point leur dispositif de sécurité et d'attaque...

« N'oublie pas, rappela enfin Rodrigue, que tu dois rencontrer Sidoine à neuf heures, au café de la Légion d'honneur. boulevard Saint-Germain. Il t'apportera des horaires de trains de permissionnaires allemands. Nous avons des emmerdements mais... le service continue.

— J'y pensais, dit Marat, j'expédierai Sidoine rapidement, ne t'inquiète pas, je serai à l'heure... Mais nous parlons pour rien... j'ai malgré tout confiance que nous parviendrons à joindre Carac dans la soirée et que toute notre mise en scène sera inutile...

— Adieu, Annie, dit mélancoliquement Rodrigue, pensez à nous, demain matin, à onze heures... »

Annie et Marat s'engagèrent sur le boulevard du Palais, vers la place Saint-Michel. Ils marchaient lentement, traînant le pas. Marat parlait à mi-voix, sans attendre ni solliciter de réponses d'Annie, une sorte de monologue chuchoté, comme une *messe basse*.

« ... Il n'est certes pas sans signification que, chaque fois que je suis désemparé, j'aboutisse dans ce quartier... comme le navire sans gouvernail qui glisse irrésistiblement vers le *Maelström*... comme si toutes les *pentes* de Paris convergeaient vers ce *creux* qui coupe un peu en oblique le cours de la Seine, du bas des Halles au bas de la montagne Sainte-Geneviève, enfermant les parages de la tour Saint-Jacques, l'île de la Cité et les quartiers à l'est de la place Saint-Michel jusqu'au-delà de la place Maubert, la *Maube* dont le nom résonne comme une menace venue du monde, d'en bas... ce n'est certes pas par hasard que le Dépôt (où sont enfermés les prévenus que la Police Judiciaire vient d'arrêter) et les cafés de la *Maube,* ultimes asiles des clochards, trouvent également place dans ce *creux* de Paris : ainsi, tous ceux dont les liens avec leur milieu, les ancres, les amarres sont rompus, soit par suite d'une brutale, tempétueuse irruption de la police, soit par suite d'une déchéance progressive, d'un lent glissement à la dérive, échouent finalement au point le plus bas de la capitale... C'est dans ces parages que j'ai fait, tout au long de ma vie parisienne, les rencontres les plus insolites, les plongées par hasard dans les milieux les plus éloignés de ceux que je hante habituellement... à trois heures du matin, sur le pont Saint-Michel, une femme qui s'appelle B. m'est apparue pour la première fois... Chaque grande ville possède ainsi un centre, un *creux* (qui ne coïncide pas nécessairement comme à Paris avec le centre géographique) où aboutissent toutes les espèces de désemparés, y compris les voyageurs sans but, les *promeneurs.* A Marseille, c'est la rue Bauveau où j'ai rencontré à six heures du matin I. V. qui aurait dû logiquement être à Bucarest; à Lille, la rue de Strasbourg; à Madrid, le quartier de prostitution, à droite de la Gran Via, en montant; à Prague, le dédale au bas de l'avenue Saint-Wenceslas... Lorsque je suis ivre dans une ville inconnue, je ne parviens pas à sortir du *creux,* la ville devient un labyrinthe dont tous les passages me ramènent irrésistiblement au même point, au fond du *creux*... »

Marat et Annie dérivèrent le long de la

Préfecture de Police, sinistre et sonore caserne érigée au point le plus bas de la ville, longèrent les murailles tristes de l'Hôtel-Dieu, l'hôpital du Quartier Latin, où l'on transporte à l'aube les étudiants qui se sont suicidés pour n'avoir pas pu supporter encore une nuit de solitude; ils franchirent les étendues désertes et froides du parvis Notre-Dame, traversèrent le pont, atteignirent le square de l'église Saint-Julien-le-Pauvre...

« Le voici, dit Marat.

— Qui donc? demanda Annie.

— Caracalla..., évidemment! »

Caracalla, en effet, debout et solitaire, attendait quelqu'un, devant la devanture de bois vernissé du thé Caddy. Il ne fut pas autrement surpris de rencontrer Marat. Il était normal — et il arrivait fréquemment — que deux conjurés, dont c'était en quelque sorte le métier de hanter les lieux publics, croisent leurs routes.

Cependant, quand Marat lui eut expliqué toute l'affaire, il se refusa à admettre comme *certitude* que Mathilde eût trahi et qu'un guet-apens fût dressé contre lui le lendemain matin. Il manquait, estimait-il, une preuve formelle, *une preuve par neuf*. Les présomptions étaient évidemment suffisantes pour qu'il s'abstînt d'aller au Carrousel. Mais il se refusait, jusqu'à nouvel ordre, à déclencher contre Mathilde le mécanisme qui, à cette époque et dans ce service, aboutissait presque sûrement et dans un délai très bref à l'exécution des traîtres.

« Aussi bien, dit Marat, je me garde bien de vous le demander. A moi aussi, les exécutions répugnent — même lorsqu'elles sont justifiées. Ça me dégoûte qu'un homme juge d'autres hommes, etc. Mais la preuve de l'exactitude de mes déductions se fera très vite. Si, comme j'en suis personnellement convaincu, Mathilde nous a tous *donnés,* la Gestapo, après vous avoir *raté,* se rabattra nécessairement sur moi. Il est possible qu'auparavant, Mathilde fasse un ultime effort pour ménager une rencontre avec vous. Mais, de toute manière, les policiers finiront par venir à mon domicile. Or, Mathilde se trouve être, avec Chloé et Rodrigue, qui ne peuvent pas raisonnablement être soupçonnés, *la seule personne au monde à connaître mon adresse.* La descente de police *chez moi* constituera la *preuve par neuf* que vous réclamez...

— J'espère bien que, dans ces conditions, vous ne retournerez pas chez vous...

— Evidemment non. Quoiqu'il soit au plus haut point improbable que les Allemands songent à m'arrêter avant demain matin onze heures : ils craindraient trop de vous alerter; vous êtes un gibier beaucoup plus intéressant que moi. Connaissant leurs habitudes, nous pouvons supposer que, afin que nous ne puissions pas nous mettre l'un l'autre en éveil, ils essaieront de nous arrêter à la même heure. Je pourrais donc coucher tranquillement chez moi, à la seule condition d'en être parti un peu avant onze heures. Je ne rentrerai cependant pas chez moi... Quoique ça m'ennuie de perdre mon colt... et les belles chemises de soie récemment parachutées.

— Vous savez où coucher?

— J'ai plusieurs identités de rechange toutes prêtes : je peux donc descendre à l'hôtel.

— De bonnes identités?

— Ce que notre Chloé fait de mieux : carte enregistrée dans une préfecture, acte de naissance *réel*, permis de conduire, acte de baptême, cartes d'adhésion à plusieurs sociétés *datées d'avant guerre*... De Gaulle viendrait faire un tour ici *incognito*, on ne pourrait rien lui donner de mieux... »

Annie était placée obliquement par rapport à Caracalla, elle pouvait le regarder tout à l'aise sans courir le risque d'être taxée d'effronterie. Elle le regardait. Marat se rappela la remarque de Rodrigue : « De grands yeux clairs qu'elle pose gravement sur les gens avec l'air d'en savoir beaucoup sur eux... » Caracalla, à plusieurs reprises, tourna la tête pour l'examiner — avec cette impertinence inconsciente des professionnels de la conspiration (certains officiers des services secrets manifestent en temps de paix le même *tic*) fréquemment obligés de se faire en quelques minutes une opinion sur un personnage dont ils ignorent totalement les tenants et aboutissants, qui n'a comme introduction auprès d'eux qu'un mot de passe, un numéro d'immatriculation, voire seulement une déclaration de bonne volonté; d'où l'habitude, le réflexe, en présence d'un inconnu, de procéder à une observation extrêmement concentrée de l'attitude, de l'expression et des traits marquants de la physionomie. Les yeux d'Annie et de Caracalla se rencontrèrent. Marat en éprouva un déplaisir dont il prit conscience. A R. il avait longuement parlé de Caracalla, l'avait présenté sous un jour romanesque qui avait nécessairement frappé la jeune fille; elle savait l'importance du rôle qu'il jouait dans la Résistance, malgré sa grande jeunesse; enfin il se trouvait être, depuis le matin, l'objet d'une recherche anxieuse qu'elle avait visiblement prise à cœur; tout concourait à ce qu'il lui apparût nimbé de ce prestige.

« Marat, dit-il, je compte sur vous pour me tenir au courant du développement de cette affaire... »

... Je compte sur vous, il tient à lui montrer qu'il est le chef. Le coup est régulier...

Mais l'homme avec lequel Caracalla avait rendez-vous devant le thé Caddy était arrivé. Il attendait à l'écart, drapé dans un trench-coat d'une incroyable saleté, percé de brûlures de cigarettes à tel point qu'un flic zélé l'avait arrêté, prenant les trous des brûlures pour des traces de balles et l'homme pour un parachutiste. Haut de près de deux mètres, nonchalant et désinvolte, il n'était pas sans charme.

Marat conclut avec Caracalla une série de rendez-vous éventuels pour le lendemain. Comme enfin il s'éloignait avec Annie, le nouveau venu, en les croisant, posa sur elle « le regard froid des vrais libertins », puis agita bizarrement son profil aigu de bête de proie.

« Qui est-ce? demanda-t-elle.

— Encore un personnage romanesque, *l'homme de main* particulier de Caracalla (comme on aurait dit jadis le secrétaire particulier), le spécialiste des coups durs — accessoirement l'exécuteur des traîtres... Un grand nom de France, Thucydide pour la Résistance. Un mercenaire au demeurant et qui nous coûte cher... Sympathique quand même (à mes yeux), car cynique... foncièrement amoral ou plutôt très naturellement persuadé que ce qu'il fait est bien *parce que c'est lui qui le fait*... je ne déteste pas cela.

— Les gens que vous fréquentez, dit rêveusement Annie, sont très différents de ceux avec lesquels je travaillais à Toulouse. Là-bas, ils sont, comment dirai-je? plus *purs,* nous aurions méprisé un mercenaire, il ne nous venait même pas à l'idée que quelqu'un de la Résistance pût être mercenaire... Mais j'ai l'impression que vos amis d'ici sont plus *intéressants*... »

V

Annie et Marat dînèrent ensemble, à la Maison Rouge, rue Fontaine, bar-restaurant de peu de façade, connu seulement des habitués, mais où la cuisine restait convenable malgré les « restrictions ». La patronne, qui connaissait Marat, ici Lamballe, depuis quelque quinze ans, fit dresser son couvert, sur un signe de lui, tout au fond de l'établissement, un peu à l'écart des autres dîneurs.

Ce fut surtout Annie qui parla. Marat l'encourageait à se raconter. Les femmes comme les hommes aiment parler de soi-même. Il intervenait peu, se bornant à prononcer de temps en temps une phrase, un mot *compréhensif*. Ou bien il lui disait à brûle-pourpoint :

« Laissez votre main là (sur le bord de la table); j'aime la regarder pendant que vous parlez, elle est vivante. » (Ce n'était pas vrai, il venait de penser que les mains d'Annie manquaient de vie, c'était précisément ce qui lui avait donné l'idée du compliment.)

Ou encore :

« Tournez de nouveau la tête comme vous venez de le faire : le mouvement, le déploiement de votre cou apprendraient à une brute ce que c'est que la grâce... » (c'était vrai).

Il disait ces bêtises, distraitement, nonchalamment, — il les avait tant de fois répétées, au cours de tant de dîners, souvent à la même place, dans le fond de la Maison Rouge, — ce qui communiquait à son ton une certaine désinvolture qui faisait visiblement impression sur la jeune fille. Elle souriait.

Elle parlait des garçons qui avaient été amoureux d'elle, des lettres qu'ils lui avaient écrites, des folies qu'ils avaient faites.

Au dessert, il passa le bras par-dessus son épaule et joua avec ses cheveux. Ce fut elle qui dit :

« Continuez, j'aime vos doigts dans mes cheveux... »

Il caressa la nuque.

Elle dit :

« Mais qu'ont-ils donc, vos doigts? Il en sort comme un fluide... »

Il pensa qu'elle était enchantée d'elle-même à l'idée d'être, aux caresses, aussi sensible qu'un chat. Elle renversa la tête pour appuyer la nuque contre les doigts frôleurs.

Avant d'aller au restaurant, ils avaient déposé des lettres chez Rodrigue et chez Frédéric (qui avait finalement trouvé une chambre meublée, sur la Butte, non loin de chez Rodrigue).

A Rodrigue, Marat annonçait que Caracalla avait enfin été découvert et prévenu, qu'il pouvait donc décommander les camarades et dormir en paix, prendre une matinée de repos après cette journée harassante; il lui fixait rendez-vous au début de l'après-midi.

Auprès de Frédéric, Annie s'excusait de n'être pas allée à sept heures et demie, au Dupont-Latin, comme elle l'avait promis. Son nouveau patron avait besoin d'elle pour un travail urgent et imprévu. Elle avait dans l'ensemble beaucoup de travail. Elle lui écrirait prochainement...

Mais ni Rodrigue ni Frédéric ne rentrèrent cette nuit-là chez eux.

•

De la place du Châtelet, Rodrigue avait gagné le pont des Arts, où il avait son dernier rendez-vous de la journée. Le courrier du M. U. R. qu'il avait rencontré n'avait pu lui donner aucune indication relativement à Caracalla.

Il avait remonté lentement la rue de Seine. Il était las et découragé. Il envisageait avec anxiété l'aventure qui lui paraissait désormais inévitable : prévenir Caracalla sous les yeux de la Gestapo. Il avait pensé à Mathilde, cause de tous ses tracas, revécu leur dernier entretien. Ce jour-là, il sortait de chez M. Sidoine et s'était fait un succès du récit piquant de son entrevue avec le haut fonctionnaire, dont il n'avait heureusement pas révélé le véritable nom. M. Sidoine avec son mélange de timidité et de folle hardiesse, M. Lebureau conspirateur était une mine inépuisable d'anecdotes pour un jeune homme qui veut réussir dans le monde. M. Sidoine proposait en souriant un effroyable, un terrifiant plan de sabotage, mais il tremblait à l'idée d'arriver en retard à son bureau... ou d'entrer dans un bistrot... car il avait promis à sa femme, lorsqu'il était fiancé, de ne jamais mettre les pieds dans un café. Mathilde avait bien ri. « Et imaginez un peu dans quel café j'ai obtenu de lui faire rencontrer Marat : *au Café de la Légion d'honneur!* C'est tout un programme, mais oui, il existe un café de ce nom, boulevard Saint-Germain — et à une heure incroyablement matinale, à neuf heures, avant l'ouverture des bureaux, bien entendu, les heures de bureau sont sacrées, les heures des repas aussi... » Un souvenir qui avait arrêté net la rêverie mélancolique du jeune Rodrigue : « Mathilde connaît donc l'heure et le lieu du rendez-vous. Et livrer d'un seul coup le haut fonctionnaire et Marat vaut presque de *donner* Caracalla!... Un nouveau danger menace le service et cette fois par ma faute, rien que par ma faute... Vite prévenir Marat... que n'ai-je pensé plus tôt à cette stupide conversation! »

Rodrigue avait d'abord eu l'impression qu'il serait beaucoup plus facile de joindre Marat que Caracalla : il l'avait vu toute la journée, il venait de le quitter. Puis il avait réfléchi que Marat ne devait pas coucher chez lui, qu'il était en train de poursuivre la *quête* de Caracalla, qu'il ne pouvait orienter sa recherche que sur de vagues intuitions, qu'il n'avait aucune certitude sur son emploi du temps avant le rendez-vous au café de la Légion d'honneur. Aussi, quel besoin Rodrigue avait-il eu de briller dans le monde?

Il avait été atterré.

A tout hasard il avait gagné Montmartre, estimant que Caracalla habitant le XVIIIe (croyait-il), c'était dans les restaurants de ce quartier que Marat devait être en train de le chercher.

*

Frédéric avait traîné toute la journée dans les bibliothèques de la rive gauche.

Depuis son aventure de Toulouse, il n'avait pas retrouvé d'emploi permanent dans la Résistance. Il était difficile à « placer », les postes qu'il avait déjà occupés le désignant pour des responsabilités plus importantes que celles des courriers ou simples exécutants dont on avait toujours besoin; sa jeunesse, son inexpérience humaine, son manque de souplesse lui interdisant les fonctions politiques, son aspect malingre lui fermant les organisations purement militaires. Caracalla, sollicité par Marat, avait promis de « s'occuper de lui ». Pour l'instant, Frédéric se bornait à rendre de menus services à Rodrigue (mais sa mauvaise écriture, bâclée, simplifiée à l'extrême, désordonnée, strictement illisible d'intellectuel « désincarné » ne permettait même pas de lui confier les menues tâches de secrétariat). Il occupait le reste, la plus grande partie de ses journées, à des études décousues d'économie politique.

Il alla de la bibliothèque de la Sorbonne à la Mazarine, puis à Sainte-Geneviève. Il n'était pas satisfait de la soirée précédente qu'il avait passée avec Annie. Il avait l'impression d'avoir agacé la jeune fille, qu'elle lui avait échappé. Il se jura d'être aujourd'hui plus calme, de moins parler de lui-même, il se proposa de lui faire la cour avec simplicité, comme un jeune homme à une jeune fille dont il est amoureux. Comment se comporte un jeune homme amoureux? Il se le demandait anxieusement, tout en relisant les thèses sur Feuerbach.

Dès sept heures moins le quart, il fut au Dupont-Latin. A une table voisine, un garçon de l'âge de Frédéric attendait une jeune fille. Quand elle franchit la porte, leur sourire bouleversa Frédéric. Ceux-là n'avaient pas besoin d'apprendre le jeu d'amour; rien que dans la manière dont ils se disaient bonsoir, il discerna une caresse, un aveu, l'expression d'un désir; comme il enviait l'*aisance* de ce sourire! Jamais il ne parviendra à sourire avec autant de *naturel*.

A huit heures, Annie n'était toujours pas arrivée. Il l'avait pourtant habituée à la ponctualité, du temps où, à Toulouse, dans le Parti, il était son « responsable ». Dans les organisations clandestines, l'habitude était d'accorder un délai de dix minutes. Mais lui ne tolérait que cinq minutes de retard, il s'en allait dès le début de la sixième minute, les « siens » s'y étaient accoutumés, ils mettaient leur amour-propre à arriver quand l'horloge sonnait l'heure, ni plus tôt ni plus tard, c'étaient de bons militants, sérieux, consciencieux, qui méprisaient la légèreté de certains gaullistes... Annie évidemment n'était plus dans son service, leurs rencontres ne concernaient plus le travail, ils avaient maintenant des rendez-vous d'amour... Ah! oui, d'amour... Frédéric n'était guère fait pour l'amour, il avait trop méprisé l'amour, il eût fait beau voir qu'un camarade invoquât l'amour pour s'excuser d'un retard dans le service, il en eût entendu. Maintenant, l'amour se vengeait, Annie ne viendra pas... avec qui était-elle? Evidemment, avec Marat. Marat avait l'habitude des femmes, il connaissait toutes les ficelles du jeu d'amour, c'était un « vieux libertin », un « séducteur »...

La jalousie empoigna Frédéric, l'étreignit au creux de l'estomac, le jeta sur le trottoir, le traqua dans les rues. Il partit à la recherche de Marat et d'Annie. Le séducteur avait certainement emmené la petite provinciale dans un de ces établissements de luxe dont les prestiges — qui lui étaient familiers, qu'il savait mettre dans son jeu — étaient en ce moment même en train de servir de lacs pour capturer l'innocente, la lui livrer, pieds et poings liés, bêtement fascinée.

Frédéric fit un effort désespéré pour rassembler tout ce qu'il savait des restaurants de luxe et boîtes de nuit de la capitale : Maxim's, le Caveau caucasien, Lajunie, Langer, Chantilly, le Grand Jeu, le Bœuf sur le toit... Existaient-ils encore? Il sentait bien qu'il confondait ce qu'il avait lu, ce qu'on lui avait raconté, ce qu'il avait rêvé. Lui, connaissait surtout le Paris de l'*Education sentimentale,* son roman préféré, il s'appelait Frédéric, hélas! comme Frédéric Moreau.

Il se dirigea vers Montmartre. Il avait peu d'argent sur lui. Tant pis, il franchira les portes aux enseignes célèbres, traversera hardiment les antres des fêtards, dira : « Tiens, ils ne sont pas arrivés, je reviendrai tout à l'heure », sortira la tête haute. La jalousie le guidera et lui donnera de l'assurance.

« La jalousie : tout ce qu'il m'est permis de connaître de l'amour. »

*

A dix heures et demie donc :

Marat caresse les cheveux d'Annie, à la Maison Rouge, rue Fontaine. Il n'a jamais parlé de ce restaurant à ses jeunes amis, habitué qu'il est à *réserver* certains compartiments de sa vie, à éviter les interférences entre les divers milieux où il évolue.

Rodrigue cherche Marat qu'il croit toujours occupé à chercher Caracalla.

Frédéric cherche Annie — et Marat qu'il soupçonne d'avoir « débauché » Annie — et accessoirement Rodrigue, qu'il suppose comme d'habitude au courant de l'emploi du temps de Marat.

Par ailleurs :

Caracalla, qui vient de lire les rapports reçus tout au long de la journée, est déjà couché et s'endormira bientôt. Il pense distraitement : « Où Marat a-t-il pêché son nouveau *courrier?* Elle fait très jeune fille, elle a de beaux cheveux, je crois même qu'elle est belle... Couche-t-il avec? »

Chloé, sur une route des environs de Tours, en compagnie du chef régional des opérations aériennes, roule vers une prairie où, à deux heures du matin, un avion anglais doit parachuter deux nouveaux agents.

Mathilde joue au poker, chez elle, avec Robert et deux autres amis. La bouteille de cognac apportée par M. Robert est aux trois quarts vide. Il y a un gros pot sur la table, mais elle ne peut décemment pas « suivre » avec une paire de neuf. Elle en profite pour aller faire un tour dans la cuisine où il y a une autre bouteille de cognac.

M. Sidoine, dans la salle à manger de sa villa de Viroflay, sous la suspension familiale, dicte à sa fille des horaires de trains allemands.

Le curé de R., les Favre, les deux courriers de Chalon, la blonde, la brune, dorment.

Mademoiselle est couchée, mais elle ne dort pas encore, elle guette le bruit de la clef dans la serrure : elle se demande si cette nuit encore Marat découchera.

*

Frédéric monte la rue Fontaine, visitant systématiquement les rares boîtes de nuit qui, trois fois par semaine, ont la permission de rester ouvertes jusqu'au matin. Paris n'est pas en état d'alerte et les lueurs voilées des réverbères permettent de distinguer vaguement le visage des passants. Il entre au Mélody's.

Au même instant Annie et Marat sortent de la Maison Rouge. Ils montent la rue Fontaine vers la place Blanche. Marat prend le bras d'Annie. Ils marchent lentement et silencieusement appuyés l'un contre l'autre.

Arrivés place Blanche :

« C'est dommage de nous quitter si tôt, dit Marat. J'aurais aimé que nous bavardions encore longtemps, comme dans la Prairie...

— Accompagnez-moi, propose Annie, nous descendrons à pied vers la rue de Bourgogne. Peu vous importe le dernier métro puisque ce soir vous ne pouvez pas rentrer chez vous. Vous coucherez dans un hôtel de mon quartier, là ou ailleurs...

— Mais, dit Marat, si je couche à l'hôtel, je dois d'abord aller chercher mes faux papiers. Je les ai confiés à un ami qui habite avenue de Clichy... »

Ils font quelques pas autour de la place Blanche.

« Ma tante n'est pas là, reprend Annie, vous pouvez venir à la maison, vous coucherez dans sa chambre, ce sera amusant... »

Elle ajoute :

« ... dans les circonstances actuelles, c'est tout à fait naturel... »

Frédéric sort du Mélody's. Il aperçoit de la lumière derrière les rideaux rouges de la Maison Rouge. Il entre. Annie et Marat, qui redescendent la rue Fontaine pour aller prendre le métro à Notre-Dame-de-Lorette, passent devant la Maison Rouge.

« C'est fermé, monsieur, dit à Frédéric la

patronne, nous ne servons plus personne... »

Frédéric jette un regard sur les derniers clients en train de prendre leur vestiaire, sort de la Maison Rouge et monte vers la place Blanche.

Cinquante mètres plus bas, Annie et Marat continuent à descendre la rue Fontaine et arrivent à hauteur du Mélody's. Ils poursuivent lentement leur route.

Frédéric tourne rageusement autour de la place Blanche dont tous les cafés sont maintenant fermés.

.. ..

Station Etoile, Rodrigue sort de la dernière rame de métro Nation-Dauphine.

Marat lui a naguère donné l'adresse du dancing clandestin où, une nuit, il emmena Caracalla. Il va voir à tout hasard; peut-être y rencontrera-t-il l'un ou l'autre ou les deux, très probablement ni l'un ni l'autre.

Il pense que le lendemain matin avec *deux* tentatives d'avertissement *in extremis* sous les yeux de la Gestapo, il aura bien peu de chances de s'en tirer.

C'est sans doute sa dernière soirée de liberté. Aussi était-ce trop beau de toujours *passer au travers.*

.. ..

Dans la chambre d'Annie.

Annie est debout, le dos à la cheminée, accoudée au marbre. Marat tourne autour de la chambre, regarde les gravures, les titres des livres, demande :

« Vous aimez?... vous n'aimez pas?... Tiens, vous avez *Alcools*... »

Il ouvre au hasard, il dit :

« Consultons l'oracle... »

Il pose le doigt sans regarder, puis lit :

Tu es à Paris chez le juge d'instruction
Comme un criminel on te met en état d'arrestation
Tu n'oses plus regarder tes mains et à tous moments je voudrais sangloter
Sur toi, sur celle que j'aime, sur tout ce qui t'a épouvanté.

« C'est horrible, s'écrie Annie, passez-moi l'oracle, je veux vous réconcilier avec le destin... »

Il lui tend le livre, elle ouvre au hasard, pose le doigt au milieu de la page, regarde...

« Ah! non, fait-elle en riant, ce n'est pas de jeu...

— Vous devez lire, vous n'avez pas le droit de tricher... »

Alors elle lit :

Je vous aime
Disait-elle
Comme le pigeon aime la colombe
Comme l'insecte nocturne
Aime la lumière.

« Oh! s'écrie-t-il, le merveilleux présage! »

Il veut prendre le livre mais elle s'y oppose. Jeu de mains. Quand elle se laisse arracher le volume, il est refermé, la page est perdue. Mais il connaît assez Apollinaire pour retrouver rapidement le passage; le texte dit : « Je vous aime disait-*il*... » Elle rougit quand elle s'aperçoit qu'il cherche le passage; il fait semblant de ne pas le trouver...

« A moi! » s'écrie-t-il.

Il tombe sur : *L'aveugle berce un bel enfant.*

Ils rient tous les deux. Il s'approche de côté et lui caresse les cheveux.

« Non, proteste-t-elle, pas ici...

— Pourquoi? »

Il est en face d'elle, il lui prend la tête entre les mains, les doigts appuient sur la nuque au travers des cheveux.

« Pourquoi? » répète-t-il.

Elle secoue la tête, détourne les yeux.

« Non, non, dit-elle, je ne veux pas... »

Il maintient la tête immobile entre ses mains.

« Montre tes yeux, dit-il, j'aime tes yeux... »

Elle lève les paupières et le regarde droit dans les yeux. Il attire le visage. Il l'embrasse. Il serre contre lui le corps mince qui ne se dérobe pas.

Annie répond au baiser. Puis se dégage, s'ébroue, se regarde dans la glace, arrange ses cheveux, efface le rouge qui a débordé sur la lèvre.

« Maintenant, dit-elle, il est temps de dormir. Je vais vous montrer votre chambre...

— Ah! oui », fait-il.

Il se dirige vers la porte et s'efface pour laisser passer la jeune fille. Elle le conduit dans la chambre de sa tante, découvre le lit, remonte le réveil :

« A quelle heure demain matin?

— Huit heures, le café de la Légion d'honneur n'est pas loin.

— Je vous préparerai le petit déjeuner... avec des tartines beurrées.

— Bien.

— Vous n'avez plus besoin de rien?

— De rien. Merci. »

Il lui prend la main et la baise longuement. Il lâche la main, Annie va lentement jusqu'à la porte. Il reste debout près du lit, sans rien dire. Elle se retourne, s'arrête :

« Bonsoir », répète-t-elle.

Il ne répond pas, elle franchit la porte, va la fermer.

« Au fait, dit-il, n'auriez-vous pas quelque chose à lire?

— Qu'est-ce que vous voulez?

— Je n'en sais rien. »

Elle n'hésite presque pas.

« Eh bien, venez voir... »

Ils retournent dans la chambre d'Annie. Elle s'assoit sur le lit, pour atteindre les livres rangés sur le cosy-corner. Il s'assoit près d'elle et se penche également vers les livres. Son front frôle les beaux cheveux blond cendré. Elle demande :

« Avez-vous lu la *Vie de Paracelse?* »

Elle tire le livre et se retourne pour le lui montrer. Leurs yeux se rencontrent — tout près. Il sourit, puis doucement la pousse, se penche sur elle, l'embrasse. Elle répond au baiser, puis se défend, détache sa bouche, écarte la main — qui se laisse écarter. Mais tout le corps la presse.

« Alors, bonsoir...

— Bonsoir, Annie...

— Mais je ne vous aime pas... gémit-elle.

— Oui? » fait-il...

Elle pousse un soupir, secoue la tête en fermant les yeux... puis à son tour, elle l'attire vers elle et prend sa bouche.

En même temps, elle presse le commutateur, la lumière s'éteint.

Elle hésite un court instant.

.. ..

Il était minuit quand Frédéric arriva devant la maison d'Annie, rue de Bourgogne. Pas de lumière dans la chambre de la jeune fille. Il savait pour s'être attardé la nuit précédente après avoir accompagné Annie que, malgré les doubles rideaux soigneusement tirés à cause de la Défense passive, la lumière filtrait au travers des volets. Il savait par ailleurs qu'Annie ne s'endormait jamais avant deux ou trois heures du matin, elle avait l'habitude de lire au lit, — même quand elle était très fatiguée (il lui arrivait alors de s'endormir en lisant), — jamais elle n'éteignait que très longtemps après s'être couchée; Frédéric avait si souvent veillé sous ses fenêtres à Toulouse, — nuits de tourment pendant lesquelles il se reprochait les sottises qu'il avait dites au cours de la soirée, — qu'il ne pouvait éprouver aucun doute : s'il n'y avait pas de lumière, c'est qu'elle n'était pas rentrée.

Les douze coups sonnèrent à Saint-Thomas-d'Aquin. C'était aussi le couvre-feu : donc, elle ne rentrera pas, elle ne peut plus rentrer maintenant. Il n'osa pas monter, sonner : il ne savait pas que la tante était en voyage.

Il entendit le pas de deux agents. Il ne lui restait pendant le quart d'heure habituel de tolérance que juste le temps de chercher une chambre aux environs de la gare d'Orsay.

.. ..

Cinq heures du matin.

La nuit d'Annie et de Marat se déroule avec un bonheur rare pour une première nuit d'amour. La première honte est bien dépassée : toutes les lumières de la chambre sont allumées. Des vêtements, la lingerie légère de la jeune fille, les beaux bas qu'aima Marat, l'oreiller, les couvertures jonchent la chambre — comme un champ de bataille. Annie, nue, essaie les poses que demande Marat. Puis elle se précipite sur lui :

« Toi, toi, toi, toi... » crie-t-elle.

.. ..

Frédéric ne parvient pas à trouver le sommeil.

« Peut-être l'a-t-il envoyée en mission en

banlieue. en province... peut-être tout simplement était-elle tout à l'heure en train de parler avec sa tante dans la chambre qui donne sur la cour..., je suis idiot, idiot. idiot... peut-être a-t-elle été arrêtée, on ne sait pas, on ne peut pas savoir, il doit y avoir une belle pagaïe dans le service de Marat, on ne doit pas respecter les règles les plus élémentaires de la sécurité, M. Marat est un dilettante de la Résistance. joli-cœur va... peut-être... ah! peut-être... avec Marat, l'ignoble salaud, il raffole des *Liaisons dangereuses,* Valmont à la manque. il ne s'est pas regardé. avec son nez en bec de corbeau et son crâne d'œuf, mais je ne le laisserai pas faire. je défendrai mon Annie, ma fiancée, je ne tolérerai pas que mon Annie serve de jouet à un bourgeois pourri, bien sûr il est vérolé. ces jouisseurs qui passent leur vie au bordel ont tous la vérole, pourvu qu'il ne soit pas trop tard. mon Annie, mon Annie, mon Annie n'est pas une fille de joie... il faut que je le voie le plus tôt possible, tout de suite. immédiatement. que fait-il ce matin? Je vais aller le trouver. je lui dirai, je lui dirai, je lui dirai... Il faut que je lui parle ce matin même... »

VI

MARAT ne sut jamais l'heure à laquelle il s'était endormi. Quand il se réveilla, il était onze heures. Dans le désordre du lit, Annie gisait sur le ventre, les bras en croix, comme un guerrier frappé en pleine bataille. Elle se trouva en un instant complètement réveillée, ainsi qu'il arrive aux êtres très jeunes. Elle voulut l'aider, préparer une tasse de café :

« Ma tante a encore du vrai café... Une ultime réserve qu'elle gardait pour le jour de la victoire... »

Elle s'affaira dans l'appartement, toute nue. Elle revenait à lui à tout instant, pour lui caresser le front, la poitrine, la nuque, l'embrasser, le toucher. Elle s'accota bizarrement au mur, dans un rayon de soleil, les bras levés, frappant le sol en cadence de son pied nu et répétant :

« J'ai un amant, j'ai un amant... »

Elle riait.

Marat ne quitta qu'à midi la rue de Bourgogne. Il ne se faisait pas trop de souci du rendez-vous manqué avec M. Sidoine. Il enverrait Rodrigue l'excuser et organiser une autre entrevue. Le plus urgent était de savoir si la Gestapo était venue chez Mademoiselle. Pauvre Mademoiselle, elle allait avoir, si elle ne l'avait pas déjà eue, une bien désagréable surprise — mais elle ne courait pas grand risque : Marat lui avait été envoyé comme locataire par une amie de sa mère, une femme au-dessus de tout soupçon, fréquentant des fonctionnaires allemands, abonnée à *Collaboration,* les portraits de Laval et du Maréchal sur sa cheminée; Mademoiselle pourrait jurer qu'elle ignorait tout de l'activité du monsieur bien tranquille auquel elle sous-louait une chambre; les policiers trouveraient dans un tiroir les quittances du loyer mensuel; Mademoiselle n'avait pas compris pourquoi il s'obstinait à demander des quittances...

Il s'approcha précautionneusement de la maison, observa qu'elle ne paraissait pas surveillée, entra rapidement dans un bistrot voisin dont le patron appartenait à la Résistance.

« Ah! vous voilà », s'écria ce dernier qui, aussitôt, l'entraîna dans l'arrière-boutique.

« Les Boches sont venus ce matin dans votre maison. Je ne sais pas au juste ce que vous faites, mais je soupçonne vaguement que vous êtes des nôtres, et je craignais que leur visite ne fût pour vous... Je suis bien content de vous voir...

— Vous aviez raison de craindre... Mais je n'étais pas chez moi ce matin... Soyez assez gentil pour aller jusque chez la concierge, savoir ce qui s'est passé... Trouvez un prétexte, car il se peut qu'un flic soit resté chez elle. »

L'homme revint rapidement. Une voiture allemande était venue à onze heures. Le chauffeur et un soldat en uniforme, mitraillette à l'épaule, étaient restés dans le couloir de l'immeuble. Cinq hommes en civil étaient montés tout droit chez Mademoiselle, sans rien demander à la concierge — ce qui prouvait qu'ils avaient des renseignements précis. Trois d'entre eux étaient descendus à onze heures et demie et étaient partis avec la voiture, après avoir recommandé à la concierge de ne pas prévenir M. Lamballe de leur visite, lorsqu'il rentrerait; ils l'avaient menacée de prison et même d'être fusillée. Les deux autres étaient toujours chez Mademoiselle : évidemment, ils attendaient Marat.

Il remercia chaleureusement.

« Je repasserai », dit-il.

Il se garderait bien de repasser. L'homme paraissait sûr, mais toute sa famille devait déjà être au courant, bientôt les clients, etc.

Il retrouva Rodrigue place Pigalle, comme il le lui avait demandé dans la lettre déposée chez lui. la veille au soir.

« Frédé est arrêté. haleta Rodrigue.

— Quoi! c'était bien le dernier...

« Mais d'abord. filons. Les parages ne sont pas sûrs pour moi... »

Ils se dirigèrent vers les espaces déserts de l'avenue Trudaine. Rodrigue raconta comment il s'était rappelé que Mathilde connaissait le rendez-vous du café de la Légion d'honneur, comment il avait vainement essayé pendant toute la soirée de retrouver Marat, qu'il n'était pas rentré chez lui...

« ... Dès huit heures et demie, je rôdais autour de la Légion d'honneur. J'avais mis un vieil imperméable et emprunté un chapeau à un copain, afin de changer ma silhouette, pour que, le cas échéant. Mathilde ne me reconnût pas. Je me tins près du métro Solférino, pensant que, à moins d'avoir couché dans le quartier, tu viendrais nécessairement par le métro; je ne te voyais pas faisant du footing si près du lever du jour. Mais je me mis un peu à l'écart, derrière un arbre, parce que Mathilde aussi pouvait arriver par le métro. Enfin, je me tenais à carreau...

« A huit heures quarante, Mathilde arriva par la rue Saint-Dominique. Je l'aperçus à temps et eus le temps de me jeter sous une porte cochère. Elle traversa le boulevard et entra tout droit dans le café de la Légion d'honneur. Ce fut un sale coup pour moi — car jusqu'à ce moment-là très précisément, j'avais espéré que tu te trompais; ta démonstration était convaincante, mais enfin tu n'avais aucune preuve formelle; je pensais même (pardonne-moi) que si après avoir si longtemps défendu Mathilde contre tout le monde, — et en particulier contre Chloé, — tu t'étais brusquement tourné contre elle, *après* avoir appris que je la fréquentais, c'était peut-être, comment dirais-je? par une sorte de jalousie, par amour-propre froissé, par dépit, tu vois ce que je veux dire? Je m'aperçus qu'un doute subsistait encore à ce moment-là, à l'angoisse qui succéda aussitôt après, lorsque je la vis entrer dans le café de la Légion d'honneur : à ce moment précis, la preuve était faite : elle ne pouvait aller dans ce café, qui n'est pas du genre des établissements qu'elle fréquente, ce jour-là, à cette heure-là, que pour t'y rencontrer...

— La preuve par neuf...
— Pourquoi par neuf?
— Je t'expliquerai. Continue...
— A neuf heures moins dix, deux Citroën comme en utilise la Gestapo stoppèrent rue de Solférino, à une centaine de mètres du café. Il en descendit sept hommes : trois qui entrèrent dans le café, deux qui se postèrent sous une porte cochère, rue de Solférino, en face de l'entrée du café, les deux derniers se mirent à faire les cent pas, boulevard Saint-Germain, sur le trottoir opposé au café. Tu vois bien les lieux : le café fait l'angle du boulevard Saint-Germain et de la rue de Solférino, le métro a deux sorties, de chaque côté du boulevard, à cinquante mètres en amont du carrefour. Les passants étaient nombreux, car c'est l'heure où les employés des ministères — presque tous groupés dans ce quartier — arrivent à leur bureau. Je surveillais les deux sorties du métro, anxieux mais somme toute assez satisfait, car, vu la configuration du guet-apens, j'avais toute chance de te prévenir avant que Mathilde ne t'ait aperçu, avant en tout cas qu'elle n'ait eu le temps d'alerter ses flics. Mais au fait, pourquoi n'es-tu pas venu?
— J'ai été empêché à la dernière minute. Je t'expliquerai...

— Où as-tu couché?

— Rive gauche. Mais c'est sans intérêt. Continue...

— Je pensais d'autre part que Mathilde n'ayant jamais vu M. Sidoine, celui-ci ne risquait pas grand-chose, — quoiqu'il dût avoir des papiers compromettants sur lui, — mais de nombreux fonctionnaires auxquels il ressemblait en tous points prenaient leur petit déjeuner au café de la Légion d'honneur... entraient, puis sortaient sans apparemment avoir été fouillés.

« A neuf heures moins deux, d'ailleurs, M. Sidoine sortit du métro; je le mis au courant en deux mots, il s'offrit aussitôt à m'aider et alla se poster boulevard Saint-Germain, en aval du carrefour, un peu plus loin que les deux gestapistes; ainsi, même si tu venais à pied...

« Comme il venait de me quitter, il y eut un afflux soudain de voyageurs. Je concentrai mon attention pour te guetter... Quand je me retournai, j'aperçus Frédéric, rue de Solférino, sur le trottoir opposé au café. Il marchait très vite; je fus frappé de son air *hagard;* à peine eus-je le temps de me demander : « Qu'est-ce qu'il fout dans ce quartier, à cette « heure-ci? Mais c'est le quartier d'Annie... « Coucherait-il enfin avec elle? » Il se mit à courir, traversa la rue et pénétra dans le café...

— C'est ahurissant...

— Alors, — mais seulement alors, — je me suis rappelé qu'il était chez Mathilde le soir où j'y fis un brillant, oh! si brillant portrait de M. Sidoine. Il connaissait donc *lui aussi* votre rendez-vous...

— La terre entière le connaissait... Tu es fait pour le travail clandestin comme un vacher pour être modiste...

— Je suis impardonnable. Tout ce qui arrive est de ma faute. Je suis plus dangereux que le pire des salauds... C'est de ma faute si ce pauvre Frédé est coincé.

— Mais qu'il ait connu le rendez-vous n'explique pas qu'il y soit allé... Il fallait que son besoin de me voir fût bien pressant pour qu'il se précipitât à un rendez-vous qui ne le concernait pas, qu'il savait important et où il était certain que sa présence inquiéterait M. Sidoine et m'agacerait...

— C'est d'autant plus surprenant qu'il est extrêmement pointilleux sur ce point... Et je t'ai déjà dit combien j'avais été frappé de son air *hagard*...

— Il s'est certainement passé *encore* quelque chose que nous ignorons.

— Donc, j'attendis, nous attendîmes. De

cinq minutes en cinq minutes, M. Sidoine venait me voir. J'avais très peur qu'il n'attirât sur nous l'attention des gestapistes. Je le suppliais de rester tranquille. Lui se trouvait partagé entre l'ennui d'arriver en retard à son bureau (pour la première fois, me confia-t-il, depuis la naissance de sa fille) et l'excitation de se trouver mêlé à une action aussi palpitante. Frédé ne sortait pas du café, toi, tu n'arrivais pas. je n'y comprenais rien.

« A neuf heures et demie, Frédé sortit entre deux hommes qui le poussèrent dans l'une des voitures. Quelques instants plus tard, Mathilde sortit en compagnie du troisième; ils se dirigèrent à pied vers la Seine. Enfin survint un garçon que j'avais à tout hasard envoyé chez moi et qui m'apportait ta lettre; je l'envoyai prévenir ses camarades que le rendez-vous du Carrousel était annulé...

— Mathilde connaît-elle le vrai nom de Frédé?

— Non, mais il lui a raconté son aventure de Toulouse. C'était trop *pittoresque,* nous n'avons pas pu tenir nos langues... Mais peut-être n'aura-t-elle rien dit, on ne pourra retenir contre lui que le fait de nous connaître, elle aura eu pitié...

— Il faut bien qu'elle « donne » quelque chose. Réfléchis qu'ils n'ont ni Carac, ni Sidoine, ni moi, ils doivent penser qu'elle s'est moquée d'eux, le malheureux Frédé va devoir payer pour tout et pour tous... Et dire que si je n'ai pas été pris en même temps que lui, c'est parce que...

— Parce que?

— Parce que la chance m'aime. »

Parce que, pense Marat, *je me suis attardé dans le lit de sa fiancée.*

Encore Marat ignore-t-il, — ignorera-t-il sans doute toujours, — que Frédé ne s'était précipité dans le guet-apens que pour lui demander des comptes, parce qu'une série de petits faits (l'absence d'Annie au rendez-vous du Dupont-Latin, la lumière éteinte dans sa chambre) avaient éveillé son hyper-lucidité d'amoureux. Ainsi parce qu'il avait couché avec la fiancée de son camarade celui-ci avait été pris *à sa place :* le destin n'a pas de morale.

VII

MARAT envoya Rodrigue à l'un des lieux convenus, la veille au soir, avec Caracalla.

Le message qu'il lui fit transmettre énumérait les faits nouveaux qui constituaient la « preuve par neuf » de la culpabilité de Mathilde. Il soulignait la gravité de l'arrestation de Frédéric. Il précisait l'adresse de Mathilde, donnait de brèves indications sur ses habitudes; un plan de son appartement était joint.

« C'est une condamnation à *mort,* fit remarquer Rodrigue.

— Aussi bien, répondit Marat, je lui en veux *à mort*... En ce moment même, par sa faute, Frédéric est en train de subir l'interrogatoire de la Gestapo, tu sais ce que ça veut dire... de subir la question... »

Ils se turent. Ils pensaient très fréquemment aux tortures que la Gestapo infligeait aux Français de la Résistance qui tombaient entre ses mains, mais ils évitaient généralement d'en parler — comme d'une chose honteuse.

« J'aimerais, ajouta Marat, la frapper de mes propres mains..., la gifler jusqu'à ce qu'elle en crève... »

Il était arrivé que Thucydide refusât de frapper une femme; il détestait l'office de bourreau dont on lui faisait parfois une obligation; si, cette fois encore, il regimbait, Marat était bien décidé à frapper lui-même. Il marcha à grands pas, sans rien voir sur son chemin, tout occupé à imaginer dans les moindres détails comment il s'y prendrait s'il lui échéait d'avoir à tuer Mathilde. Il s'imaginait pénétrant dans l'appartement bien connu, frappant au visage, s'ensanglantant les mains — et le choc mou des cartilages brisés, le visage *écrasé*...

Il se trouva, sans s'être aperçu du chemin parcouru, avenue de Clichy, chez l'ami auquel il avait confié un de ses états civils de rechange, un chirurgien-dentiste, choisi parce que sa profession l'obligeait à ne pas quitter son domicile de toute la journée. Il avait également déposé chez lui une petite valise contenant du linge et des objets de toilette; il avait eu trop souvent à aider des illégaux pour ne pas se prémunir contre le désagrément de se trouver brusquement dépourvu de tout, en un temps où le moindre achat exigeait des tickets, des bons, des inscriptions... Il se félicita vivement d'avoir pris toutes ces précautions.

Où loger? Il n'y avait pas d'inconvénient à ce qu'en attendant de trouver un nouveau meublé non déclaré, dans le genre de celui qu'il avait chez Mademoiselle, il s'installât à l'hôtel. Ses nouveaux papiers pouvaient supporter toutes espèces de vérification. Il opta pour le seul grand hôtel qui ne fût pas réquisitionné, le Bristol, faubourg Saint-Honoré! Il téléphona de chez le dentiste et eut la chance qu'une chambre avec salle de bains se trouvât libre. Tout se passait comme il avait souvent imaginé dans les moindres détails que les choses se passeraient s'il était obligé de s'enfuir de chez Mademoiselle, les événements se déroulaient comme en un rêve, il éprouvait même par moments cette insolite et presque angoissante impression qui accompagne les phénomènes de paramnésie.

Il s'inscrivit au Bristol comme venant de Charleville — telle était son adresse officielle, — industriel, — il portait le nom d'un industriel qui existait réellement, on pouvait vérifier sur le Bottin, — venu à Paris pour affaires.

Il fit le tour de la chambre, comme il faisait toujours lorsque en voyage, il arrivait dans une nouvelle chambre, il tapota les meubles de bois clair, fit fonctionner les commutateurs, ouvrit les robinets de la baignoire : il y avait de l'eau chaude, luxe insolite à Paris, en ce mois d'avril 1944.

Il eût aimé prendre un bain, se coucher, dormir. Mais il dut ressortir pour prendre contact avec le courrier de Toulouse, arrivé le jour même, porteur de documents qu'il fallut aussitôt trier; les plus urgents furent immédiatement annotés puis confiés à Rodrigue qui les porta au Centre afin qu'ils pussent être transmis le soir même à Londres. Il était huit heures quand Marat en eut fini avec Toulouse.

Il avait rendez-vous à neuf heures avec Annie. Il pensa qu'il allait devoir lui raconter l'arrestation de Frédéric, qu'elle allait pleurer, avoir, qui sait? une crise de remords, qu'il faudrait expliquer, commenter, compatir, parler, qu'il était très fatigué, qu'il n'avait « tenu » tout l'après-midi qu'en absorbant encore de l'ortédrine, que, sauf un temps incertain au début de la matinée, il n'avait pas dormi depuis l'avant-veille, qu'il n'éprouvait somme toute aucun désir pressant de revoir Annie, qu'au contraire, après les événements qui s'étaient succédé sur un rythme particulièrement rapide, il aimerait se trouver seul, mettre de l'ordre dans ses souvenirs, dormir enfin. Il rappela Rodrigue qui s'éloignait et lui demanda de porter à Annie un bref message dans lequel il s'excusait de ne pouvoir la retrouver comme convenu et lui fixait un nouveau rendez-vous pour le lendemain; le ton était celui d'une note de service, mais le pli n'était pas fermé, ce qui excusait sa sécheresse. Annie penserait qu'il n'avait pas voulu la compromettre aux yeux de Rodrigue par le ton d'un message ouvert ou davantage encore en lui envoyant un message clos; elle ne savait pas encore qu'il avait établi pour règle dans son service que tous les plis fussent clos.

A huit heures et quart, il téléphona au *Gratin Dauphinois* où Caracalla lui avait dit devoir dîner.

« Au fait, lui dit celui-ci, les médecins, de nos jours, ont vite fait d'expédier leurs patients. Vous vous rappelez l'amie dont nous parlions hier soir... la preuve par neuf... allô! allô! vous me suivez... elle a été opérée ce soir, je viens d'avoir des nouvelles... Allô! allô! oui, l'opération a réussi... »

Marat rentra au Bristol. Il prit un bain. Il se souvint d'avoir placé un livre parmi les objets de première nécessité de sa valise de secours, mais il ne se rappelait plus le titre; il fouilla sous les chemises et découvrit l'*Anabase,* édition Guillaume Budé, texte français et texte grec face à face. Il se coucha, ne laissant allumée que la lampe de chevet. Sa pensée flotta un instant sur les événements récents; il rencontra de beaux yeux, prodigieusement vivants, bouleversants : ce n'était pas ceux d'Annie; il pensa qu'il demanderait à Germain de charger la brune de porter à Paris son prochain courrier. Il ouvrit Xénophon.

La petite armée des Grecs est isolée au cœur de la Médie, à une distance infinie de la colonie grecque la plus proche, ses guides l'ont abandonnée, ses convois ont été pillés, il n'y a plus de réserves de vivres, une multitude d'ennemis, bien armés, pourvus de tout, l'entourent de toutes parts. Le chef des Perses somme les Grecs de rendre leurs armes, de capituler. Le chef des Grecs répond au messager :

« Phalinas, actuellement, comme tu le vois, il ne nous reste plus que nos armes et que notre courage. Avec nos armes, il me semble que nous pourrions tirer parti de notre courage, tandis que si nous livrons nos armes nous pourrions bien en plus perdre la vie. Ne t'imagine donc pas que nous allons vous remettre les seuls biens qui nous restent. Nous allons au contraire nous en servir pour nous battre et vous prendre les vôtres. »

Mais la plupart des chefs grecs tombent dans un guet-apens. Les éléments indigènes incorporés à l'armée grecque flanchent. Les dernières provisions sont épuisées. La situation semble vraiment sans issue. Cependant Xénophon réunit les soldats et leur parle.

« A la guerre, dit-il, vous le savez, ce n'est ni le nombre ni la force qui donnent la victoire, mais ceux qui ont, en marchant contre l'ennemi, les âmes les plus vigoureuses, ne trouvent pas le plus souvent d'adversaires qui leur résistent.

« D'ailleurs c'est pour moi une conviction personnelle, camarades, qu'à la guerre les gens qui cherchent par tous les moyens à sauver leur vie périssent ordinairement d'une mort lâche et honteuse, tandis que ceux qui comprennent que la mort est commune et fatale à tous les hommes et qui ne luttent que pour mourir avec gloire, ceux-là, je les vois plus souvent que les autres arriver à la vieillesse et, tant qu'ils vivent, avoir une existence heureuse. Convaincus de ces vérités, il faut, dans la situation où nous sommes, nous comporter nous-mêmes en hommes courageux et exhorter les autres à nous imiter. »

Les Français de la Résistance, pense Marat, *sont un peu comme les Dix Mille. Ils se trouvent (ils se trouvaient surtout à la fin de* 1940) *isolés en pays ennemi, dépourvus de tout, entourés de toutes parts par un adversaire infiniment supérieur en nombre et en armement; comment opposer nos fusils de chasse et même nos revolvers, nos mitraillettes, aux tanks, à l'artillerie, à l'aviation des Allemands? La lutte était tellement inégale qu'elle semblait folle; le seul parti apparemment raisonnable était de se rendre, de « collaborer » pour adoucir les conditions du vainqueur. Le corps indigène qui flanche, c'est la masse inerte des Français qui répètent : « Résignons-nous, nous ne devons pas oublier que nous sommes vaincus »; les traîtres qui ont permis le guet-apens où périrent les chefs grecs, nous les connaissons aussi, ils se pavanent à Vichy, à la cour du Grand Roi. Mais, comme les Dix Mille, nous avons décidé de résister malgré tout.*

Comme parmi les Dix Mille, il y a de tout dans la Résistance : des héros intègres et aussi des mercenaires, des hommes de cœur et des aigris; on s'y rencontre pour des raisons qui naguère les eussent opposés : Caracalla parce qu'il est nationaliste, Rodrigue parce qu'il est communiste. Mais entre nous tous, héros et mercenaires, hommes de cœur et aigris, nationalistes et communistes, il y a un sentiment commun : la ferme volonté « de ne pas chercher par tous les moyens à sauver notre vie », de ne pas nous incliner devant le plus fort, de ne pas céder au destin contraire, de ne pas NOUS RÉSIGNER, *la volonté de* RÉSISTER.

Et c'est pourquoi aussi, bien qu'il soit général, bien qu'il ait été, dit-on, royaliste, j'ai accepté de combattre sous le commandement de de Gaulle; il a été le premier, à une époque où presque tous désespéraient, à proclamer qu'il fallait résister, à refuser de rendre les armes.

Marat poursuit sa lecture :

« Et maintenant, continue Xénophon, je vais vous rappeler les dangers que coururent vos ancêtres, pour que vous sachiez combien il est important d'être brave et que les braves se sauvent même des périls les plus effrayants. Quand les Perses et ceux qui les accompagnaient vinrent en nombre immense pour anéantir Athènes, les Athéniens osèrent leur tenir tête tout seuls, et ils les vainquirent... Plus tard, quand Xerxès eut réuni son innombrable armée et qu'il marcha contre l'Hellade, encore une fois alors nos ancêtres vainquirent les ancêtres de nos ennemis et sur terre et sur mer. On peut voir dans les trophées des témoignages de ces victoires; mais le témoignage le plus certain que nous en ayons, c'est la liberté des cités dans lesquelles, vous autres Grecs, êtes nés et où vous avez grandi : AUCUN HOMME, EN EFFET, N'EST ADORÉ PAR VOUS COMME ÉTANT VOTRE MAITRE. Voilà les ancêtres dont vous êtes les fils. »

Marat ferme le livre. Les draps, au pli encore visible, sont frais. Il s'étire. Il se sent dispos sous sa lassitude. Il croit qu'il va doucement glisser dans le sommeil en pensant à l'éthique des Dix Mille, à l'éthique de la Résistance, à l'éthique de la Révolution qui aussi bien est la même puisque le révolutionnaire est celui qui ne se résigne pas au malheur de l'homme.

Mais ce soir-là encore il devra avaler une tablette de gardénal pour dormir, car la pensée de Frédéric, dont c'est la première nuit de captivité, vit sourdement en lui, resurgit dès que son attention se relâche, s'impose, insistante, poignante, intolérable. Au cours de ces dernières semaines, il n'a eu aucune tendresse pour Frédéric, le puceau l'a agacé, le grand dadais empêtré dans toutes les idéologies du siècle l'a irrité, il a blâmé en lui la pensée confuse qui est à l'origine de toutes les déviations qui ont paralysé jusqu'ici les mouvements ouvriers en France, il a dénoncé son christianisme inconscient. il en a fait la personnification de l'esprit faux. Il a passé la nuit précédente avec sa fiancée. Il sent cependant dans sa propre chair les souffrances de Frédéric, car ils ont mené le même combat, ils ont *résisté* côte à côte, ils sont tous deux de la race qui dit « non », Frédéric est un des Dix Mille, son camarade.

Table

ŒUVRES DE ROGER VAILLAND

Aux Éditions Buchet-Chastel :

325.000 FRANCS.
BON PIED BON ŒIL.
DRÔLE DE JEU.
HÉLOÏSE ET ABÉLARD.
UN HOMME DU PEUPLE SOUS LA RÉVOLUTION.

Chez d'autres Éditeurs :

LE SURRÉALISME CONTRE LA RÉVOLUTION.
EXPÉRIENCE DU DRAME.
QUELQUES RÉFLEXIONS SUR LA SINGULARITÉ D'ÊTRE FRANÇAIS.
ESQUISSE POUR LE PORTRAIT DU VRAI LIBERTIN.
LA BATAILLE D'ALSACE.
LACLOS.
UN JEUNE HOMME SEUL.
LA LOI.
LA FÊTE.
BEAU MASQUE.
LES MAUVAIS COUPS.
MONSIEUR JEAN.

Le Livre de Poche Biblio

Extrait du catalogue

LE LIVRE de POCHE

Sherwood ANDERSON
Pauvre Blanc

Guillaume APOLLINAIRE
L'Hérésiarque et Cie

Miguel Angel ASTURIAS
Le Pape vert

James BALDWIN
Harlem Quartet

Djuna BARNES
La Passion

Adolfo BIOY CASARES
Journal de la guerre au cochon

Karen BLIXEN
Sept contes gothiques

Mikhail BOULGAKOV
La Garde blanche
Le Maître et Marguerite
J'ai tué
Les Œufs fatidiques

Ivan BOUNINE
Les Allées sombres

André BRETON
Anthologie de l'humour noir
Arcane 17

Erskine CALDWELL
Les Braves Gens du Tennessee

Italo CALVINO
Le Vicomte pourfendu

Elias CANETTI
Histoire d'une jeunesse - *La langue sauvée*
Histoire d'une vie - *Le flambeau dans l'oreille*
Les Voix de Marrakech
Le Témoin auriculaire

Raymond CARVER
Les Vitamines du bonheur

Blaise CENDRARS
Rhum

Varlam CHALAMOV
La Nuit

Jacques CHARDONNE
Les Destinées sentimentales
L'Amour c'est beaucoup plus que l'amour

Hugo CLAUS
Honte

Joseph CONRAD et Ford MADOX FORD
L'Aventure

René CREVEL
La Mort difficile

Alfred DÖBLIN
Le Tigre bleu

Iouri DOMBROVSKI
La Faculté de l'inutile

Lawrence DURRELL
Cefalù

Friedrich DURRENMATT
La Panne
La Visite de la vieille dame
La Mission

Jean GIONO
Mort d'un personnage
Le Serpent d'étoiles

Lars GUSTAFSSON
La Mort d'un apiculteur

Knut HAMSUN
La Faim

Henry JAMES
Roderick Hudson
Le Coupe d'or
Le Tour d'écrou

Ernst JÜNGER
Jardins et routes *(Journal I, 1939-1940)*
Premier journal parisien *(Journal II, 1941-1943)*
Second journal parisien *(Journal III, 1943-1945)*
La Cabane dans la vigne *(Journal IV, 1945-1948)*
Héliopolis
Abeilles de verre
Orages d'acier

Ismaïl KADARÉ
Avril brisé
Qui a ramené Doruntine ?
Le Général de l'armée morte

Franz KAFKA
Journal

Yasunari KAWABATA
Les Belles Endormies
Pays de neige
La Danseuse d'Izu
Le Lac
Kyôto

Le Grondement de la montagne
Le Maître ou le tournoi de go

Andrzeij KUSNIEWICZ
L'État d'apesanteur

Pär LAGERKVIST
Barabbas

D.H. LAWRENCE
Le Serpent à plumes

Primo LEVI
Lilith

Sinclair LEWIS
Babbitt

LUXUN
Histoire d'AQ : Véridique biographie

Carson McCULLERS
Le Cœur est un chasseur solitaire
Reflets dans un œil d'or
La Ballade du café triste
L'Horloge sans aiguilles

Naguib MAHFOUZ
Impasse des deux palais

Thomas MANN
Le Docteur Faustus

Katherine MANSFIELD
La Journée de Mr. Reginald Peacock

Henry MILLER
Un diable au paradis
Le Colosse de Maroussi
Max et les phagocytes

Vladimir NABOKOV
Ada ou l'ardeur

Anaïs NIN
Journal 1 - *1931-1934*
Journal 2 - *1934-1939*
Journal 3 - *1939-1944*
Journal 4 - *1944-1947*

Joyce Carol OATES
Le Pays des merveilles

Edna O'BRIEN
Un cœur fanatique
Une rose dans le cœur

PA KIN
Famille

Mervyn PEAKE
Titus d'Enfer

Robert PENN WARREN
Les Fous du roi

Leo PERUTZ
La Neige de saint Pierre
La Troisième Balle

Luigi PIRANDELLO
La Dernière Séquence

Ezra POUND
Les Cantos

Augusto ROA BASTOS
Moi, le Suprême

Raymond ROUSSEL
Impressions d'Afrique

Salman RUSHDIE
Les Enfants de minuit

Arthur SCHNITZLER
Vienne au crépuscule
Une jeunesse viennoise

Isaac Bashevis SINGER
Shosha
Le Blasphémateur
Le Manoir
Le Domaine

Alexandre VIALATTE
La Dame du Job
La Maison du joueur de flûte

Thornton WILDER
Le Pont du roi Saint-Louis
Mr. North

Virginia WOOLF
Orlando
Les Vagues
Mrs. Dalloway
La Promenade au phare
La Chambre de Jacob
Années
Entre les actes
Flush
Instants de vie

Kenizé Mourad

De la part de la princesse morte 6565

« Ceci est l'histoire de ma mère, la princesse Selma, née dans un palais d'Istamboul... »

Ce pourrait être le début d'un conte; c'est une histoire authentique qui commence en 1918 à la cour du dernier sultan de l'Empire ottoman.

Selma a sept ans quand elle voit s'écrouler cet empire. Condamnée à l'exil, la famille impériale s'installe au Liban. Selma, qui a perdu à la fois son pays et son père, y sera « la princesse aux bas reprisés »

C'est à Beyrouth qu'elle grandira et rencontrera son premier amour, un jeune chef druze; amour tôt brisé. Selma acceptera alors d'épouser un raja indien qu'elle n'a jamais vu. Aux Indes, elle vivra les fastes des maharajas, les derniers jours de l'Empire britannique et la lutte pour l'indépendance. Mais là, comme au Liban, elle reste « l'étrangère » et elle finira par s'enfuir à Paris où elle trouvera enfin le véritable amour. La guerre l'en séparera et elle mourra dans la misère, à vingt-neuf ans, après avoir donné naissance à une fille : l'auteur de ce récit.

Grand Prix littéraire des lectrices de « Elle » 1988.

Il serait impardonnable de passer à côté d'une authentique merveille...

Claude Servan-Schreiber, *Marie-France.*

Edmond Rostand

Cyrano de Bergerac 873

Introduction, commentaires et notes de Pierre Citti

Le nez de Cyrano s'est mis en travers de son cœur. La belle Roxane aime ailleurs, en l'espèce un cadet sans esprit mais de belle apparence, Christian de Neuvillette.

La pièce de Rostand met en scène la tragique complicité entre deux moitiés d'homme, et s'achève sur une évidence en forme d'espérance : sous les traits de Christian, c'était l'âme de Cyrano qu'aimait Roxane.

Avec ce drame en cinq actes, au travers des reprises ou des adaptations cinématographiques, Rostand a connu et connaît un triomphe ininterrompu et planétaire. Pourquoi ? A cause des qualités d'écriture, des vertus dramatiques ou de la réussite du personnage principal de la pièce ? Sans doute, pour une part. Mais la raison profonde tient à son art de caresser l'un de nos plus anciens mythes : il n'est pas de justice ici-bas, ni d'amour heureux. Presque pas. Et tout est dans cette manière de nous camper sur cette frontière, entre rêve et réalité, entre lune et terre.

André Brink

Etats d'urgence 6712

Dans un pays où a été proclamé l'état d'urgence, où les trois quarts de la population sont privés des droits les plus élémentaires, où l'on ne peut ni se déplacer ni s'exprimer comme on le souhaite, où la liberté reste un mot et rien de plus – peut-on encore aimer, mener une existence d'homme, une existence de femme comme les autres ? Peut-on encore créer, trouver dans l'art ce que le quotidien vous refuse ? Mais l'amour, mais la création ne sont-ils pas eux aussi des domaines, des territoires où l'on vit en *état d'urgence* ?

On ne regrette jamais d'avoir lu un roman d'André Brink. Celui-ci, en particulier. A cause de sa merveilleuse qualité littéraire, de sa langue somptueuse et des personnages de passion qui l'habitent.

Pierre Emonet, *Choisir.*

Dans un pays déchiré, saccagé comme l'Afrique du Sud, est-il encore possible d'écrire une histoire d'amour ? Etats d'urgence *est une réponse vibrante à cette question vitale.*

Catherine David, *Le Nouvel Observateur.*

Un roman d'amour qui est un réquisitoire désespéré contre l'apartheid. Emouvant et fort..

Jean David, *V.S.D.*

Naguib Mahfouz

Impasse des deux palais 3125

« La rue d'al-Nahhasin n'était pas une rue calme... La harangue des camelots, le marchandage des clients, les invocations des illuminés de passage, les plaisanteries des chalands s'y fondaient en un concert de voix pointues... Les questions les plus privées en pénétraient les moindres recoins, s'élevaient jusqu'à ses minarets... Pourtant, une clameur soudaine s'éleva, d'abord lointaine, comme le mugissement des vagues, elle commença à s'enfler, s'amplifier, jusqu'à ressembler à la plainte sibilante du vent... Elle semblait étrange, insolite, même dans cette rue criante... »

Naguib Mahfouz.

C'est ici, dans les rues du Caire, que Naguib Mahfouz, le « Zola du Nil », a promené son miroir et capté toutes les facettes d'une société égyptienne en pleine évolution.

Naguib Mahfouz est le premier écrivain de langue arabe à avoir reçu, en 1988, le prix Nobel de Littérature.

Jana Černá

Vie de Milena 6747

Jana Černá était encore jeune fille lorsqu'elle vit, en 1940, pour la dernière fois, sa mère, Milena Jesenská, dans les couloirs de la prison de la Gestapo à Prague. Quatre ans plus tard, elle apprend sa mort.

Par la suite, le nom de Milena ne cesse de hanter l'opinion publique. En Tchécoslovaquie, elle est déclarée *persona non grata* à cause de ses prises de position antistaliniennes exprimées dans les journaux de l'époque.

Dans les pays de langue allemande, la publication des *Lettres à Milena,* de Kafka, porte un coup de projecteur sur sa vie privée.

Jana Černá retrace la vie de sa mère à partir de ses propres souvenirs, de témoignages récoltés auprès d'amis et d'ennemis de Milena, de correspondances et d'articles. Elle nous révèle l'image fascinante d'une femme insolite et courageuse, pleine de contradiction et de désinvolture, qui jamais, ne serait-ce qu'un instant, n'a cessé de lutter pour que la vie ait un sens, et la sienne une authenticité.

Milena Jesenská revit au cinéma sous les traits de Valérie Kaprisky, dans un film de Vera Belmont.

Noah Gordon

Le Médecin d'Ispahan

Londres, en l'an 1021. Orphelin, Rob J. Cole, neuf ans, est recueilli par un barbier-chirurgien et devient son apprenti. Ensemble, ils sillonnent l'Angleterre. C'est une époque où l'on brûle les sorcières, où la vie est dure et la mort vite venue...

Mais Rob n'a qu'une idée en tête : devenir médecin et il a un terrible don : il sent si un patient va mourir lorsqu'il lui prend la main.

Ayant appris qu'on peut étudier sérieusement la médecine chez les Arabes, Rob n'hésite pas et, à vingt ans, le voilà qui traverse l'Europe pour gagner l'Orient. Comme chez les Arabes, on n'admet pas les chrétiens, il va se faire passer pour juif...

Le Médecin d'Ispahan est un formidable roman d'aventures. C'est l'histoire d'un homme enflammé d'une passion dévorante : vaincre la mort et la maladie, guérir. Pour atteindre son but, il fuira la brutalité et l'ignorance de l'Angleterre du XIe siècle, traversera tout un continent pour découvrir la cour de Perse, le monde étonnant des universités arabes et la chaude sensualité des palais d'Ispahan. Et, dominant tout cela, *Le Médecin d'Ispahan* est la magnifique histoire d'un amour que rien ne parvient à détruire.

Salman Rushdie

Les Enfants de minuit 3122

« Je suis né dans la maternité du docteur Narlikar, le 15 août 1947. (...) Il faut tout dire : à l'instant précis où l'Inde accédait à l'indépendance, j'ai dégringolé dans le monde. Il y avait des halètements. Et, dehors, de l'autre côté de la fenêtre, des feux d'artifice et la foule. Quelques secondes plus tard, mon père se cassa le gros orteil; mais cet incident ne fut qu'une vétille comparé à ce qui m'était arrivé, dans cet instant nocturne, parce que grâce à la tyrannie occulte des horloges affables et accueillantes, j'avais été mystérieusement enchaîné à l'histoire, et mon destin indissolublement lié à celui de mon pays. (...) Moi, Saleem Sinai, appelé successivement par la suite Morve-au-Nez, Bouille-Sale, Déplumé, Renifleux, Bouddha et même Quartier-de-Lune, je fus étroitement mêlé au destin – dans le meilleur des cas, un type d'implication très dangereux. Et, à l'époque, je ne pouvais même pas me moucher. »

Saga baroque et burlesque qui se déroule au cœur de l'Inde moderne, mais aussi pamphlet politique impitoyable, Les Enfants de minuit *est le livre le plus réussi et le plus attachant de Salman Rushdie. Traduit en quinze langues, il a reçu en 1981 le* Booker Prize.

Franz Werfel

Les 40 jours de Musa Dagh 6669

1915. Les Jeunes Turcs procèdent à la liquidation des élites arméniennes et des conscrits arméniens qu'ils ont préalablement désarmés. On organise alors systématiquement sur l'ensemble du territoire la déportation des populations arméniennes qui sont exterminées en chemin, au cours du premier génocide du XXe siècle.

Au nord-ouest de la Syrie ottomane, les villageois arméniens groupés aux flancs du Musa Dagh (« la Montagne de Moïse ») refusent la déportation et gagnent la montagne. Ils résistent plus d'un mois durant aux assauts répétés des corps d'armée ottomans; l'arrivée providentielle des navires français et anglais au large d'Alexandrette met fin à leur épreuve. A partir de ces épisodes authentiques, Franz Werfel a bâti un grand roman épique qui ressuscite « l'inconcevable destinée du peuple arménien ».

Qu'il relève du domaine de l'imaginaire ou de celui de la mémoire, ce roman est un chef-d'œuvre.

Elie Wiesel.

Cahiers de l'Herne

(Extraits du catalogue du Livre de Poche)

Julien Gracq 4069

Julien Gracq, le dernier des grands auteurs mythiques de la littérature contemporaine. Par Jünger, Buzzati, Béalu, Juin, Mandiargues, etc. Et un texte de Gracq sur le surréalisme.

Samuel Beckett 4934

Mystères d'un homme et fulgurance d'une œuvre. Des textes de Cioran, Kristéva, Cixous, Bishop, etc.

Louis-Ferdinand Céline 4081

Dans ce Cahier désormais classique, Céline apparaît dans sa somptueuse diversité : le polémiste, l'écrivain, le casseur de langue, l'inventeur de syntaxe, le politique, l'exilé.

Mircea Eliade 4033

Une œuvre monumentale. Un homme d'exception, attaché à l'élucidation passionnée des ressorts secrets de la vie de l'esprit. Par Dumézil, Durand, de Gandillac, Cioran, Masui...

Martin Heidegger 4048

L'œuvre philosophique la plus considérable du XXe siècle. La métaphysique, la pensée de l'Être, la technique, la théologie, l'engagement politique. Des intervenants prestigieux, des commentaires judicieux.

René Char 4092

Engagé dans le surréalisme et chef de maquis durant la seconde guerre mondiale, poète de la dignité dans l'épreuve et chantre de la fraternité des hommes, René Char confère à son écriture, au lyrisme incantatoire, le style d'un acte et les leçons d'un optimisme en alerte. Par Bataille, Heidegger, Reverdy, Eluard, Picon, O. Paz...

Jorge Luis Borges 4101

Enquêtes, fictions, analyses, poésie, chroniques. L'œuvre, dérive dans tous les compartiments de la création. Avec Caillois, Sabato, Ollier, Wahl, Bénichou...

Francis Ponge 4108

La poésie, coïncidence du parti pris des choses et de la nécessité d'expression. Quand le langage suscite un strict analogue du galet, de l'œillet, du morceau de pain, du radiateur parabolique, de la savonnette et du cheval. Avec Gracq, Tardieu, Butor, Etiemble, Bourdieu, Derrida...

Henri Michaux 4107

La conscience aux prises avec les formes et les intensités de la création. Par Blanchot, Starobinsky, Lefort, Bellour, Poulet...

IMPRIMÉ EN FRANCE PAR BRODARD ET TAUPIN
Usine de La Flèche (Sarthe).
LIBRAIRIE GÉNÉRALE FRANÇAISE - 6, rue Pierre-Sarrazin - 75006 Paris.

ISBN : 2 - 253 - 02935 - 1

30/0640/0